**WISSEL**

Terugbezorgen

GEU OKT 2011

SLM FEB 2014

Cen   JAN 2015

IBU  MEI 2017

WWW.OBA.NL

# imparatorluğun
## son akşamı
#### kuşçubaşı eşref

HAKAN KAĞAN

# imparatorluğun
# son akşamı
## kuşçubaşı eşref

HAKAN KAĞAN

*Bu kitap*
***Emine Eroğlu*'**nun** *yayın yönetmenliğinde,*
***Seval Akbıyık*'**ın** *editörlüğünde*
*yayına hazırlandı.*
*Kapak tasarımı* ***Ravza Kızıltuğ,***
*iç mizanpajı* ***Sibel Yalçın***
*tarafından yapıldı.*
*2. baskı 2008 Temmuz ayında 3000 adet*
*yayımlandı.*
*Kitabın Uluslararası Seri Numarası*
*(ISBN) : 978-975-263-762-7*

***Baskı ve cilt:***
*Sistem Matbaacılık*
*Yılanlı Ayazma Sok. No: 8*
*Davutpaşa-Topkapı/İstanbul*
*Tel: (0212) 482 11 01*

TİMAŞ YAYINLARI

***İrtibat :*** *Alayköşkü Cad. No: 11*
*Cağaloğlu / İstanbul*
***Yazışma :*** *P.K. 50 Sirkeci / İstanbul*
***Telefon :*** *(0212) 511 24 24*
***Faks :*** *(0212) 512 40 00*

***www.timas.com.tr***
***timas@timas.com.tr***

KÜLTÜR BAKANLIĞI YAYINCILIK
SERTİFİKA NO: 1206-34-003089
TİMAŞ YAYINLARI/1838
TARİH ROMAN/5

# imparatorluğun
## son akşamı      HAKAN KAĞAN
### kuşçubaşı eşref

TİMAŞ YAYINLARI
İSTANBUL 2008

HAKAN KAĞAN

*1974 yılında Kars'ın Selim ilçesi Gürbüzler köyünde dünyaya geldi. İlköğrenimini Gürbüzler Köyü İlkokulu'nda, ortaöğrenimini Konya Gazi Lisesi'nde tamamladı. 1998 yılında Abant İzzet Baysal Üniversitesi'nden mezun oldu. Aynı yıl Kırıkkale'de Özel Eğitim Öğretmeni olarak göreve başladı. Halen öğretmenlik mesleğine devam eden Hakan Kağan, 2007 yılında Milli Eğitim Bakanlığı'nın idareci ve öğretmenlerin eğitimi amacıyla verdiği hizmet içi seminerlerinde "eğitim görevlisi" olarak görev aldı. Özel eğitim, aile eğitimi ve rehberliği konularında seminerler veren Hakan Kağan, evli ve üç çocuk babası.*

# SUNUŞ

Eşref Kuşçubaşı, son dönem tarihimizde dikkati üzerine çeken, cıva gibi bir kahramandı. Daha lise çağlarında, o zamanki moda fikirlere kendini kapatırdı, hürriyetçi kesildi. İstanbul'dan uzaklaşması için Edirne Askeri Lisesi'ne nakledildi. Sonraki öğrenimini de İstanbul'un dışında tamamladı.

Hürriyet ateşinin Arapların içinde alevlenmesi için çalışmalar yaptı. Fakat çok geçmeden, rejim aleyhtarlığının, emperyalistlerin sinsi tahrikleriyle bölücülüğe dönüştüğünü fark etti. Bunlarla mücadele etmek için bir teşkilat kurdu. Miralay Rasim Bey, bu organizasyona "Teşkilat-ı Mahsusa" adını verdi. Osmanlı'nın tarih sahnesinden çekilmesiyle Müslümanların sahipsiz kalacağına inanan Şerif el-Tunusi, Şeyh Sünusi, Şekip Aslan, İsmail Canbolat, Mehmet Akif ve daha pek çok ünlü de onunla birlikte hareket etti. 1913 yılının Ekim ayına kadar gönüllü bir kuruluş olan Teşkilat-ı Mahsusa, Enver Paşa'nın ısrarıyla devletin resmî bir kurumuna dönüştü. Ondan sonra, Mehmet Akif, Şekip Aslan gibi ilimde irfanda ün yapmış değerli insanların bu kurumla ilgisi kalmadı ama milletçe ne zaman ihtiyaç duyulmuşsa, hizmetlerini esirgemediler.

Dünyanın petrolden dolayı bir savaşa sürüklendiği belliydi. İtalyanlar hem yayılmak, hem de arzu ettikleri blokta yer alabilmek gayesiyle Akdeniz'deki hâkimiyetlerini tartışmasız duruma getirmek için Trablusgarp'ı işgal etmeye kalkıştılar. Enver Bey'le Eşref Bey oraya gitmeye karar verdiler. Başarılı olurlarsa, Osmanlı'nın bazı genç subayları da onları takip edecekti. Mısır'daki Müslümanlar, Libyalılar ve bilhassa Şeyh Sünusi umdukları desteği fazlasıyla verince, İtalyanlarla aralarında çetin bir mücadele başladı. Mustafa Kemal, Fuat (Bulca), Deli Fuat Paşa'nın çocukları Halid ve Hayrettin ve Çerkez Ethem'in ağabeyi Reşit Bey'in de aralarında bulunduğu genç subaylar Libya'ya gittiler.

Bu sırada Balkan Savaşı patlak verdi; Bulgarlar Büyükçekmece Gölü'nün yanında bulunan Muratlı tepelerine kadar geldiler. Hükümetimiz ve paşalarımızın pek çoğu, İstanbul'u kurtarmanın peşine düştü. Londra'da toplanan devletler Enez-Midye hattının sınır olmasını kabul ettiler. Fakat Bulgarlar bu hatta çekilmiyor, Yunanistan'la aralarındaki toprak anlaşmazlığını çözüp İstanbul'u almak istiyorlardı. Dünyanın şartları da buna elverişliydi; mesela Alman İmparatoru, "İstanbul, Bulgaristan'a yakışır" diyordu. Sadrazam Kamil Paşa ise, Enez-Midye hattından başlayan bugünkü Trakya topraklarımızda bir tampon devlet kurmakla İstanbul'u kurtaracağını ümit ediyordu. Ortam çok karışık olsa da, belki bir şeyler yapabilirler ümidiyle geri çağırılınca, Enver ve Eşref Beyler, Libya'daki diğer genç subaylar, Zenci Musa, Mamaka Mustafa gibi fedailer buraya döndüler. Enver Bey, kendisini yarbay olarak, Muratlı tepelerinde bulunan Onuncu Kolorduya Kurmay Başkanı tayin ettirdi.

Teşkilat-ı Mahsusa tarafından yurdun değişik bölgelerinden gizlice gönüllüler toplandı. Eşref Bey, Cihangiroğlu İbrahim ve Selim Sami tarafından Taksim ve Metris kışlalarında eğitilen gönüllülerin arasına sivil kıyafetle pek çok asker de katıldı. Bir gece kayıkla Marmara'nın sularından beş onbaşı ile düşmanın arasına sızan Mamaka Mustafa, Muratlı tepelerini Edirne'deki Bulgar karargâhına bağlayan telleri kestiğini haber veren lambayı patlatınca, Eşref Bey'in fedaileri husule gelen şaşkınlıktan yararlanarak saldırıyı başlattılar. "İkinci Balkan Harbi" denen bu savaşı "Türk Gönüllü Kuvvetleri Kumandanı" olarak Eşref Bey başarıyla yönetti.

Birinci Dünya Savaşı'nda nerede yangın varsa, orada Eşref Bey'i ve Teşkilat-ı Mahsusa'nın fedailerini görüyoruz. Mesela çok çetin bir taarruz olan Kanal Harekâtı'nda oradaydılar. Hiç umulmadık biçimde Kanal'ı geçtiler; ne yazık ki beklenen takviye gelmedi.

O sırada Yemen'e üç yüz bin altın götürüyorlardı. Bunun yarısını San'a'daki Yedinci Kolordu'ya bırakacak, diğer yarısıyla da İmam Yahya'nın askerlerini teşkilatlandırıp ardından gelecek Şerif Hüseyin'in kuvvetlerini vuracaklardı. Yemen'in Cembele mevkiinde 12 Ocak 1917'de, Eşref Bey kırk üç mücahidiyle İngiliz ve Fransız subaylarının kumandasındaki yirmi beş bin kişilik orduya karşı bir gün bir gece savaştıktan sonra esir düşüp Malta'ya sürüldü.

Eşref Bey'in Milli Mücadele'nin başlangıcında nasıl hizmetler yaptığını Başbakanlarımızdan Rauf Orbay "Siyasi Hatıraları"nın ilk cildinin on birinci sayfasında şöyle anlatır: "Süleyman Askeri, Kuşçubaşı Eşref ve kardeşi Sami ile bazı arkadaşlarının, Osmanlı Devleti Avrupa devletlerinin baskısından bunalınca, bu sıkıntıyı ortadan kaldırmak için Batı Trakya Cumhuriyeti diye özerk bir devlet kurduklarını biliyoruz. Bu bağımsız gibi hareket eden, fakat Osmanlı'nın İttihatçı kanadına bağlı tutumunu koruyan devletin, ortak baskılar yüzünden feshedilmesi gerekti. Feshettiler. Fakat devletin elinde bırakılmış bazı paralar ve Bulgaristan'dan ganimet olarak ele geçirilmiş sürüler vardı. Bunları sattılar ve elde edilen parayı altına çevirerek Kuşçubaşı Eşref'e teslim ettiler. Kuşçubaşı Eşref de, bir gün gerekeceğini düşünerek paraları çiftliğine gömdü. Bu parayı bana anlattığı için biliyorum. Ayrıca Enver Paşa, savaşın kaybedileceğini kestirince, ülkenin istila edilmesi halinde gerilla savaşı yapılması için, bazı yerlere silah yerleştirmişti. Bu yerlerden biri de Kuşçubaşı'nın çiftliği idi. Hem silahlar hem altınlar son derece özen gösterilerek gömülmüştü.

Anadolu mukavemeti kararı alınınca, ben bu altınları ve silahları Mustafa Kemal Paşa'nın emrine verdim."

Mehmet Akif, Milli Mücadele hareketine katılmak üzere İstanbul'dan Ankara'ya giderken, çete savaşlarıyla Geyve Boğazı'nı açık tutarak bu ihtilali sağlayan Kuşçubaşı ile Yenibahçeli Şükrü'ye rastladığını belirtir. Fevzi Paşa, İsmet Paşa ve daha pek çok önemli kişi de aynı yoldan faydalanmıştır.

Hakan Kağan, bana milletimizin bu çelik yürekli evladını anlatan bir roman yazmaya başladığını bildirdiğinde çok mutlu olmuştum. Yeni nesiller Eşref Kuşçubaşı'nı tanır, onun gibi idealist olmayı benimserlerse, yeni Kuşçubaşılara kavuşabiliriz. Bunların illa ki savaşlarda yiğitlik göstermeleri gerekmez. Bilim ve sanat cefaya katlanmak ister, hayatını vermeyen, bunlardan hiçbir şey elde edemez. Fizik, kimya, matematik ve diğer bilimlerde gösterilecek fedakârlıklarla Batı ile aramızdaki farkın kapanması sağlanabilir. İdealizmin, fedakârlığın olmadığı yerde hiçbir şey gerçekleşmez. Bunun için, Eşref Bey'in hareketleri çok önemlidir. Hakan Kağan konunun altından yüzünün akıyla kalkmış, Eşref Bey'i bize yakından tanıtmıştır. Bu toprağın çocuğu olarak kendisine teşekkür ediyor, yeni eserlerle ilim ve irfan dünyamızı zenginleştirmesini diliyorum.

*Mehmet Niyazi*
*Nisan* 2008

# İLKSÖZ

– Ya Hazreti Bey! Ya Hazreti Bey!

– Kaç kişidir gelenler?

– Zeyl el-cerat... Zeyl el-cerat...* Yer gök insan kesilmiş, üstümüze yürüyor...

Karanlık bir köşede remil bakan bir bedevi, uçuşan kumların bir yapıp bir bozduğu tepecikler, uzaklaşan gölgeler, patlayan İngiliz silahları, makineli silah tertibinden sağa sola saçılan mermiler, kafileden olabildiğince uzaklaşmaya çalışan Arap Musa, yağmalanan hazine... Kanlar içinde sağa sola savrulan insanlar... Derin bir uykuda, iradesinin dışında gezinen hayaller...

Uzandığı yerden kalkmaya çalıştı. İlk denemesinde başaramadı. Beyaz ketenden dikilmiş uzun elbisesini topladı. Çıplak ayaklarıyla boyalı tahtaya basıp biraz dinlendi. Toz toprak olmuş bedenlerin ruhları, etrafında dönüyor gibiydi...

Geçmişi bazen ümit dalgaları, bazen de kesif bir sıkıntı olup odasını dolduruyordu. Bir zamanlar, yarısından çoğunu idealleri için kat ettiği dünyayı yeniden görmek isteyen ruhu, bedenine söz geçiremiyordu. Oysa hayalleri... Yattığı odanın boş duvarlarından yankılanıyor, etrafını çepeçevre kuşatıyordu.

---

* Çekirge sürüsü

"Ne olurdu?" dedi ağlamaklı bir sesle. "Yüce Yaratıcı, bedenimi soldurduğu gibi hayallerimi ve ideallerimi de soldursaydı."

Sureti bir ölününkini andırıyordu; teni soluk beyaz bir renk almıştı. Kalktı, cama doğru yürüdü. Geceden beri, hislerine dinginlik veren yağmurun sesi kesilmişti ama pencereden yüzüne çarpan serin rüzgâr, çöllerde kavrulmuş yorgun ruhuna tatlı bir rahatlık ve hafiflik yayıyordu.

"Ne kadar farklı bu topraklar, ne kadar da güzel... Neydi acaba bizi o kum fırtınalarına, sam rüzgârlarına çeken? Kader mi?"

Bir zamanlar, at sırtında tozu dumana kattığı dağlara baktı. Dağlarına... O dağlar ki; kat kat, üst üste dizilmiş duman balyalarıydı. İçini büyük bir pişmanlık kapladı. Dağlardaki buğulanma, kararsız hatıralara sürüklüyordu savaşçıyı. Çok şey vardı yâd edilecek ama hangi hatırasına uzansa ayrıntılar teker teker kayıp gidiyordu gözbebeklerinden.

Uzun zaman olmuştu bu çiftliğe kapanalı. Gözyaşları, kızarmış yanaklarından süzülüyordu. Bir şiirin hikmet barındıran mısraları gibi dağınıktı her şey... Zayıf bedenini yatağa bırakırken büyük bir rahatlama hissetti. Hatıralar yine gözlerinin önündeydi...

Enver'in al, dor, kır atlarla Makedonya dağlarında pusuya yatmış bir kurt gibi bir anda belirip çetelerin içine dalışı... Mustafa Kemal'in tarihî harabelerde kanayan gözünü mendille tutup diğer elindeki kılıçla ileri atılıp hücuma devam etmek için çırpınışları... Kardeşi Sami'nin Kafkaslarda at sırtında geçirdiği zor günler... Süleyman Askeri'nin Şuaybiye önlerindeki çaresiz haykırışları... Arap Musa'yla Kanal'da İngiliz gemilerinin hareketini önlemek için iptidaî şartlarda hazırladıkları bombaları, pırlantadan bir ışık huzmesi gibi süzülen suya bırakmaları... Musa'yla, İngilizlere çalışan ajanların cansız bedenlerini, ıssız çölde rüzgârla beraber yer değiştiren kum tepecikleri altında bırakıp gönül rahatlığı içinde geri döndükleri operasyonlar... Hangisi yâd edilmeli, hangisine saygıyla bakılmalı?

Giderek yoğun bir melankoli halini alan hayaller onu, hayatı-
nın dönüm noktalarından birine götürdü. Boşlukta uçuşan sesle-
re kulak verdi. Sesler, bir kapı tıklamasına benziyordu...

Büyük bir belirsizlik içinde kendini görmeye çalışsa da buna
muvaffak olamıyordu. Yanında duran ince yüzlü, naif delikan-
lıyı fark etti. Yüzünün teferruatlarını inceliyor, sanki onda ken-
disini görüyordu. Şuaybiye'de vefat eden ince yüzlü arkadaşıydı
bu. Sevgi, bağlılık ve kıskançlık duygularının hepsini efsunlu bir
gölge gibi üzerinde taşıyan adam, şimdi karşısında durmuş, derin
bir boşluk içinden ona bakıyordu. Terleyen parmakları bir mus-
kanın üzerindeydi, Süleyman ise içinde... Sesler, sesler, sesler...
Uzayıp kısalan gölgeler...

Her şeyi toz eden, tozu yok eden zaman... İnsan zamana ne
yapabilirdi ki? Geçmişte uzayan gölgeler ve artan sesler onu, ten-
ha sokaklarda sır gibi gizlenen bir eve götürdü. İçeride birileri
kısık seslerle konuşuyordu. Kulak kesilip sessizce dinledi.

– Kimsiniz?

– Halas.

– Nereye, ne için geldiğinizi biliyor musunuz?

– Evet. Bir cemiyet-i mukaddese vatan ve millet için hizmet
etmeye geldik.

– Bu cevabın doğruluğuna yemin edebilir misiniz?

– Allah, bayrak, namus üzerine yemin ederim.

Kapı açıldı. Kuşçubaşı olanları dikkatlice dinliyordu. Bir an
sessizlik oldu. Sonra sağ elinin Kur'an, sol elininse bir tabanca-
nın üzerine durduğunu fark etti. Elleri yanıyordu... Alevler elle-
rinden vücuduna yayılıyordu. Gözlerini kapatan siyah bezi, ya-
nına gelen arkadaşı indirdi. Biraz önce içini kaplayan korkuların
yerini gurur aldı. Loş ışıkta, yüzlerinde siyah peçeleri, sırtlarında
yerlere kadar sarkan kırmızı pelerinleriyle üç kişi ayakta duruyor-
du. Gecenin derin sessizliği sanki her şeyi büyülemişti.

Üç kişiden ortadaki konuştu.

– Kardeşimiz, sana sırrımızı açtık. Bundan sonra yolumuz bir. Bu sırrın ifşası veya mukaddes görevimize herhangi bir ihanet durumunda, Cemiyet'in âli makamlarınca ölüm cezasına çarptırılacaksın. Elini basarak yemin ettiğin silahla vurulacaksın. Kararları kabul edeceğini taahhüt eder misin?

– Evet! Herhangi bir sırrımızı ifşa edersem veya kardeşlerime ihanet edersem verilecek her türlü cezayı çekeceğim!

– Cemiyetimizin işareti, sağ elini kalbinin üzerine koyarak yapacağın hilaldir, şifremiz ise MUİN'dir. Muin... Söylenenleri dinlerken vücudundan terler boşandı. Kırmızı pelerinli adamın "Sen artık Cemiyet'in fedaisisin" sözleri beyninde çınlıyordu.

Elini üzerinden bir türlü çekemediği silaha baktı. Parmaklarını hafifçe üzerinde gezdirdi. Elini ondan uzaklaştırmak istedi ama boşunaydı... Eşref'in çözülen bedeni, kendini derin bir boşluğa bırakırken, Enver'in mahcup hali gözlerinin önündeydi. Görüntüler arka arkaya değişiyor, Eşref her gelene bir şeyler söylemek istiyor, fakat sesler sadece boşlukta uçuşuyordu. En son Arap Musa geldi. Eşref, merhametli gözlerle baktı ona. Gözlerinden inci taneleri gibi akan yaşlar, beyaz kırlentin üzerine dökülüyordu. Uzanıp tutmak istedi fakat elleri, aklının verdiği emirleri yerine getirmiyordu. Arap Musa'nın koca gözlerinden narin damlalar süzülüyordu.

– Ya Bek! Seni bekledim, ömrümün nihayetine kadar seni bekledim. Gelmedin.

Birden dilinin çözüldüğünü hissetti:

– Gelemedim Musa... Eşref'in yüreği... Gelemedim... Memleketin dertleri beni bitirdi, sürgün beni bitirdi... Gelemedim... Son nefesinde başını dizlerime koymak benim vazifemdi ama gelemedim. Yokluğumda da bana bağlı kaldığını öğrendim... Senin yüreğin Osmanlı'nın ta kendisidir Musa... Benim garip Musam, yüreği cihanlara değer Musam...

Bir an her şey silinmeye başladı. Bütün sevdikleri, kararan gölgeler halinde kendisinden uzaklaşıyordu. Derin bir sessizliğin ortasında yapayalnız kalmıştı. Etrafındaki her şey üzerine üzerine geliyor, duyduğu her ses, benliğini yok edercesine beyninde çınlıyordu. Bu hal, ülkesine duyduğu sevginin kaçınılmaz bedeliydi. Başında gezinen kocaman, siyah elin sahibini aradı gözleriyle. Arap Musa'nın tebessüm eden masum yüzü uykuya teslim olmadan önce aklında kalan son görüntüydü.

Hiçbir şey yapmadan geçen saatler, çöl sıcağı gibi bedenini yakıyordu. Başında gezinen ince narin elin sahibini halsiz bakışlarla tanımaya çalışıyor, zorla da olsa ona tebessüm ediyordu. Kızı Cuyap'ın, alnında gezinen ince parmakları içindeki huzuru mayalıyordu.

Halsiz vücudunu zorlayarak ayağa kalktı. Ahşap zemin, ayaklarının altında çatırdıyordu. Yorgun ahşabın inleyişlerine dikkat etmedi. Günlerdir zihnini meşgul eden işi bitirme kararındaydı.

Dışarı çıktı. Çıplak ayaklarıyla ıslak çimlere basarak ilerledi. Çimlerin serinliği ve toprağın kokusu Trablus'un serin yamaçlarını getirdi gözlerinin önüne. Yirmi genç arkadaşıyla dünyaya meydan okudukları günleri... Zaman, hepsini kendi değirmeninde öğütmüştü. Onlardan geriye birkaç müphem hayalden başka ne kalmıştı?

Bahçenin ucundaki küçük kulübeye kadar kendini zorlayarak yürüdü. Arkasından gelen seslerden, biri tarafından narin adımlarla usul usul takip edildiğini sezmişti.

Üzerini koyu bir toz tabakasının kapladığı eski sandığın önünde durdu. Bu sandık bir devrin en karanlık yüzüydü. *"Bu karanlık yüz, korktuğum, kurtulmak istediğim bu yüz, benim hayatım."*

Binlerce sayfadan oluşan hatırata, ömrünün harflere dökülmüş resimlerine baktı. Toz toprak olan koca İmparatorluk kendi ellerinde yeniden şekillenmiş, haritalar yeniden çizilmişti. Ne yeni hükümetin, ne de Ortadoğu'da kurulan devletlerin bu hatıratlarda yazılanları kabullenmeleri mümkündü. Galipler, mağlupların kaderini yeniden yazmıştı. Gerçek, güzel bir rüyaydı artık... Ama yaşlı savaşçı gerçeklerin bir rüya olarak kalmasına razı olamamış, hatıraların zararsız bilgiler içeren kısmını Amerikan istihbaratına çalıştığından hiç şüphesi olmayan bir araştırmacıya anlatmıştı. Kendini, zamanla içinde oluşan pişmanlık duygusundan mümkün olduğunca uzak tutmaya çalışıyordu. Bir dönemin bütün yükünü kendi omuzlarında hissettiği sırlarını yok etmeliydi. Gerçeklerin arşiv sayfaları arasında kaybolup gideceğine ve yaptığı onca güzel işin unutulup kötü bir şöhretle anılacağına inanıyordu.

İmparatorluğun çökmesiyle birlikte kendisi de artık mağluplar tarafındaydı. Cumhuriyeti kuran kadro en yakın arkadaşlarından oluşuyordu; ama zamanın şartları, oyunun kurallarını da yeniden şekillendirmişti. Yeni rejim için sakıncalı olduğu kabul edilen yüz elli kişi arasında onun da ismi vardı. Aslında bunu çok da önemsemiyordu. Taif Kalesi'ne sürgüne giderken sohbet ettiği yaşlı zabitin sözlerini hiç unutmamıştı: *"İktidar hiçbir zaman şerik kabul etmez."* Bütün pişmanlıklarına rağmen vazifesini tam yapmış olmanın iç huzurunu taşıyordu. Vücudunda, devleti ve milleti için gittiği görevlerden aldığı yaralar ve onlarca kırık kemik vardı ama bir hain olarak ölecekti. Kendi çocuğu gibi üzerine titrediği Teşkilat, yeni ismi ve kimliğiyle onu takip ediyordu. Doksan iki yıl... Şimdi ölüm soğuk nefesiyle bütün bedenini sarsıyordu. Onu kendine hiç bu kadar yakın hissetmemişti. Zihni bu karmaşanın içinde çırpınırken elindeki kibriti çaktı... Sandığı ateşe verdi.

Teşkilat-ı Mahsusa... Herkes yok olduğunu sanıyordu ama yanılıyorlardı. Zamana ve şartlara göre yeniden yapılanmış, kendi efendisini bile bir çiftliğe hapsetmişti. İçindeki sıkıntılar yağmurun sesi arasında eriyip gitti. Sarı Köşk'te Enver'le yaptıkları konuşmalar zihninde dolaşmaya başladı: *"Devlet-i ebed müddet için, Nizam-ı Âlem için varsın bir Eşref feda olsun."* Artık, farklı kalemlerce yazılan tarihe verilecek bir haberi kalmamıştı. Kül olmuş geçmişini arkasında bırakıp yatağına döndü. Arap Musa, gözlerinin içindeydi fakat yüzündeki hüznün yerini insanın içini ısıtan bir tebessüm almıştı. Efendisi yolculuk için hazırdı artık...

Osmanlı tebaasından olan milletlerin evlatları, yıllarca Teşkilat-ı Mahsusa bayrağı altında, Enver'in ardı sıra koşmuş, ama kabullenilmesi zor bir gerçekle yüzleşmişlerdi.

Güzel ve kötü günler tarih sayfalarında birer gölgeydi artık. Osmanlı'nın ölüm ve yıkılmışlıkla kapattığı sayfa yeni mirasçıları tarafından açılmıştı.

İç huzuru yüzüne de yansımıştı savaşçının. Gözlerini gururla kapadı. Bu sırada çatlamış dudaklarından fısıltı halinde dökülen cümleler bir İmparatorluğun kaderini özetliyordu.

*"Anladım ki bir ülkeyi sevmekle onu korumak farklı şeylermiş."*

# BİRİNCİ DEFTER

*Arap Çöllerinde Gezdirilen Sürgün*

# I

Çift hörgüçlü hecin develeri, arkalarında ince izler bırakarak ilerlerken kuzey rüzgârlarının savurduğu kumlar birkaç dakika içinde bu izleri yok ediyordu.

Devenin yularını tutan ince bacaklı, zayıf yüzlü bedevi, can sıkıntısından olacak, başına sıcak geçmiş mahkûma hitaben;

– Ya Bey! İnsanı yutacakmış gibi içine çeken bu kum denizinde yaşamak kolay değildir. Kendine tutkuyla bağlı olmayan ve saygı göstermeyen adama yaşam hakkı tanımaz, dedi.

*Çöl,* dedi içinden, *gerçekten bir yaşam biçimi.* Edirne'de, Makedonya'da korkularını hep yanında taşımıştı. Uçsuz bucaksız bu sahrada da yine onun tutsağı olarak geziyordu. Askerî okulun soğuk taş binalarındaki sükûnet içinde İslam halifesinden duyulan korkuyu hatırladı.

– Çölde günler birbirinin aynısıdır ya Bey. O kadar ki yaşam ile ölüm aynı rengi taşır. Aynı soğuk rengi...

Bedevinin cümlelerindeki güzellik gözden kaçacak gibi değildi.

Eşref dışarıdaki hiçbir şeyin, o soğuk yüzlü binaların içinde tartışıldığı gibi olmadığını düşündü. Düşünceleri, içinde kabaran öfke denizini köpürtüyordu. İç sesi kendini haklı çıkaracak sebepleri tekrarlayıp duruyordu.

– Ya Bey! Ya Bey! İyi misiniz?

Bir an kendisine bakan bedevinin göz bebeklerini fark etti.

– İyi misiniz ya Bey?

– İyiyim...

Sıcak, Eşref'i iyice takatten düşürmüştü. Zayıf ve bakımsız bedevilerin çöl şartlarına dayanıklılığını gıptayla seyrediyordu.

– Geceyi geçirmek için uygun yer arıyoruz ya Bey.

Devenin sırtında düşecekmiş gibi ilerleyen Eşref, gece lafını duyunca kendine geldi. Güneşin battığının dahi farkında değildi. Kafilede bir hareketlenme başladı. Develer ıhtırıldı, kıl çadırlar koşuşturmaca arasında hızla kuruldu. Eşref bitkin halde bir köşeye çekilmiş, aralarındaki farkları unutmuşçasına halka halinde oturan askerlerle bedevileri seyrediyordu. Çöl tüm yaşamları eşitlemişti.

Üç adım ötesinde duran askerden kelepçelerini çıkarmasını istedi ama asker bu isteği hiç duymamış gibi başka bir yöne bakıyordu. Kısa boylu bir bedevi tarafından kamp ateşi yakıldı. Eski bir çaydanlık, ateşe doğru uzatılan bir ağaca asıldı. İçlerindeki hararetı alması için çay pişiriliyordu. Eşref içinden, *inşallah peksimet de vardır*, diye geçirdi. Peksimet, çay içilmeden önce yenirse hararetı alırdı. Eşref'in gözü ateşin üzerinde ağır ağır demlenen çaydaydı.

Kaçma fikri sürekli aklını kurcalıyor, düşüncelerini toparlamasına engel oluyordu. İnsana sonsuzluk hissi veren bu kum denizine baktığında, kendi varlığının ne kadar küçük olduğunu anlıyordu. Onu yok sayarcasına uzayıp giden çöle, yalnızca içinde sakladığı ümitlerle tutunabilirdi. Gece karanlığının kapladığı çöl, adeta gökyüzüyle birleşmiş, koyu lacivert bir renk almıştı. Bütün bu gördükleri, bu dehşetli manzara, içine hapsetmek istediği endişelerin ruhunu sarmasına neden oluyordu. Kamp ateşinin başından ayrılan ihtiyar bir asker, Eşref'e doğru yürümeye başladı. Yanına gelince;

– Selamünaleyküm evladım, dedi.

– Aleykümselam efendim.

Selamı alırken ayağa kalkarak yaşlı askerin elini sıktı. Gösterdiği nezaket, bedevi kıyafetleri içindeki askerin çok hoşuna gitti.

Yaşlı adam sardığı sigaralardan birini Eşref'e uzattıktan sonra, kurumuş dudakları arasına sıkıştırdığı diğerini hızla yakarak derin bir nefes çekti. Eşref sigara içmiyordu ama ikramı geri çevirmek istemediği için adamın uzattığı sigarayı almıştı. Yaşlı asker, içine çektiği dumanı, mümkün olsa hiç bırakmayacakmış gibi bir süre öylece bekletti. İhtiyar vücudunda gözle görülür bir gevşeme oldu. Sigarasının dumanını havaya bırakırken İstanbul Türkçesi'yle yaptığı konuşmaya devam etti:

– Evladım, çok durgunsun...

Eşref'in bakışları, her yanda savrulan çöl kumları arasında kaybolup gitmişti.

– Çöl... Hiçbir güce kolay kolay boyun eğmeyen, hükümran tanımayan bir bedeviye bile kendi kurallarını kabul ettirmeyi bilir. Ona, kendine has koşulları olan bir yaşamı öğretir.

Duraksadı ihtiyar asker, çölün lacivert serinliğini içine çekti. *Bu toprakların gerçek hikâyesini anlatsam, bunamış bir ihtiyar diye alaya alınabilirim*, diye geçirdi içinden. Sonra devam etti:

– Gittiğimiz yerdeki Hürriyet Kahramanı'nı düşünüyorsun değil mi?

– Evet efendim... Sadece onu değil, tüm hayatımı düşünüyorum. Neden burada olduğumu? Sonrasını... Ondan sonrasını... Merak insanı esir eden bir duygudur. Ben de şu an o duygunun esiri...

– Bazı duygular, ağaçtaki kurt gibidir evladım. Eskiler, "Her ağacın kurdu kendi gövdesini yer" demiş. Oysa yaşam yalnızca bir "an"dır. Üstümüzü kaplayan şu kader perdesine bir bak. Şimdi varız ama sonra... Sonrası meçhul.

İhtiyardaki güçlü tefekkür hali ve yüzündeki huzur Eşref'i derinden etkiledi. Yaşlı asker ince yüzlüydü. Saçına sakalına düşmüş aklardan ve alnındaki çizgilerden hayatın cevr ü cefasını çekmiş birine benziyordu. Tane tane ve tok bir sesle, acele etmeden konuşuyordu. Ses tonu, sıradan şeylerden bahsederken dahi hikmetli sözler söylüyormuş gibi etkileyiciydi:

– Tarih, kahramanlarla doludur evladım. Bu topraklarda meşhur bir kaide vardır. Çöl insanları derler ki: "Şeyh uçamaz, onu müritlerin arzuları uçurur."

– Ne garip... Bizim oralarda da bu sözü çok duydum, ama biraz farklı... "Şeyh uçamaz ama onu müritleri uçurur."

– Aslında ikisi de aynı anlamı taşıyor. Sadece biraz daha açık sözlü olan bedeviler, insanoğlunun içinde daima var olan kahraman yaratma arzusunu, bu arzunun gücünü anlatmak istemişler. Hiç de gözden kaçırılacak bir teferruat değil...

Biraz duraksadı ihtiyar. İç sesini dinledi. İnce kuru yüzünden dışarı fırlayacakmış gibi duran gözleri, sanki uzaklarda bir şeyler arıyordu. Garip bir adamdı:

– Şark hikâyeleri, uzun ve sıkıcı gecelerde çok işe yarar.

İhtiyarın hikmetli dersler veren bir hikâye anlatmasını ümit eden Eşref;

– Dinlemek büyük bir zevk verir efendim, dedi.

– Bir zamanlar eski bir başkent olan Sava'da, Hazreti Ali Efendimizin taraftarlığını yapan Tahir adında biri, küçük bir İsmailî Tarikatı kurmuştu. İnsanların alışık olmadığı gizli sözler fısıldayan bu tarikat, kendi içinde toplantılar yapıyor, taraftar topluyordu. Tarikatın en büyük amacı Selçuklu hâkimiyetine karşı mücadele etmekti. İsfahanlı eski bir müezzin de bu tarikatın Batınî öğretisine kendini kaptırmıştı. Önleyemediği büyük bir heyecanla toplantılara katılmaya başlamıştı. Kısa bir zaman sonra, bir gün tarikat, toplantı halindeyken baskına uğradı. Doğal olarak, ihanetinden ilk şüphe edilen İsfahanlı müezzin olmuştu. Müezzin uzun süre tarikat üyeleri tarafından takip edildi. Sonunda ihanet suçlamasıyla ölüm cezasına çarptırıldı. Bu olay üzerine tarikatın kurucusu Tahir yakalanarak Başvezir Nizam'ül

Mülk tarafından verilen emirle başı kesildi. Buraya kadar her şey daha önce anlatılan hikâyeler gibi...

Eşref eliyle sakalını sıvazlarken artan merakıyla ihtiyarın gözlerinin içine bakıyordu.

– Zaman içinde tarikatın üyeleri dağıldı. Çok da önem verilmeyen bu hadisenin de zamanla unutulduğu sanıldı. Ama tarikat kendi içinde yeniden toparlandı ve Selçuklu'nun yıkılışını hazırlayan icraatlarını uygulamaya koydu. Tarikatın yeni toplanma yeri Rubar bölgesinde, bir zamanlar Deylem krallarınca yaptırılan elli kalenin en kudretlisi olan ve hiçbir ordu tarafından zapt edilemeyeceğine inanılan Alamut ve Samiran kaleleriydi. Samiran kalesi bir Türk ve Hasan Sabbah'ın baş Dai'si olan Buzruk Ümit tarafından yönetilirdi. Alamut Kalesi ise masallarda anlatılanlara benziyordu: Şehrut Irmağı boyunca ilerlendiğinde daralan bir boğaz, pamuk balyalarını anımsatan bulutlar içinde yükselen kayalıklar ve onların en zirvesindeki iki beyaz kule...

Alamut, İsmailî davasının büyük önderi Seyduna'nın* ve onun emriyle ölüme gözünü kırpmadan giden fedailerin yuvasıydı. Selçuklu sarayını çok iyi bilen bu zat, vahşeti ehlileştiren öyle korkunç bir örgüt kurmuştu ki fedailerinin hançerlerinden kaçmak neredeyse imkânsızdı. Alamut İsmailîleri, hiyerarşik yapısı çok sağlam bir topluluktu. Kalben bağlı taraftarlarına Lasikler denirdi. Onların üstünde bilinçli ve militan olan Refikler bulunurdu. Fedailer denen bir grup ise Hasan Sabbah'ın yanında özel bir konuma sahipti. Fedailerden bir üst konumda ise Dailer denen mesajcılar bulunmakta idi.

Hasan Sabbah'ın bilinen dört büyük mesaj taşıyıcısı vardır. Bunlar kalenin komutanı Yüzbaşı Minuçehr, Suriye'den gelen Büyük Dai Ebu Ali, Dai Buzruk Ümit ve Dai Hüseyin Alkeyni idi. Piramidin en tepesinde ise bütün İsmailîlerin lideri Efendi Hasan Sabbah bulunurdu.

---

\*    Hasan Sabbah

Alamut, bir yandan askerî eğitimlerin yapıldığı bir kale, diğer yandan ise ceylanlarla aslan yavrularının birlikte oynadığı cennet bahçelerinden bir köşe idi. Orada berrak ve serin sular, insan eliyle yapılmış çağlayanlardan köpükler saçarak dökülüyordu. Bahçelerdeki havuzlardan su yerine süt, şerbet ve şarap akıyordu. Bahçelerin içinde, tavanları altın yaldızlarla süslenmiş köşkler bulunuyor ve köşkleri ipek halılar süslüyordu.

Fedailer arasında sadık olanlar, Hasan Sabbah'la bir toplantıya katılır, "pir"in sohbetinde tenden sıyrılır, yabancısı oldukları âlemlerde gezerlerdi. Dönemin vakanüvisleri bu fedailerin özel seçilmiş otlarla hazırlanmış bazı karışımlar çiğnediklerini bildirirler. Bilinci yok eden bu otları içen gençler, sahte cennet bahçelerine indirilirdi. Cenneti gezen fedailer, yaşadıkları akıldışı olayları anlattıkça, diğerlerinde önü alınmaz bir merak uyanırdı. Günlerce cenneti hayal eden fedailer tekrar oraya gidebilmek için öyle büyük bir istek duyarlardı ki ölüm korkusu gözbebeklerinden silinirdi.

İri yapılı bir bedevi elinde iki maşrapa çay ile geldiğinde, ihtiyar, konuşmasına ara verdi. İkisi de, şekeri demlenmeden önce atılmış çaydan birer yudum aldılar. Koyu mavi maşrapaların çinkoları atmış rengi beyaza dönmüştü. Elindeki maşrapayı göz hizasına kadar kaldıran ihtiyar uzun süre baktı:

– Çöl insanları böyledir Eşref Bey oğlum.

– Anlayamadım efendim.

– Bu maşrapaya benzerler. Her olay bir parçalarını söker alır, ama onlar hep hayatta kalmayı başarırlar. Bir yanları mavi, bir yanları beyaz... Hepsi bu maşrapa gibidir. Kenarı köşesi atmamışına rastlayamazsın.

Elindeki maşrapaya merakla bakan Eşref tebessüm etti.

– Neyse biz Şehrut Irmağı'nın kenarına, kartal yuvasına dönelim. Hasan, bir gün kendisini ziyarete gelen bir elçinin huzurunda fedailerinin imanlarını ölçmek ve elçiye gözdağı vermek için cennette(!) bir gece geçirmiş üç fedaisini huzura çağırıp, adamlarından sadakatlerini göstermeleri için boğazlarını bıçakla kesmelerini ister. Günlerce mecnun misali gezen gençler, elleri bile titremeden Seyduna önderin Peygamber olduğunu ve cennetin anahtarının Allah tarafından kendisine verildiğini söyleyerek bıçakları boğazlarına çalıp amentülerini haykırırlar. İnsanlar üzerinde, gençlerin ölümünden ziyade, bıçağı boğazlarına vururken ellerinin bile titrememesi büyük etki yapar. Şehrut Irmağı'nın köpükler saçarak vaveyla koparan sesi kayalıklar arasıda yankılanırken, elçi, gördüğü manzara karşısında hayretler içinde kalır ve geçtiği her yerde bu olayı anlatır. Korku öyle bir şeydir ki dünyanın en büyük savaşçılarının bile elini kolunu kalkmaz hale getirir. Zaten Hasan'ın da yapmak istediği budur. İnsan üzerinde acımasız deneyler yapan bu adam, inancın aslında göz boyamaktan başka bir şey olmadığını anlatmaya çalışmaktadır.

–Daha önce de buna benzer sözler duymuştum efendim. Askerî okuldayken Fransızcası iyi olan arkadaşlarımız, bize bazı eserlerden buna benzer çeviriler yaparlardı. "Tanrı'nın keşfi, insanlığın en büyük keşfidir" diyen bazı batılı bilim adamlarından bahsederlerdi. "İnsanlık, Tanrı'yı keşfettiği günden beri, kalabalıkları daha rahat yönetmeye başladı" diyorlardı. Allah, milletimizi ve bizi bu tür hastalıklardan korusun. Ben askerî okuldayken de bu tür pozitivist yaklaşımlardan hazzetmezdim.

– Buna pozitivist yaklaşım denemez, evladım. Bu düpedüz dinsizliktir. Bak evladım, insanın özgürlük sınırlarını korku belirler. İnsan korkularını yendikçe özgürleşir. Batı'nın tarihi, bir bakıma bu korkunun da tarihidir. Batı'nın ormanlarında yüzlerce yıl gezinen cadılar, kötü ruhlar korkuyu kendi dünyasına hapsettiler. İşin en garip tarafı, bu korkunun Kilise tarafından üretilmesi. Kilisenin tarihi, pagan ve putperest Roma'nın tarihinden ayrı düşünülemez. Roma bütün putperest inançlarını, sonradan kabul ettiği Hıristiyanlığın içine yerleştirdi. İnsan şuuru çelik bir korsenin içine hapsedildi. Korku, insanları ve krallıkları yönetti. Gerek Kilise, gerekse aydınlarının eliyle Batı, bu düşünceleri bugünlere kadar taşıdı. Bizde de kendini böyle fikirlere kaptırmış çok münevver var.

– Peki Doğu?

– Akla hemen Doğu'nun kendi hastalıklarını nereden kaptığı sorusu geliyor, değil mi? Ama cevabı aklına gelen şey değil evladım. İnsan, doğuda da batıda da insandır. Şeytan, doğunun da batının da şeytanıdır. Kimini kilisede yakalar, kimini camide. Batı Promete'yi tanrılarının karşısına çıkardı... Doğu ise Mazdek'i... Prometeler ve Mazdekler... Neyse, bu fasıl çok su götürür. Biz hikâyemize dönelim.

O zamanlar askerî bir güçle zapt edilmesi neredeyse imkânsız olan Alamut, bir hile sonucu, içeriye hizmet için sokulmuş adamların ihaneti neticesinde ele geçirilmişti. Alamut, insan tabiatı üzerine, inanç üzerine deneylerin yapıldığı ve insanların korkuyla yönetildiği bir yerdi. Kimsenin önleyemediği büyük intihar saldırıları bu kalede yetişen fedailer tarafından gerçekleştirilirdi. Takiyye bu inancın bir parçasıydı. Fedailer suikast hazırlığı için hangi dergâha gitseler, o dergâhın müntesipleri gibi giyinir, onlar gibi davranırlardı. Hançerlerini kalabalıklar önünde kurbanlarının boğazına çalar, linç edilmeden önce kendi amentülerini haykırarak intihar ederlerdi. İşlerine gelmeyen herkese suikast düzenlediler. Selçuklu, bu hançerlerin ucunda uzun yıllar sallandı, ama Türk'ün töresi yaşadığı her acıya rağmen devletinin varlığını devam ettirdi. Selçuklu yıkıldı ancak halk esarete düşmeden yeni bir devlet kuruldu. Türk, ateş çemberinde çok imtihan verdi ama Mevla'nın izniyle varlığını korumayı başardı. Büyük Selçuklular gibi Anadolu Selçukluları da benzer bir sonu paylaştı. Osmanlı'nın da aynı sonu yaşayacağından hiç şüphen olmasın. Allah, Türk'ün töresini ve yurdunu korusun.

– Âmin... Ya insanlarımız... İnsanlarımız ne olacak efendim?

– Yurdu olmayanın töresi, töresi olmayanın da devleti olmaz. Devleti olmayanın...

İhtiyar sözlerinin sonunu getirmemişti. Aklına Edebalı'nın Osman Bey'e söylediği söz geldi:

– İnsanı yaşat ki devlet yaşasın. Tersinden okursak: Devleti yaşat ki insan yaşasın.

Eşref, ihtiyarın anlatmak istediği şeyleri çok iyi anlamıştı. İhtiyar, Eşref'in asıl dinlemek istediği konuyu çok iyi bildiğinden bir süre sessiz kalmayı tercih etti.

– Efendim, anlattığınız hikâye çok ilginçti ama ben sizden başka bir konuyu dinlemek istiyorum.

İhtiyar tebessüm ederek biraz önce Eşref'in söylediği sözü tekrarladı: "Merak, insanı esir eden bir duygudur." İkisi birden tebessüm ettiler.

– Siz gençler sabır imtihanında hep kaybediyorsunuz. Ne diyor yüce kitabımız: "Sabırlı olun. Sabır imtihanında düşmanlarınızı geride bırakınız."

Eşref sakalını sıvazlarken ihtiyar, çinkosu atmış maşrapada gelen çaydan bir yudum daha aldıktan sonra çöl kumlarında kaybolan sakin ses tonuyla konuşmaya başladı:

– Evladım, Mithat ne demek biliyor musun?

Eşref hayır anlamında başını salladı.

– Deva-i devlet... Ebced hesabiyle ilan edilmiş ve halk tarafından devletin bütün dertlerine deva olacağına inanılmış kişi... Hiçbir padişah kendisinden daha üstün bir kudretle birlikte çalışmak istemez.

Eşref ihtiyarın elinden maşrapayı alıp kendi maşrapasının yanına koydu:

– Rus Harbi bize pahalıya patladı. Birçok vatan toprağı elden çıktı. Birçoğu da muhtariyet verilmek suretiyle, pek yakın bir gelecekte bağımsızlıklarını elde etmeye hazırlandı. Tabiî ki bütün bu olanların tek sorumlusu Mithat Paşa değil ama Sultan'a yakın olmak, ölümün bir adım ötesinde olmakla birdir.

Paşa, Cidde'den Taif'e sevk edilirken kendisine nezaret eden görevliler arasında ben de vardım. Paşa'nın arkadaşlarıyla Taif'teki esaret hayatı üç yıl sürdü. Burada yaşayan insanlara göre çok iyi sayılabilecek şartlar, çok daha iyi şartlarda yaşamış bir sadrazam için acı ve zorluydu. Paşa buralara geldiğinde Mekke Emiri, Şerif Abdülmuttalip idi. Emir Abdülmuttalip hükümlülerin ayaklarına zincirler vurdu. Sultan Hamid, Emir'den bu onur kırıcı davranıştan vazgeçmesini istedi. Fakat Emir, Sultan Hamid'i hükümlülerin bazı yabancı kişiler tarafından kaçırılacakları hususunda ikna etmişti. Sultan, böyle bir durum olduğu takdirde muhafızların sorumlu tutulacağını Başkâtip Rıza Paşa aracılığıyla bildirdi.

Paşa'nın ve arkadaşlarının kaçma ihtimaline karşı daha sıkı önlemler alınmaya başlandı. Sularına ve içtikleri sütlere zehir katıldığı söylentileri çok konuşuldu. Ölümüne yakın, Paşa'nın sağ kürek kemiğinde bir şirpençe çıktı. Ameliyat etmek istediler fakat Paşa reddetti. Ameliyat masasında öldürüleceğini düşünüyordu. Haklıydı da... Kimse onların yaşamasını istemiyordu.

– Boğdurulma hadiseleri nasıl oldu efendim?

– Paşa, hastalığını atlatmış, sıkıntılarından bir nebze de olsa kurtulmuştu. Ama ölüm meleğiyle olan randevusu gelip çatmıştı. Ölüm, soğuk yüzünü Miralay Mehmet Lütfi Bey'in Taif Kalesi'ni kuşatmasıyla gösterdi.* Yılların yorgunluğu ve hastalıklar Paşa'yı bitkin bırakmıştı. Kuşatmadan bir gün önce, uşağı Arif Ağa odadan alındı, yerine Namık Paşazade Ali Bey konuldu. Paşa uşağıyla vedalaşmadan önce, onunla uzun uzun geçmiş günlerden konuştu. Tuna'dan, dedesi Rusçuklu Hacı Ali'den, babası Hacı Hafız Mehmet Eşref Efendi'den, Balkanlardan, çocukluk günlerinden, on yaşında tamamladığı hafızlık eğitiminden, gerçek adının Ahmet Şefik olduğundan, ulemadan aldığı derslerden, siyasetteki hedeflerinden... Artık ölümün bir adım ötesindeydi.

---

*     8 Mayıs 1884

Eşref'in bindiği devenin yularını tutan bedevi, yanlarına gelerek sordu:

– Ya Bey! Yemek hazır. Ne emir buyurursunuz?

– Ben yemeğimi Eşref Bey oğlumla yiyeceğim.

– Bu ince davranışınız için size minnettarım efendim ama...

Yaşlı askerin, Eşref'in itirazını dinlemeye niyeti yoktu. Bedeviye biraz sonra yemeklerini yanlarına getirmelerini söyledi. Zaten Eşref de sohbete devam etmek istiyordu:

– Efendim, sizi buldum bırakmam. Hadisenin nasıl gerçekleştiğini bana anlatmanızı rica ediyorum. Mithat Paşa'nın bizim için ne ifade ettiğini biraz önce size söyledim.

Yaşlı asker sonunu anlatmayı hiç düşünmediği hikâyeye Eşref'in ısrarları üzerine devam etti:

– Sessiz sakin bir geceydi. Gecenin derin sessizliğini, koridorun ucundan gelen ayak sesleri bozdu. Paşa'nın kaldığı hücrenin kapısı açıldığında Edirneli Berber İsmail, un ve sabunla kayganlaştırılmış ipini saklamaya çalışıyordu.

Paşa ayağa kalkarak gelenleri karşıladı. Sakin görünmeye çalışıyordu ama yüzündeki ifade ve sesindeki tedirginlik insanın içini burkuyordu. "Sizler devlet ve milleti korumakla görevli insanlarsınız. Böyle feci cinayetlere alet olmanız üzücüdür. Sizinle beraber gelen şey benim kaderimdir ve bugün kaderime rıza göstereceğim" dedi. Bu sözler üzerine Taif zindanında zaman durdu sanki. Ben koridorun başında görevimi yapıyordum. Berber İsmail, arkasında sakladığı ipten utanarak bana döndü. Paşa çatallaşmış sesiyle, "Sizin Allah'tan da mı korkunuz yok?" diyerek sustu. Gözlerinden süzülen yaşları göstermemek için yüzünü yana çevirdi. Başımı önüme eğerek emri verdim. Berber İsmail, ipi Paşa'nın boğazına geçirdiğinde ömrünün sonuna kadar taşıyacağı bir günahı omuzluyordu.

"Allah devlete ve millete zeval vermesin. Eşhedü enla ilahe illallah ve eşhedü enne Muhammeden..." Paşa, dudaklarından dökülen son cümleyi tamamlayamadı. Soğuk ve nemli zindan duvarlarında bir nefes gibi kaybolup giden son sözleri yüreğimi kanattı. Yıllar sonra bile hâlâ bu olayı düşündüğümde o ses kulaklarımda çınlar.

Damat Mahmut Celalettin Paşa'nın odasına girdiğimizde, onun kolay kolay teslim olmayacağını anlamıştık. Karahisarlı Süleyman Çavuş ve Zileli Ali saldırmaya hazır bekliyorlardı. Paşa'yla boğuşmaya başladılar ama iki nefer onun bir kolunu dahi kıvırmaya muvaffak olamıyordu. Paşa, tuttuğunu duvara çarpıyor, onları üzerine gelmemeleri hususunda ikaz ediyordu. Yaralı bir kurt gibi hırslanan Paşa'nın gözlerindeki ifade dehşet vericiydi. O an Paşa'nın neferleri duvardan duvara savuruşunu seyrederken, Sultan II. Osman'ın Yedikule Zindanı'nda yeniçeriler tarafından boğularak öldürülmesini hatırladım.

Bütün direnişine rağmen duvar dibine sıkıştırılan Paşa, sonunun geldiğini anlamıştı. Hücre kapısında durmuş, donmuş bir halde olanları seyrediyordum. Uzun süren mücadele yüzünden, Paşa'nın artık direnecek takati kalmamıştı. Sıkılan husyelerinin acısıyla yüzüne kan oturmuştu. Kaygan ip nefesini daralttıkça yüzündeki damarlar patlayacakmış gibi şişiyordu. "Hainler! Zalimler! Eşhedü enla ilahe illallah..." Gittikçe kısılan sesi, artık zindan duvarlarında yankılanmaz oldu.

Geri dönerken, diğer hücrelerden korku içinde bize bakan onlarca göz gördüm. Bazen hayat karşısında çaresiz kalınca o gözleri hatırlarım. O gözler bana bir dervişin kırk yıl bir çilehanede öğrendiğinden daha çok şey öğretti Eşref Bey oğlum.

İhtiyar, anlattıklarından çok etkilenmişti. O anları sanki yeniden yaşıyordu. Eşref yaşlı askerin ellerinden tutarak;

– Efendim, bu sohbet için size minnettarım, dedi.

– Ah evladım, çok gençsin, iflah olacak birine de benzemiyorsun. Ömrüm Halife Hazretleri'ne bağlılıkla geçti. Sadakatimden bir an bile şüphe etsem tüm hayatımı heba olmuş sayarım. İslam âleminin dertleri beni bitirdi. Bu felaketler asrında İslam âleminin dertlerini halletmek için sadakatle çalıştım. Âl-i

Osman büyük bir hızla uçuruma gidiyor. Başsız kalan ümmeti derleyip toparlayacak birinin çıkmamasından korkarım. Ama birileri fitneyi uyandırdı. Allah'ın laneti daim onu uyandıranın üstünde kalsın.

Eşref başını hafifçe sallayarak "Âmin" dedi.

Bedevi küçük bir tepside iki tabak yemek getirip önlerine bıraktı. Her ikisi de yemek boyunca hiç konuşmadı. Yemekten sonra ihtiyar asker bir sigara yaktı, bir tane de Eşref'e uzattı. Eşref'in sigarayı elinde tutuşunu görünce tebessüm etti.

– Sen sigara içmiyorsun galiba evladım.

Eşref "evet" manasında başını salladı. İhtiyar, uzattığı sigarayı tabakaya geri koyarak ayağa kalktı. Yaşlı zabit, kendisini az da olsa anlayan biriyle sohbet etmiş olmaktan memnundu. Yorgun adımlarla oradan uzaklaştı. O gidince Eşref'in içini büyük bir yalnızlık kapladı. Çölde bir hiçti artık. Bedevilerin tabiriyle "la şey."*

Üstüne kıldan örülmüş örtüyü çekti. Yirmi yedi yaşındaydı, başından geçenler yaşına göre çok ağırdı. Gözleri uykunun sarhoşluğuna dalarken, bedevi kıyafetlerine bürünmüş iki askerin yeni sardıkları sigaralardan gelen tütünün kokusunu içine çekti.

\*\*\*

Ertesi gün güneşin doğuşuyla kervan tekrar yola koyuldu. Taif sokaklarından geçerken çölün bu ücra köşesinde cumbalı İstanbul evlerine benzer yapılar görünce şaşırdı Eşref. Cumbalı evlerin arasından ilerlerken bir an kendini İstanbul'da hissetti. Birkaç sokak sonra evler ve sokaklar canlı renklerini kaybederek soluklaşmaya başladı.

Peygamber Efendimizin çocuklar tarafından taşa tutulduğu sokaklarda ilerliyor olmak, içini düğüm düğüm eden garip bir duygunun girdabına soktu Eşref'i. Siyah çarşaflara sarınmış kadınlar, önlerinden geçen deve kervanını ürkek bakışlarla izli-

---

\* Olmayan şey

yorlardı. Develerin arkasından koşarak oyun oynayan çocuklar, görevlilerin sinirlenmesine aldırış etmiyorlardı. Eşref boynundaki poşuyu başına sardı. Uzun, gür sakalları kirliydi. Bakışları vahşi bir hayvanınki kadar ürkütücüydü. Ağır ağır ilerleyen kervan, yüksek kerpiç duvarlar arasından geçerek şehri saran dağlara doğru yöneldi.

Kervan kale içine girerken, Eşref arkasında kalan şehri seyrediyordu. Devesinden indirildiğinde bitkindi. İki muhafız ve gece sohbet ettiği yaşlı askerle kale komutanının odasına girdiler. Yaşlı asker, resmî kâğıtları mühürledikten sonra Eşref'in yanına gelerek;

– Benim vazifem buraya kadar Eşref Bey oğlum, dedi.

– Yakın alakanızdan dolayı çok teşekkür ederim efendim.

– Allah, ömrünün geri kalan kısmında sana huzur nasip etsin evladım. İnşallah tekrar karşılaşırız.

– İnşallah...

– Ama bu topraklarda değil.

– İnşallah.

Kale komutanı, masanın üzerindeki zili çaldı. İki asker içeri girip selam verdi. Yaşlı asker, bu iki neferle beraber selam verip dışarı çıktı. Kale komutanı, büyük bir sıkıntıyla odanın içinde dolanıyordu. Camın kenarında durdu. Elinde Eşref'in sevk kâğıtları vardı. Eşref yanındaki iki nefere baktı. Elleri hâlâ kelepçeliydi.

Komutanın odası oldukça büyüktü. Tozlu küçük pencerelerden odaya giren ışık yetersizdi. Odada boğucu bir hava hâkimdi. Kale komutanı, Eşref'in yanına gelerek başına sardığı poşuyu açtı. Genç adamın yüzünü dikkatlice inceledi. Elindeki resme ve Eşref'in yüzüne uzun uzun baktı. Arada bir benzerlik kuramamış olacak ki kafasını hafifçe salladı:

– Baban sarayın kuşçubaşısıymış.

– Evet efendim.

– Bakın Eşref Bey, sizinle açık konuşacağım. Burası rahat bir yerdir. Hayat şartları biraz ağır olsa da biz misafirlerimize iyi davranırız. Ama yine de size nasıl davranacağımızı siz belirleyeceksiniz. Buraya gelen herkes ilk başta hep aynı şeyi düşünür: Buradan kaçmak. Ben bir insan olarak bunu anlayabiliyorum. Şu anda sizin de aynı şeyleri düşündüğünüzden hiç şüphem yok. Buradan kaçtığınızı farz edelim. Bu bana çok pahalıya patlar Eşref Bey. Alacağımız önlemlerden dolayı sizin de beni anlayacağınızı düşünüyorum.

– Hiç şüpheniz olmasın efendim.

– Güzel... Bunu bir oyun gibi düşünelim. Sizin gibi çok insanla karşılaştım ben Eşref Bey. Yani Sultan'ı devirmeye kalkan çok kişiyle... İçinizde taşıdığınız hırsı ve kini az çok tahmin edebiliyorum. Bunun için sizi suçlayacak değilim. Buradaki ilişkimiz çok basit olacak: Siz uslu duracaksınız ben de hayatınızı kolaylaştıracağım. Bir oyun gibi...

Komutan ellerini kaldırdı:

– Sanırım birbirimizi anlayabiliyoruz...

– Evet efendim. Ben kurallara uyacağım, siz de koşulları iyileştireceksiniz.

– Güzel, Eşref Bey... Başka bir diyeceğiniz yoksa sizi hücrenize göndereceğim.

– Yok efendim.

– O halde gidebilirsiniz.

Eşref iki askerin arasında, elleri kelepçeli olarak odadan çıktı. Bir manga asker oda kapısında onları bekliyordu. Koridorlardan geçerek geniş bir alana çıktılar. Eğitim yapan küçük bir grup askerin yanından geçerek zindana yöneldiler. Zindanın taşları aşınmış basamaklarından inerken ışık yavaş yavaş kayboldu. Yanan çıraların ışığında insan yüzleri birer gölgeye dönüşüyordu. Keskin bir nem kokusu her tarafı sarmıştı. Yüzlerce yıldır havadan, güneşten mahrum kalmış lanetli bir yere benziyordu burası.

Nemden, Eşref'in gözleri sulandı. İnsanı rahatsız edecek bir soğukluk hissediliyordu.

İhtiyarın anlattıklarından, Mithat Paşa'nın hücresini çıkarmaya çalışsa da nafileydi. Celalettin Paşa'nın zindan duvarlarında yankılanan sesi beyninde çınlıyordu. Sultan'ın İstanbul'da olmasına rağmen, korkusunun Taif zindanlarında gezmesine bir anlam veremedi.

Basık hava Eşref'i boğuyordu. Açılan paslı kapıdan içeri girdi. Yüzüne kapanan demir parmaklıkların sesiyle içi ürperdi. Dar bir hücreydi burası. Duvarın dibinde, taştan bir sedir vardı sedirin üzerinde kahve renkli kirli bir battaniye seriliydi. Sedire oturup etrafına bakındı. Tepesindeki küçük mazgaldan takatsiz bir ışık huzmesi içeri sızıyordu. Kirli bir camdan süzülerek içeriye giren ışık her an sönecekmiş gibiydi. Takatsiz bedenini taş sedire bıraktı. Nemden ıslanmış duvarlara baktı. *Kimbilir kaç ömür çürümüştür bu duvarların arasında*, diye geçirdi içinden.

Uzun süre yattığı taş sedirden ani bir hareketle fırladı ve duvarları kontrol etmeye başladı. "Her yeri bilmeliyim, buranın bütün taşlarını, sayılarını, zayıf noktalarını..." Eşref bu düşüncelerle saatlerce çırpındıktan sonra içindeki hırs, yorgun bedenini daha fazla ayakta tutamadı, kendini yeniden taş sedirin üzerine koyuverdi. Aklında sadece kaçma fikri vardı. Mazgaldan, güneşin yavaş yavaş söndüğünü görebiliyordu. Gözkapakları kurşun gibi ağırlaşmıştı. Açlıktan midesi kalkıyordu. Birkaç kez içini yırtan öksürüklerle uyansa da, taş sedirde rahat bir yataktaymış gibi uyudu.

Sabah, kahvaltıdan sonra mahkûmlar yüksek duvarlarla çevrili küçük avluya çıkarıldı. Eşref, gece zindanda göremediği birçok yüzü, sabah gün ışığında gördü. Yanına geçmiş olsuna gelenlerle Hicaz lehçesiyle konuşuyordu. Bazen yanlış kullandığı kelimelerden dolayı karşısındakiler ona tebessüm ediyordu. Avluda uzun süre kalmayı hayal etse de öyle olmadı. Bir saat sonra içeri alındığında, zindanda ilk günkü karanlığın olmadığını fark etti. *Gözlerim karanlığa yavaş yavaş alışıyor*, diye geçirdi içinden.

Günlerce her küçük ayrıntıyı takip etti. Zindan duvarındaki taşların sayısından küçük çatlaklara kadar her şeyi hafızasına aldı. Fakat ne kadar plan yaptıysa hepsi boşa çıktı. Günler artık birbirinin aynısıydı. Vücudu, içinde bulunduğu yeni şartlara kısa zamanda uyum sağlamıştı. Zindanda, birbirine benzeyen on altı gün geçirdi. Bu sürede, kadife bir kesede muhafaza ettiği yedi altını gözü gibi korumuştu. Gece uyurken, içliğine sakladığı altınları karnının altına alarak taş sedire yüz üstü uzanıyordu.

*** 

Bir gün avluya çıkma saati gelince, ihtiyacının olduğunu söyleyerek tuvalete gitmek istedi. İsteği, komutan tarafından reddedilince ısrar etti. Komutan uzun süre, avluya çıkma saatinde tuvalete gitmenin yasak olduğunu anlatmaya çalışsa da, Eşref durmadan ihtiyacının olduğunu söylüyordu. Komutan ısrara daha fazla dayanamadı. Söylene söylene giderken askerlerden birine koridorun başında beklemesini emretti. Eşref, karanlık koridordan geçerek tuvalete girdi.

Tuvaletteyken, duvarın tavana yakın küçük penceresine gözü ilişti. Paslanmış demir çubuklara uzanmak için sırtını duvara vererek iki ayağını da karşı duvara dayadı. Elleriyle vücudunu yukarı çekerken duvara tırmanmaya başladı. Çubukları tutacak mesafeye gelince, kirli camın yerinden oynadığını fark etti. Çubuklar inceydi. Eşref uzun uğraşlar sonunda çubuklardan birini yerinden oynatmayı başardı. Tam bu sırada, nöbetçi asker tuvaletin kapısından seslendi:

– Ya Aşraf! Ya Aşraf!

– Efendim, efendim...

– Ne yapıyorsun orada? Bitmedi mi işin?

– Arkadaş, söylemesi ayıptır, bağırsaklarımı bozmuşum. Komutandan rica edin... Sizden beş dakika bana müsaade etmenizi rica ediyorum.

– Komutana sormama gerek yoktu ya Aşraf. Seni koridorun başında bekliyorum.

– Çok sağol.

Eşref sağ koluyla alnında birikmiş terleri sildi. Uzaklaşan ayak seslerini dinledi. Uzun uğraşlar neticesinde üç çubuğu daha yerinden oynattı. Camı avuç içiyle yavaş yavaş yukarı kayarak kenarını iyice boşalttı. Çubukları tekrar yerlerine koyarak duvardan aşağı yavaş yavaş indi. Kan ter içinde kalmış, içliğine kadar ıslanmıştı. Elbisesinin sırtı, duvara sürtündüğü için kirlenmişti. İbrikteki suyla elini yüzünü yıkadı.

Tuvaletten çıkınca koridorun başında bekleyen askeri gördü. Birkaç adım atmıştı ki karnına sancı girmiş gibi kıvranmaya başladı. Koşan asker yanına gelmeden, Eşref kendini yere atıp çırpınmaya başladı. Sadece elbisesi değil, saçı sakalı da toz toprak içinde kalmıştı. Asker, koluna girip onu avluya çıkardı. Eşref, avluda güneşin altında otururken planını şekillendiriyordu. Hasta numarası yapmaya devam edecekti. Mahkûmlar Eşref'in başında, olanları dinlerken, nöbette bekleyen asker de komutana rapor veriyordu. Komutan, Eşref'in yanına gelince kalabalık dağıldı.

– Eşref Bey, iyi misiniz?

– Efendim, ne oldu tam bilemiyorum ama bir karın ağrısı birkaç saatten beri beni kıvrandırıyor.

– Anladım. Israrınız demek ki bu yüzdendi.

– Sizi de zor durumda bıraktığım için çok üzgünüm ama...

Tekrar sancı gelmiş gibi karnını tutarak biraz bekledi:

– Sanırım yediğim bir şey dokundu... Belki de vücudum zindan şartlarına uyum sağlayamadı.

– Eşref Bey... Kale komutanına durumu bildirmemi ister misiniz?

– Aman efendim... Şimdi benim yüzümden... Bir sorun filan olmasın. Belki geçici bir şeydir. Yarına kadar beklemek daha uygun olur sanırım.

– Evet, haklısınız.

– İstirahat etmek isterseniz sizi içeri aldırabilirim.

– Güneşli havada kalmak zannederim daha iyi olur.

\*\*\*

Saat gece yarısını geçmişti. Eşref ağzı üzere kapaklandığı taş somyadan karnını tutarak kalktı ve kapıya vurdu. Nöbetçi asker, geceden beri onlarca defa tuvalete giden Eşref'e kapıyı açtı. Göz kapaklarından uyku akan nöbetçi, bu sefer Eşref'in arkasından gitmemişti.

Eşref günler önce tedarik ettiği teneke parçasıyla, üzerine yattığı battaniyenin bir kısmını kesip örmüş, çıkan ipi de beline sarmıştı. Kadife kesesini eliyle tekrar kontrol etti. Nöbetçinin arkasından gelmediği görünce daha rahat hareket edeceğini düşündü. Tuvalete girip daha önce kopardığı demir çubukları ses çıkarmadan indirdi. Karnına sardığı ipi çıkarıp eline doladı. Yavaş yavaş vurarak camı yerinden söktü. İnce olan cam, darbelerin de etkisiyle üç parçaya ayrıldı. Parçaları teker teker aşağı indirdi. İnip çıkmaktan kan ter içinde kalmıştı. Son kez tırmandığında yüzüne vuran serin havayı hissetti. Nöbetçinin uyuması için içinden dualar ediyordu. Sağ kolunu delikten geçirdi. Kendini zorlayarak başını soktu. Sıkıştıkça çırpınıyor, dışarı çıkardığı sağ kolundan destek alarak kendisini yukarı çekmeye çalışıyordu. Yüzü ve omuzları kuru ahşap kasadan çizilmiş, kanıyordu. Kendini yüksek duvardan aşağı bıraktı.

Ayağa kalktığında toz toprak içindeydi. Sol kalçasını zor çekiyordu. Yüksek duvarlar arasında bir çukurda olduğunu tahmin ediyordu. Duvara sırtını dayayarak bir müddet soluklandı. Bu arada çıkan gürültüyü nöbetçinin duyup duymadığını öğrenmek için tuvalet penceresine endişeli gözlerle baktı. Birkaç dakika içinde kimsenin gelmemesi ümidini arttırdı. Yüksek duvarlar boyunca yürüdü. Sessizlik ve karanlık, tüm çölü kaplamıştı. Çok uğraşsa da içindeki korkuyu kontrol etmeye muvaffak olamıyordu. Pencere kasasında çizilen yerleri, her geçen dakika daha fazla sızlıyordu. Boynuna sardığı poşuyla kanlarını silse de, kanamaya engel olamıyordu. Zindanda hazırladığı iple, yüksek duvarlardan aşağı inmeye başladı. İpi, duvarların yarısına bile gelmiyordu. Ucunu bıraktığı zaman ipi, beyaz bir kuş gibi havada uçuyordu. Düştüğü yerde dakikalarca öylece yattı. Kirli yüzü, o an yaşadığı büyük acıyı ve korkuyu olanca dehşetiyle yansıtıyordu. Vücudunu yavaş yavaş hareket ettirdi. Yemen'de yıldızlara bakarak yön tayin etmeyi öğrenmişti. Batıya yürüyüp kuzey istikametine doğru yarım bir yay çizerse Cidde'ye ulaşacağını düşünüyordu. Yıldızlara bakarak Taif'i kuzeyden saran dağlara yöneldi. İnsanların olmadığı yollarda gece boyu ilerledi. Gözlerini, küçük bir mağarada uykuya teslim ettiğinde, güneş sıcaklığını hissettirmeye başlamıştı.

Uyandığında, bir önceki gün akşam yemeğinden sakladığı arpa ekmeğinin yarısını yedi. Güneşin doğduğu tepeyi arkasına alarak ilerlemeye koyuldu. Her saat başı yönünü kuzey istikametine doğru değiştirerek on dakika yürüyordu. Yolda rastladığı bedevilerden, bir altın karşılığında yiyecek aldı. Üç günlük zorlu bir yürüyüşten sonra nihayet Cidde'ye varmayı başarmıştı.

Hindistan'a geçmek istiyordu. Hicaz bölgesinden uzaklaşmak, izini kaybettirmek ve kendisini unutturmaktı niyeti. Şehre dikkatlice girdi. Tozlu sokaklardan geçerek ilerledi. Tedirgindi. Bu topraklarda yaşayan kimseye güvenmiyordu. Toz toprak içindeki pazaryerinde, dikkat çekmemeye çalışarak bir süre gezindi. Bu topraklarda yabancılar hemen fark ediliyor ve her yabancıya şüpheyle bakılıyordu. Limana yöneldiğinde, takip edildiğini anladı. Tedirginliği giderek arttı. Hiç tanımadığı şehrin dar ve tozlu arka sokaklarına daldı.

Arkasındaki gölgelerin sayısı gittikçe artıyordu. Zindan duvarları, kuru soğuk hava, karanlık... Kalın paslı zindan parmaklıkları beynine saplanan bir mızrak gibiydi. Zindana ait şeylerin düşüncesi bile Eşref'i boğuyordu adeta. Koşarak oldukça dar bir sokağa girdi. Sağa sola kaçışan çocuklar arasından geçerek bir başka sokağa saptı. Düşünme yetisini kaybetmişti artık. Nefes nefese girdiği her sokak onu sıkıyor, boğuyordu. Arkasındaki gölgeler, bazen kayboluyor bazen de sokağı yarılamadan yeniden beliriveriyordu. Her köşe başında önüne birileri çıkıyor ama Eşref hızla uzaklaşarak onlar tarafından tepelenmekten kurtuluyordu.

Bacakları artık vücudunu taşıyamaz hale gelmişti ama zindanın paslı demirlerinin hayali gayretini arttırıyordu. Bir sokak... Bir sokak daha... Sonra başka bir sokak... Bir süre sonra nefesinin tükendiğini fark etti. Bir adım daha atacak gücü kalmamıştı. Dizleri üzerine çökmüş, ardı sıra kendisini takip eden gölgeleri bekliyordu. Hiç hareket etmeden bekliyordu Eşref. Onun bu hali askerleri tedirgin etti. Nefesini toplamaya çalışırken ağzından acı bir su aktı. Midesi kalkmış, ciğerleri su toplamıştı. Arkasındaki gölgelerin de kendisinden farksız olduğunu biliyordu. Gözleri kapalı, uzun süre nefesini toplamaya çalıştı.

Askerler sessiz adımlarla yaklaşıyorlardı. Tam yavaş yavaş ayağa kalkmıştı ki yanına yaklaşan iki askerin yere yatması için bağırdığını duydu. Ağır hareketlerle askerlerin isteğini yerine getirirken, adamların kendisine iyice yaklaşmasını bekledi. Dizlerinin üzerine çökecekken, yaralı bir hayvan hırsıyla yanındaki askerlere saldırdı. Sesi ve yüzündeki ifade öylesine korkunçtu ki askerler geri dönüp kaçmak istediler. Eşref, kollarını açarak aniden üzerlerine atıldı. Silahları ellerinden fırlayan askerler yere yığıldı.

Şimdi diğerleri de gelmişti. Hepsiyle baş etmesi imkânsızdı. Olanca gücüyle, dar sokakta başına inip kalkan kabzalara direnmeye çalışıyordu. Kanlar içinde yere yığılıncaya kadar direndi. Kendilerinden geçmişçesine Eşref'in vücuduna art arda darbeler indiren askerler "Duruuun!" diye sokakları kaplayan bir kadın çığlığıyla irkildi. Çocuğunu kucaklamış, korku dolu bakışlarla uzaklaşmaya çalışan bir kadının çığlığıydı bu. Askerlerin şaşkınlığı yüzlerinden okunuyordu.

\*\*\*

Eşref, başına aldığı darbelerin etkisiyle Mekke'ye kadar baygın kaldı. Cansız bedenini hücreye atarlarken yeni yeni kendine geliyordu. Beyninin içi bir zaman tüneli gibiydi. Ateşler içinde sayıklıyor, kimsenin anlamadığı kelimelerle mırıldanıyordu.

Kendini büyük bir koridorda uçarken gördü. Üzerinde beyaz bir kıyafet vardı. Kıyafetin temizliği ve parlaklığı gözlerini alıyordu. *Ben nerdeyim? Birileri bana nerde olduğumu söyleyebilir mi?* Yüce Yaratıcı, bir kuş gibi ruhunu özgür bırakmıştı sanki. Birden her yanı alacakaranlık kapladı. Al, dor, kır atlar üstünde genç zabitler nefes nefese ilerliyorlardı. Kışlık kaftanlar giymişlerdi. Başlıklarında, uçlarını dua etmek için göğe doğru açmış kırmızı hilaller vardı. Karlar içinde ormanlık bir alana doğru ilerliyorlardı.

Atının eyerine asılmış kırmızı deri matarayı aldı. Suyu koklayarak içti. Bir an, her yanının kuru topraklar gibi parçalandığını hissetti. O deri mataralarda suyun ne kadar iğrenç koktuğunu biliyordu ama şimdi o pis kokulu suyun birkaç damlası için her şeyini verebilirdi.

Gözlerini açmaya çalıştı fakat kesif bir karanlık ruhunu sardığı gibi dünyasını da karartmıştı. Elleri ve ayakları bağlı, toprak zeminde yatıyordu. Kaskatı kesilmiş vücudunu hissetmeye çalıştı. Etrafında birkaç kişinin gezindiğini, duyduğu ayak seslerinden anlamıştı. Hayal âleminde, Makedonya dağlarında kuşlarla beraber kanatlanan Eşref, şimdi Mekke'de mahkûmdu. Nerede olduğunu, ellerinin neden bağlı olduğunu soruyor ama cevap alamıyordu. Saatlerce yerde kaldı. Ellerini ayaklarını çözüp su verdiler. Mekke'de, Cihat Kalesi'nde olduğunu söylediler.

Bir süre sonra Eşref'i, Vali Ahmet Ratip Paşa'nın huzuruna çıkardılar. Paşa, sert konuşmalar yapıyor, Eşref'i aşağılamaya çalışıyordu. Karşılıklı atışmaların dozu arttıkça görevliler Eşref'e, valinin huzurunda olduğunu hatırlatmak zorunda kalıyorlardı. Eşref, bu anlamsız konuşmaya bir son vermesi gerektiğini düşünerek;

– Zulüm payidar olmaz Paşa! Çökeceksiniz, diye bağırdı.

Paşa, karşısındaki sert adama daha fazla laf anlatmak istemiyormuşçasına sırtını döndü. Paşa'nın emriyle, Eşref'i yeniden

Taif zindanına sevk ettiler ve hürriyet kahramanı Mithat Paşa'nın boğdurulduğu hücrenin karşısına koydular. Yeni hücresinin anlamını çok iyi biliyordu Eşref.

Birbirine benzeyen günler yeniden başlamıştı. Artık ilk geldiği günlerdeki gibi rahat değildi. Yaptığı en ufak bir hareket, en masum istekleri bile sert bir şekilde karşılık buluyordu. Günlerini planlar yaparak, gelecekte yapacağı işleri düşünerek geçiriyordu. Üzerinde uzandığı taş somya, ilk günlerde vücuduna dayanılmaz ağrılar verdiyse de zamanla ona da alışmıştı.

Son günlerde garip bir hareketlik vardı zindanda. Hücrelerden alınan mahkûmlar bir daha geri dönmüyordu. Bu garip hareketlilik, Eşref'in içinde büyüyen korkuları önü alınmaz bir hale getirdi. Bir gece, karanlıkta ansızın boğulmaktan korkuyordu. Gündüz hareketliliğin çok olduğu saatlerde uyuyor, geceleri ise sırtını duvara dönüp uyuma numarası yaparak dikkatlice sesleri dinliyordu. Bu zindanda zaman kavramını da tamamen yitirmişti. Uzayan sakalları, eskimiş elbiseleriyle tanınmaz haldeydi. Aynada yüzüne bakma şansı olsa kendini tanıyamazdı.

Taif zindanındaki mahkûmların sayısı azaldıkça Eşref'in korkuları da artıyordu. Artık sağlıklı düşünemez olmuştu. Bütün geçmişi; acıları, sevinçleri, mutlulukları, hüzünleri son günlerde onun için daha bir anlamlıydı. Hayallerinde sık sık çocukluk günlerine gidiyor, annesinin üzerine titrediği o güzel günleri düşünüyordu. Annesi İzmir'de, babası ve kardeşi ise Yemen'de sürgündeydi. Ya yüreğinde kopan fırtınaların coşkunluğuyla uçarcasına at koşturduğu dumanlı dağlar? O coşkunlukların kaynağı güzel Çerkez kızı... O nerelerdeydi şimdi? Onunla yine, duman balyalarını anımsatan dağlarda at koşturabilecek miydi? Yaptıkları yarışlarda, ona yenilmenin hazzını yaşayabilecek miydi? Bunlar, Taif zindanında cevapsız kalan sorulardı ama Eşref bıkmadan usanmadan bunları düşünüyor, her şeye rağmen hayata tutunmaya çalışıyordu.

Eşref kendi dünyasına dalmışken, birden, bir manga askerin hücresini sardığını fark etti. Korku içinde ayağa fırlayıp sırtını duvara dayadı. Kapı bu sefer her zamankinden daha büyük bir gürültüyle açıldı. Belki de korkuları, beyninde gezinen sesi böylesine dayanılmaz kılmıştı. Kafeste sıkışmış gibi hırsla, saldırmaya hazır bekliyordu. Üstüne saldıran askerlerin, inip kalkan kabzaları arasında kanlar içinde kendinden geçti.

\*\*\*

Çözülen bedeni yavaş yavaş kendine gelince ahşap mobilyalar arasında yattığını ve yetkili bir komutanın huzurunda olduğunu anladı. Kale komutanı, Eşref'e saldıran askerlere, gösterdikleri sert tepkiden dolayı bağırıyordu. Eşref'in günlerdir içinde büyüttüğü korkular bir anda dağıldı.

– Eşref Bey, kusura bakmayın. Sizin saldıracağınızdan çekindikleri için...

– Sanırım haklılar. Ben daha farklı düşünmüştüm. Saldırmaya hazır bekliyordum.

– Eşref Bey, sizi Medine'ye sevk edeceğiz.

– Neden?

– Ahmet Ratip Paşa'nın emri bu istikamettedir. Burada sizden başka mahkûm da kalmadı zaten.

Eşref'in kirli sakalları arasından beyaz dişleri görünüyordu.

– Neden bu kadar sevindiniz Eşref Bey?

– Bunun sizinle ilgisi yok efendim... Ben şey diye düşünmüştüm... Hücrelerden alınanlar...

– Onları öldürdüğümüzü mü?

– Evet.

– Aman Eşref Bey, siz burada sadece sıradan bir mahkûmsunuz, ölüm mahkûmu değil... Hücrelerden alınanlarsa teker teker başka yerlere sevk edildi. Siz kaçmaya teşebbüs ettiğiniz için Vali Paşa'dan gelecek emirleri bekledik.

Eşref o an, ilk geldiği gün bu odada duyduğu konuşmaları hatırladı. Utandı. Utancını göstermemek için başını önüne eğdi.

– Eşref Bey, kaçmakla bizi çok zor bir durumda bıraktınız ama ben bu durumdan dolayı sizi kınayacak değilim. Buraya gelen her mahkûm, bulduğu ilk fırsatta kaçmayı düşünür. Ama bazıları buna cesaret edemez, bazısı da fırsat bulamaz... Neyse... Sizi sevk edecek arkadaşlara zorluk çıkarmazsınız inşallah.

– Efendim, sizden bir ricam olacak. Gerçi size karşı mahcubum ama...

– Söyleyin Eşref Bey. Yapabileceğim bir şey ise...

– Babamla kardeşime bir mektup yazmak istiyorum.

– Tabiî... Yerine ulaşması için elimden geleni yapacağım.

Eşref, komutanın verdiği kâğıda kısaca durumunun iyi olduğunu ve Medine'ye sevk edildiğini yazdı. Kâğıdı katlayıp üzerine babasının adını ve ikamet ettiği yeri de ekledi.

– Eşref Bey, yolunuz açık olsun.

– Sağolun efendim.

***

Medine'deki günlerin Taif'ten hiçbir farkı yoktu. Günler sakin geçiyordu. Bir gün avluda mahkûmlarla konuşurken, yanlarına Babül Arap ailesinden Şeyh Şehabi geldi. Konuşmaları biraz dinlendikten sonra Eşref'e hitaben;

– Ya Eşref, sen Halife Hazretleri'ne asi birisin, burada olman da bu yüzdendir, dedi.

Eşref cevap vermedi. Şeyh Şehabi'nin söze başlama tarzını beğenmemişti.

– Rumeli'de, Mısır'da, Garp Ocakları'nda* hâkimiyet yavaş yavaş el değiştiriyor. Peki, Arap âlemi ne olacak?

---

* Trablusgarp

– Toprak kayıpları kör bir istibdadın neticesidir Şeyh Efendi.

– Yanılıyorsun Eşref. Osmanlı'nın devri yavaş yavaş bitiyor. Etrafına bir bak. Bu sefaleti başka bir yerde gördün mü? Arap âleminin hak ettiği bu mu?

– Arap âlemi hep böyleydi. Siz, Peygamber Efendimizi bile kendi yurdundan çıkartmadınız mı? Ona yaşarken de, ölümünden sonra da ihanet etmediniz mi?

– Eşreeef! Sözlerin nereye gidiyor pek kestiremiyorsun.

– Ben sözlerimin nereye gittiğini biliyorum. Âl-i Osman, Peygamber sancağını yüzlerce yıl şerefiyle taşıdı. Fakat kör bir istibdat her yanımızı sarmış. Şimdi birlik olup onu yıkma vaktidir.

– Yıkınca ne olacak Eşref? Dur, sen cevap vermeden ben ne olacağını söyleyeyim: Yine siz efendi, biz de sizin kullarınız olacağız. O günler geçti Eşref. Arap âlemi artık uyandı. Siz Türkler yüzlerce yıldır Arap âleminin geri kalmasında tek sebepsiniz.

– Ya siz Türkler olmadan ne yapacaksınız Şeyh Efendi? Bu Matır, bu Hutaym diye birbirinizi boğazlamaktan başka ne gelir ki elinizden!

– Avrupalılar ne diyor sizin için? "İdraksiz Türkler." Bense (...) diyorum.

Eşref etrafına bakındı. Öfkeden yüzüne kan oturmuştu. Bir şey söylemeye lüzum görmüyordu artık. Şeyhin üzerine atıldı, adamı ilk yumrukta yere serdi. Bunun üzerine Şeyhin adamları aniden üzerine üşüşünce, vücuduna inip kalkan yumruklar arasında sersemleyerek ayaklar altına yığıldı. Bu sırada yakınında duran kısa bir odun parçasını fark edip o tarafa doğru yavaşça süründü. Odunu elinde sıkıca tutarak Şehabi'ye yeniden saldırdı. Şeyhi kanlar içinde bırakırken, ağzına gelen bütün küfürleri de sıralıyordu. Yetişen askerler havaya ateş açarak kalabalığı dağıttılar. Eşref derdest edilerek iç kaleye götürüldü. Burada askerler tarafından kendinden geçinceye kadar dövüldü. Bayılarak kanlar içinde yere yığıldı. Sakalları kana ve toprağa bulanmıştı. Yüzü ürkütücü bir haldeydi.

Ertesi gün, güneş olanca ısısıyla gökyüzünde parladığı halde Eşref, sıtmaya yakalanmış gibi titriyordu. Uyandığında ellerinden ve ayaklarından zincirlenerek büyükçe bir tomruğa çakılı olduğunu gördü. Uğradığı bu hakaret karşısında artık insanî duygularını kaybetmişti. Gündüzleri kavurucu güneşin altında yanıyor, geceleriyse dondurucu soğukta titriyordu. Yemeklerini getiren kişi, günlerce onunla hiç konuşmadı. Bu adam ancak günler sonra Eşref'in halini hatırını sormaya başlamıştı. Tomruğa çakılmak Eşref'in kabullenebileceği bir durum değildi.

O günlerde sürekli, buradan kaçmayı başarırsa, kuracağı örgütü ve yapacağı işleri düşündü. Abdülhamid'e duyduğu kin, önü alınmaz bir haldeydi artık. İki hafta sonra tomruğa çakılma cezası affedildi ve hücreye alındı.

\*\*\*

Hücrede bir buçuk yıl boyunca adeta birbirinin aynı günler geçirdi. Onlarca kez kaçmaya çalıştı ama her seferinde yakalandı. İşkencelere uğradı, aç bırakıldı... Yılmadı... Sonunda Çerkez bir mülazım olan Tahir'le tanıştı. İçeride aynı soydan bir adamı vardı artık. Tahir, Eşref'in kardeşi Sami'yle bağlantı kurmak için günlerce gizlice çalıştı. Sami cezasını tamamlamıştı. Abisiyle ilgili haberler aldığı günden beri yerinde duramıyordu. Tahir'in de yönlendirmesiyle Faraj ibn al Mısri adında bir Arap'la bağlantı kurdu. Tahir bir akşam Eşref'in yanına gelerek gece yarısı kaçmasına yardım edeceğini söyledi. Selim Sami'nin buralarda olduğunu ve Faraj isimli biriyle planlar hazırladığını anlattı.

Eşref yatağına uzandı. Dakikalar, saniyeler birbirine direniyor, sevincinden kelimeler boğazına düğümleniyordu. "Sonunda," dedi, "en sonunda bu topraklara uyum sağlayabiliyorum."

Gece yarısı, Tahir nöbetçiyi etkisiz hale getirerek Eşref'in hücresinin kapısını açtı. İkisi de asker üniformasıyla kaleyi terk etti. Ay ışığının, Medine'yi aydınlattığı saatlerde beş atlı, Mekke'nin kuzeyindeki dağlara doğru doludizgin gidiyordu.

# II

*1903*
*Mekke'nin*
*kuzeyindeki dağlar*

Sırtları bıçak gibi keskin kayalıklar arasında beş atlı yavaş yavaş ilerliyordu. Bir noktaya geldikten sonra artık ilerleyemez oldular. Eşref, arkasında tek sıra yürüyen adamlarına attan inmelerini emretti. Mekke, yalçın dağların arasında muhafaza edilen bir inci gibi duruyordu karşılarında. Kayalıklar, kendini bıraksan Mekke'nin üzerine düşecekmişsin hissi veriyordu insana. Yüksek bir kayanın üzerinden uzun uzun, dağları ve ovayı seyretti Eşref. Gariptir, aklına Alamut piri düşmüştü. *İhtiyar asker yoksa bu hikâyeyi öylesine mi anlattı bana*, diye sordu kendine. Ancak sonrasını düşünmek istemedi. Selim Sami ve Faraj hemen arkasındaydı. Yanında oturan Tahir'e döndü:

– İki buçuk yıl önce, Taif'e ilk sevk edilişimde ihtiyar bir askerle uzun uzun sohbet etmiştik. Bana Alamut pirinin hikâyesini anlatmıştı. Öfkenin insanı nasıl yönettiğini şimdi anlayabiliyorum Tahir.

Tahir hiçbir şey söylemedi. Eşref'in ne demek istediğini anlamamıştı zaten. Eşref, kısa bir sessizlikten sonra ayağa kalkarak belindeki kılıcı çıkardı ve ucu yere değecek şekilde öne doğru uzattı. Diğerleri de kılıçlarını çekip, uçları birbirine değecek şekilde uzattılar.

– Arkadaşlar, kör istibdada karşı Arap İhtilal Hücresi'ni siz yiğit arkadaşlarımla beraber burada kuruyorum. Beş kişiden oluşan bu hücreyi zamanla büyütüp Arap İhtilal Cemiyeti'ni oluşturacağız. Bu hücreye sadık kalacağımıza kutsallarımız üzerine yemin edeceğiz. Sami, bu hücreye sadık kalacağına yemin verir misin?

– Evet. Bütün kutsallarım adına yemin verdim.

– Tahir!

– Bütün kutsallarım adına yemin verdim.

– Faraj!

– Bütün kutsallarım adına yemin verdim.

– Abdullah!

– Bütün kutsallarım adına yemin verdim.

– Ben de size ve hücreye sadık kalacağıma tüm kutsallarım adına yemin ederim.

Eğri kılıçlar geri çekilip kınına kondu. Eşref ihtilal hücresine hitaben konuşmaya başladı:

– Arkadaşlar, Cemiyetimizin ilk amacı, devletin çürümüş, kokmuş düzeninin bu topraklarda ne kadar zayıfladığını dünyaya duyurmaktır. Bir derviş gibi, bu toprakları adım adım gezip aşiretler arasındaki kavgaları bitirmeye çalışacağız. Büyük güçler oluşturacağız. İnanca dayalı isyanları destekleyeceğiz. Dağınık halde bulunan Sultan'ın ordularına hiç beklemedikleri anlarda yıldırım baskınlar düzenleyeceğiz. Çölde bedevi kanunlarına, dağda dağ kanunlarına, şehirde de şehir kanunlarına bağlanacağız. Ama öncelikle Makedonya'yla irtibat kurmalıyız, bunun için öncelikle kardeşim Selim Sami'yi bu topraklardan çıkarma fırsatlarını kollamalıyız.

Eşref, arkadaşlarıyla beraber İbn-i Reşit ve İbn-i Suud'u ayrı ayrı ziyaret etti. Aşiret çadırlarında iltifat gördü. Bedevilere uzun

uzun birlik olma çağrıları yaptı. İbn-i Reşit, Osmanlı'ya sadık olduğu için, teklifi "samimi bir teklif", teklif edenleri de "sözleri muteber insanlar" olarak nitelendirdi, ancak önerilenleri nazikçe reddetti.

İbn-i Suud ise Eşref'i daha sıcak karşıladı. Onun şerefine bir ziyafet hazırlattı.

Eşref:

– Şeyh Hazretleri, ben Sultan Hamid'in Kuşçu Ocağı'nın Ağası Mustafa Nuri Efendi'nin oğluyum. İstibdat aleyhtarı olduğum için Harbiye'nin üçüncü sınıfından atılarak önce Edirne'ye, sonra da buralara sürüldüm. İki yıldan fazla Taif, Mekke ve Medine'de kürek mahkûmu olarak yattım. Allah, o cehennemden kaçma fırsatı verdi bana. Sizi ziyaretimin sebebi, Abdülhamid Han'ın istibdadına karşı bizimle birlik olmanızı istememdir.

– Eşref Bey, size bu toprakların güvenilmez olduğunu söylemediler mi?

– Bunu iki yıldır yaşadıklarımdan öğrendim.

– Urban* arasında bulunmadan çöl ve ona ait hiçbir şey öğrenilmez Eşref Bey.

– Allah nasip ederse niyetimiz bu istikamettedir.

– Her şey Allah'ın takdiriyledir. Niyetiniz varsa gideceğiniz bir istikamet de vardır.

– Genç olduğum için belki beni macera peşinde koşan biri olarak görebilirsiniz ama yapmak istediğim her şeyin mantıklı bir açıklaması var. Ben bu istibdadın yıkılması için canımı ortaya koyarak çalışacağım.

– Benden tam olarak ne istiyorsun Eşref Bey?

– Şimdilik kabileler arasından serbestçe geçebilmemize izin vermenizi bekliyorum. Sizin isminizle Urbanın arasında gezinmek istiyorum.

---

*      Çöl bedevileri

– Bazı dostlar* gibi siz de çok zor şeyler istiyorsunuz benden.

Eşref, "bazı dostlar" sözüyle Suud'un ne demek istediğini anlayamadı ama sormaya da cesaret edemedi.

– Eşref Bey, siz benim en son söylediğimi anlamadınız, ama anlayacaksınız. Hem de çok yakında... Sizi çok samimi bulmakla birlikte şunu da söylemek isterim ki bugünlerde buralarda olanları kimse anlayamıyor. Yüzlerce yıllık alışkanlıklarını tekrarlayan paşalar bu toprakları yine eskisi gibi yöneteceklerini sanıyorlar. Arap âleminin damarlarında insanları büyüleyen vaatler dolaşıyor. Eşref Bey, siz şu an nasıl bir işin içinde olduğunuzu anlayacak durumda bile değilsiniz. Ancak bir gün anlayacaksınız. Hem de çok yakında... Ama o gün iş işten geçmiş olacak.

– Efendi Hazretleri, en azından şimdilik Urban arasında gezmemi görmezden gelin. Urban beni kabul ederse...

– Urban sizi kabul etmez Eşref Bey. Ancak siz kendinizi onları kabul ettirebilirsiniz.

– Nasıl?

– Tabiî bunu iki yılda öğrenmiş olmanız mümkün değil.

Suud, Eşref'in kulağına eğilerek kısık bir sesle konuşmaya devam etti.

– Onlara istediklerini verin. Onları büyüleyin. Çöl insanlarının tutkularına hükmedin. İşte o zaman Arap âleminde kendi namınızla gezebilirsiniz.

– Peki ama... Urban neyle büyülenir?

– Altın Eşref Bey, altın... Onlara gelecek vaat edin, hayal vaat edin...

Eşref, hikmet sofrasından nasibini alan bir derviş gibi kendinden geçmişti. Elindeki bardağı bırakıp tabakasından aldığı bir gat yaprağını ağzına attı. Üzerine çöken mestliğin de etkisiyle

---

* Kastedilen kişiler İngiliz ajanları.

arkasındaki yumuşak yastıklara gömüldü. İbn-i Suud'un memnuniyeti yüzünden okunuyordu.

– Bu gece misafirimsiniz Eşref Bey.

– Sağolun efendim.

\*\*\*

Eşref, diğer kabileler arasında birlik sağlamak amacıyla, çölün kavuran sıcağına, sam rüzgârlarına aldırmadan günlerce dolaştı. Her gittiği kabilenin âdetlerini öğreniyor, onlar gibi yaşıyordu. Lisan öğrenmedeki mahareti reislerin bile dikkatini çekmişti.

Günlerce Ataybah, Matir, Ben-i Harp, Hazil ve Taif bölgesindeki aşiretler arasında dolaştı. Küçük büyük demeden bütün aşiretleri gezdi. Şahsî dostluklar haricinde bir şey elde edemedi. Her gittiği çadırda hürmet gördü. Ama aşiretler birlik çalışmalarını ne reddediyor ne de kabul ediyorlardı. Bu, "bekle gör" politikası çöl insanlarının en bilinen yönüydü. Çölün ortasındaki bu insanlardan, siyaset ilmi hakkında öğreneceği çok şey vardı.

Eşref, Arapça'nın bütün aksanlarını, inceliklerine kadar öğreniyor, aşiretler içindeki şahsî münasebetlerini geliştiriyordu. Bir aşiret sınırından diğerine geçerken bütün coğrafyayı beynine kaydediyordu. Aşiretler arasında yaşamanın ikinci önemli kuralını da öğrenmişti: Arap çöllerinde seyahat eden her adam, bir kabile reisinin ismi ve himayesiyle dolaşmalıydı. Böylelikle her türlü tacizden, saldırıdan korunurdu. Bir kabile sınırına gelindiğinde, başka bir kabile reisinin ismiyle seyahate başlanırdı. Şahsî dostluklar çok önemliydi. İngiliz casuslarının da aynı yöntemleri kullanarak seyahat ettiğini duymuştu.

Bedeviler, yüzlerini her zaman menfaate dönen insanlardı. Dostlukları ne kadar abartılı ise düşmanlıkları da aynı ölçüde sertti. Eşref, bulunduğu yerdeki örf ve âdetleri en ince ayrıntılarına kadar öğreniyor, bedevilere saygı duyduğunu ispatlarcasına onlar gibi yaşamaya çalışıyordu. Çölün ağır şartları altında ayrıcalık aramıyor, alçak gönüllülüğüyle çöl insanlarını adeta büyülüyordu. İnsanları etkilemede ve girdiği ortama uyum sağlamada doğal bir yeteneğe sahipti.

Bu arada arkadaşlarıyla, Padişah'ın dağınık halde bulunan birliklerine ani baskınlar düzenliyor, birçok insanın düşünmekten bile çekineceği şeyleri kolaylıkla yapıyordu. Aşiretler içindeki şahsî dostlukları sayesinde aldığı haberlerle düzenlediği bu yıldırım baskınlardan sonra yine aynı hızla çölün kumları asında kayboluyordu.

Her şeyh, kendi aşiretine hâkim iken, Eşref kısa zamanda bütün aşiretler üzerinde hâkimiyet kurmaya başladı. Çöl insanlarını en zayıf noktalarından yakalıyor, onlara iltifatlı sözler söyledikten sonra kıymetli hediyeler veriyordu. Kısa zamanda herkes tarafından tanınır oldu. Artık istediği kabilenin sınırına istediği zamanda girebiliyordu. Hatta Eşref'in namı ile seyahat edenlere bile ilişilmiyordu.

Çöl insanları çok kolay karar alabilen kişiler değillerdi. Fakir ve her daim göçebe yaşamak zorunda olduklarından kendilerini korumak için siyasî davranmak zorundaydılar. Kendilerine geniş imkânlar sağlayan Eşref'e duydukları sevgi her geçen gün artıyordu. Eşref'in ani ve sert baskınları yaparken, çöl kuşlarından haber aldığını ve kuşlarla konuştuğunu birbirlerine fısıldıyorlardı. Taif'e giderken konuştuğu yaşlı askerin söylediği söz Eşref'in kulaklarındaydı: "Şeyh uçamaz ama onu müritlerinin arzuları uçurur."

Himmeti geniş olduğu için Eşref, bedeviler arasında bir efsane kahramanı olarak anılıyordu artık. Kim ne istiyorsa, Eşref ona istediği şeyi elde etme imkânı tanıyordu. Ona artık "Uçan Şeyh" diye hitap ediyorlardı.

# III

Rüzgâr, kavurucu kum tanelerini sakince elerken, bunaltıcı havaya da serinlik aşılıyordu. Üç tabur asker başlarındaki komutanlarla sıraya dizilmişti. Meraklı gözlerle Vasfi Bey'i bekliyorlardı. Bazı askerler yeni geldikleri için onu tanımıyor, nasıl bir komutan olduğunu merak ediyorlardı.

Arkasında emir subayıyla Vasfi Bey göründüğünde herkesi bir telaş sardı. Bakıldığında hemen dikkat çeken parlak çizmeleriyle Vasfi Bey, askerlerde güven hissi uyandırmak için onlara yaklaşarak karşılarında duruyor, tekmil vermelerini bekliyordu. Gözlerinin içine baktığı asker, önceden öğrendiği şekilde tekmil veriyordu:

– Durmuş Ali oğlu Duran, Yenibahçe, İstanbul!

Vasfi Bey biraz daha ileride durduğunda, komutanın kendisine bu kadar yaklaştığını gören asker heyecanlanıyordu.

– Ali Ekber oğlu İskender, Tiflis!

Vasfi Bey askerlerin hepsine iltifatlar ediyor, onların gönüllerini alıyordu. Üç taburun tam ortasında durduğu an, uzakta siyah bir atın üstünde, heybetli görüntüsüyle sanki bir devmiş gibi görünen bir bedevi belirdi. Tören alanında ne olup bittiğini anlayamayan subaylar öylece bakıyorlardı. Başını siyah beyaz bir poşuyla sarmış atlı, inanılmaz bir hızla dörtnala Vasfi Bey'e yöneldi. Üzerine yürüyen heyula karşısında ne yapacağını bileme-yen Vasfi Bey, elini belindeki beylik tabancaya attı. Atlı, tabanca-sını çekmesine fırsat vermeden kolundan tuttuğu gibi Vasfi Bey'i kucağına yatırdı. Arkasından toz bulutu ve hayret dolu bakışlar bırakarak, Medine'nin kuzeyine, sarp dağlara doğru yöneldi.

Telaşlı koşturmalar arasında kimse atlıyı takip etmeyi düşü-nemedi. Üç tabur askeri kaskatı kesen korku değil, onca askerin önünden bir komutanın dağa kaldırılma cüreti idi. Vasfi Bey, kendisini kurtarmak için bir iki hamle yaptıysa da, Eşref'in güçlü kolları arasında çaresizdi.

***

Hicaz bölgesi, Eşref'in bu dağa kaldırma vukuatıyla çalkalan-maya başladı. Kuşların Şeyhi'nin bir kartal gibi uçarak gelip üç tabur asker önünde, koca komutanı tek eliyle tutup dağa kaldır-ması, şarkın kendine has abartısıyla dilden dile yayılıyordu.

Haber, Yıldız'a ulaştığında telgrafhanede bir koşuşturma başladı. Telgrafı Padişah'a iletmeye kimse cesaret etmediği için Nadir Ağa'ya başvurdular. Nadir Ağa, Sultan'ı marangozhanede buldu. Abdülhamid, kapı önünde yüzü bembeyaz olmuş Nadir Ağa'yı görünce elindeki işi bırakmadan konuşmaya başladı:

– Yaklaş Nadir Ağa, gel. Şu ayakları verir misin?

Nadir Ağa kendisinden beklenmeyen bir çeviklikle masanın diğer ucundaki sehpa ayaklarını alarak Abdülhamid'e uzattı. Ağ-zını bıçak açmıyordu Nadir Ağa'nın. Abdülhamid, büyük, oyma sehpanın işlemeli bacaklarını takarken Nadir Ağa da ona yardım ediyordu.

– Evet... Şimdi söyle bakalım, rengini kaçıran olay ne?

– Zat-ı Şahane'ye söylemeye kimse cesaret edemedi.

– Sen mi talip oldun?

– Aslında kendi isteğimle değil efendim.

– Her neyse, söyle bakalım, ne oldu?

– Efendim, kullarınızdan Mustafa Nuri Efendi'nin oğlu Eşref Sencar ve kardeşi Sami, üç tabur asker önünde Vasfi Bey'i dağa kaldırmış.

– Yaaa... Nasıl yapmış bu kahramanlığı Sencar oğlum?

– Efendim, Vasfi Bey teftiş halindeyken bir anda beliren bir atlı, kendisini tuttuğu gibi kaldırıp kucağına almış ve uzaklaşmış.

– Nasıl? Üç tabur asker demedin mi sen biraz önce Nadir Ağa? Peki, üç tabur asker ne yapmış bu arada?

– Efendim, olayın şaşkınlığıyla kimse atlıyı takip etmeyi akıl edememiş.

– Eşref Sencar... Ben ona ihsanda bulundum, Sınıf-ı Mahsusa'da okuması yönünde irade beyan ettim. Yaramaz çocuk, aklı sıra... Neyse... Bunlar niye hep böyle yapıyor Nadir Ağa? İhsanda bulunduğum kullarım neden böyle asi oluyor bana?

Nadir Ağa cevabı başını öne eğerek verdi:

– Zat-ı Şahane daha iyi bilir.

Masanın üzerinden aldığı sehpayı Nadir Ağa'ya uzattı Abdülhamid. Nadir Ağa, Sultan'a arkasını dönmeden masanın yanındaki boşluğa doğru yürüdü. Abdülhamid'in tepkisini anlayamadığından tedirgindi.

– Bu işte başka kimlerin dahli var?

– Efendim, bunu kulunuz nereden bilebilir?

– Doğru... Mustafa Nuri Efendi'ye şimdilik ilişilmesin Ağa. O cezasını çekti.

Abdülhamid masanın üzerine koyduğu geniş ve kalın tahtayı rendeyle düzeltmeye başladı. Nadir Ağa, karşısında ellerini bağlamış duruyordu.

– Efendim, tedbir olarak ne düşünüyorsunuz?

Elindeki rendeyi bıraktığında her yanı talaş olmuştu Sultan'ın.

– Bu adamları bilirim Ağa. Sadıklarımdan birini Hicaz'a gönderceğim. Bu adamları satın almak, onlarla mücadele etmekten daha mantıklı. Af ilan edeceğim. Hem böyle davranmakla devlet bütçesine de daha az zarar vermiş oluruz.

\*\*\*

Eşref, bir nevi satın alma olan bu davranışın arkadaşları arasında kabul göreceğini çok iyi bildiğinden öneriyi kabul etti. Abdülhamid'in bu ince siyasi manevrası, Eşref'in bütün ümitlerini kırdı. Yaptığı işten beklediği karşılığı alamamıştı.

Artık Padişah'ın emriyle telgraf hattının bir bölümünü korunmakla görevliydi. Geceler gündüzlere, gündüzler gecelere kavuştukça, Eşref eski güzel günlerinin hülyalarıyla yatıp kalkıyordu. Medine içinde rahatlıkla dolaşmasına rağmen, şehrin dışına çıkmasına müsaade edilmiyordu. Hicaz'ın sam rüzgârları, çöl insanlarına, Kuşların Şeyhi'nin Padişah tarafından satın alındığını fısıldıyordu. Çok da yadırganmayan bu durumu kabullenmek Eşref'e ağır gelmişti. Telgraf hattında günlük gezilerini yapıyor fakat gönlü uzakları, çölün derinliklerini ve dağların sarp yamaçlarını arzuluyordu. Bu arada Eşref'in Medine sokaklarındaki her hareketi takip ediliyor, günlük raporlar hazırlanıyor, konuştuğu kişiler izleniyordu.

Bir gece yarısı Eşref, arkadaşlarını gizli bir toplantıya çağırdı. Toplantı jandarmalar tarafından haber alındı ve baskın düzenlendi. Eşref yanındaki adamlarla Mekke'nin kuzeydoğusuna yöneldi. Gecenin ilerleyen saatlerine kadar ay ışığında süren uzun takip, askerlerin içindeki korkuyu büyüttü. Hiçbiri bu dağların derinliklerini, takip ettikleri asiler kadar iyi bilmiyordu. Uzayan takip, artık asileri yakalama amacından ziyade Padişah'a verilecek raporda nerelere kadar gidildiğinin söylenmesi için sürdürülüyordu. Eşref, arkasındaki insanların ne düşündüğünü çok iyi bildiğinden izini kaybettirmekte zorlanmadı. Uçan Şeyh artık daha öfkeli ve daha istekliydi.

Bütün garnizonlar bir türlü baş edemedikleri bu başkaldırma olayına kilitlenmişti. Uçan Şeyh'in ne düşündüğünü tahmin etmeye çalışıyorlardı. Bu sırada Eşref, dağların derinliklerinde bugüne kadar kimsenin yapmadığı, aklından dahi geçirmediği bir baskının planlarını hazırlıyordu. Bu yeni eylem, yalnız Arap topraklarında değil bütün dünyada konuşulmalıydı. Bütün dikkatleri üzerine çekmek ve Abdülhamid'in bu topraklarda güvenliği sağlayamadığını ispat etmek istiyordu.

# IV

Sultanahmet Camii'nin bahçesinde, sırtında altın sırma topu taşıyan çırak, yükünü bırakıp bekçi nezaretinde bahçeye giren şerbetçinin yanına gitti. Çocuklar özel bölmenin kapısına kadar şerbetçiyi takip etmiş ama kapıcıbaşının izni olmadığı için içeri girememişlerdi. Bıyıkları yeni terlemiş, sesi yeni kalınlaşmış işleme çırağı, elindeki şerbet kâsesini şerbetçiye uzattıktan sonra etrafa dökülen sırma parçalarını toplamak için masanın başına geçti. Ak saçlı, ak sakallı ustalar uzun masada serili örtüyü dürmek için emir bekliyorlardı. Darüssaade ağası arkasında otuz baltacıyla cami avlusuna girdiğinde, kapıcıbaşı, şerbetçinin bahşişini vermek için meşin kesesini çıkarmıştı. İki altın uzattı şerbetçiye. Kapıda bekleyen çocuklara da şerbet vermesini tembihleyerek adamı dışarı çıkarttı. İki müjdecibaşı koşarak içeri girdi. Fatih medreselerinden gelmiş iki hoca ve arkası sıra dizilmiş yirmi talebeye duaya başlamaları söylendi. Amasyalı Süleyman Efendi dizleri üzerine çökerek besmele-i şerif çekti, Kuran okumaya başladı. İçeri giren Darüssaade ağası, Padişah fermanını okudu. Ustalar tekbirler getirerek Kâbe örtüsünü sarmaya başladılar. Ustaların elleri üzerinde taşınan işlemeli örtü kapıda bekleyen deveye yüklendi. Ahır kethüdası, Kâbe örtüsü ve meşin keseler içindeki altınlardan oluşan yükü taşıyan devenin yularını tutuyordu.

Sürreyi taşıyan devenin hemen arkasında, yularını sekbanbaşının tuttuğu yedek deve geliyordu. İki devenin arkasında sırmalı hilatler giymiş, on iki atlı çavuş elleri kılıçlarında ilerliyordu. On iki atlı çavuşu, on iki zaim takip ediyordu. Sekiz kapıcıbaşı yaya olarak, zaimlerin arkasındaydı. Uzun dualar eden hocaların sesi kesilince kafile yürümeye başladı. İki müjdecibaşı, kafileden oldukça ileride, geçen alayın sürre alayı olduğunu halka ilan ediyordu. Sürre emini en önde gidiyordu. Altmış baltacı, elleri baltalarının üzerinde kafileyi sarmıştı. Develeri, hediye yüklü otuz katır takip ediyordu. Darüssaade ağasının izniyle, ellerinde küçük davullar olan kırk Arap koşarak kafilenin önüne geçti ve davullarını çalıp kılıç kalkan oynamaya başladı. Arnavut kaldırımlardan yavaş yavaş ilerleyen kafileyi, cumbalı evlerin balkonlarından seyreden kadınlar, küçük kadife keselerle alaya zekât ve sadaka gönderiyorlardı. Sürre emini, gelen kadife keseleri, sekbanbaşının yularını çektiği yedek devenin yanlarından sarkmış heybeye koyuyordu. Keseleri getiren çocuklar hediyelerini aldıktan sonra, sürre emininin elini öperek uzaklaşıyorlardı. Saatlerce sokaklarda gezen kafileye hacılar da dâhil olarak Yıldız Sarayı'na kadar geldiler.

Gece yapılacak merasim için sarayda hazırlıklar günler öncesinden başlamıştı. Divan-ı Hümayun ağası yerlere serilmiş Kirmanşah dokuma ipek halılar üzerinde telaşlı adımlarla geziniyordu. Etrafındakileri, bir aksilik olmaması için devamlı uyarıyor, sağa sola anlamsız emirler yağdırıyordu. Bahçeye birbirine geçişi olan on beş çadır kurulmuştu. Çadırlarda ipek halılar seriliydi. Özel işleme atlas bezler, çadırın tepesinden minderlere kadar sarkıtılmıştı. Kırmızı işlemeli atlas yer minderleri yan yana dizilmişti. Oyma şamdanlarda yanan büyük mumlar çadırları aydınlatıyordu. Boğaz'ın serin suları üzerinde süzülen saltanat kayıkları, özel fenerlerin ışığında Yıldız'a misafirlerini taşıyordu.

Büyük bir kalabalık da Darüssaade dairesinde ağanın gelmesini bekliyordu. Sadrazam yanında kılıç ustası korumalarıyla yüksekçe bir yerde, üzerine kırmızı kadifeler örtülü bir divanda oturuyordu. Darüssaade ağası, müjdecibaşının teşrif ve takdim cümleleri arasında içeri girdi. Sadrazamın huzurunda eğilerek selam verdi. Sadrazamın izniyle, sehpa üzerinde duran gümüş bir tepsi, üç hizmetkâr tarafından getirildi. Mavi atlasa sarılı kırmızı bir hilat, merasimle Darüssaade ağasına giydirildi. Hafızlar yanık sesleriyle Kuran okumaya başladılar. Sadrazamda dâhil, herkes dizleri üzerine çökmüş, huşu içinde Kuran dinliyordu. Hattatlar tarafından duvarlara yazılan ayetler, hafızların aynı incelikteki sedalarıyla saray duvarlarında yankılanıyordu. Hafızların Kuran tilavetini uzun dualar takip etti. Dua bitince sadrazam ayağa kalkarak Darüssaade ağasının önüne kadar yürüdü. Name-i Hümayun'u üç kez öperek başına koydu. Darüssaade ağası da nameyi üç kez öperek başına koydu. Haremağaları tarafından getirilen Sürre-yi Hümayun defterleri ve Name-i Hümayun, küçük bir sandığa konarak üzerine nişancı tarafından tuğra çekildi. Darüssaade dairesinden çıkan ağa Enderun'a yöneldi. Orada Abdülhamid'in huzurunda hazır bekleyen sürre emininin yanına dizleri üzerinde oturdu. Biraz sessiz kaldıktan sonra konuşmaya başladı:

– Zat-ı Şahane'nin izni olursa içinde Name-i Hümayun ve Sürre-yi Hümayun defterleri olan bu emaneti sürre eminine teslim etmek isteriz.

– Uygundur ağa.

Darüssaade ağası ve sürre emini birlikte ayağa kalkıp Abdülhamid'in önüne gelerek eğildiler.

Abdülhamid oturduğu yerden ayağa kalkarak sürre emininin önüne geldi:

– Mülkünde, Nam-ı Celil adına hüküm vermeyen sultanın hükmü batıldır. Sürre-yi Hümayun, ecdadımızdan bize vasiyettir. Rahman'ın huzurunda da bizden evlatlarımıza vasiyet olsun. Dünya var oldukça bu güzel âdet hep devam etsin. Ağalar, beyler, paşalar biliniz ki bu dünya geçici bir yurttur. Mülkümüz ecdadımızdan bize, bizden de evlatlarımıza mirastır. Her daim emanetçi olarak üzerinde oturduğumuz bu mülkün bir gün bizi terk edeceğini bilin. Biz onu terk etmesek de o bizi terk edecektir. İşte o gün, Rahman'ın huzuruna vardığımızda, dağlarda aç gezen kurtların hali bile bizden sorulacaktır. Sürre, İslam kardeşliğinin en güzel kanıtıdır. Zekâtlarımız, sadakalarımız, hediyelerimiz kutsal beldede yaşayan insanlara ulaştığında, inşallah Hak katında da bizden memnun olunacaktır. Fermanınımdır: Bu hediyeler Mekke'ye ulaştığında, halkın huzurunda Mekke şerifine teslim edilecektir. Fermanım Mina'da, tüm Müslümanların ve hacıların huzurunda okunacak ve hediyeler listelerde yazıldığı gibi dağıtılacaktır. Bu liste de unutulan hiçbir isim yoktur. Hangi sebepten olursa olsun yerine ulaşmayan emanetler mühürlü bir sandıkta geri getirilecektir. Bu hediyeler artık bizim değil tüm ümmetindir. Allah yolunuzu açık etsin, haccınız mübarek olsun.

Padişah'ın emriyle sürre eminine yeşil bir hilat giydirildi. Tuğra çekilmiş küçük sandık, dualar arasında Sultan'ın eliyle kendisine verildi.

Şaban ayının on beşinci günü Sirkeci'den çektirilerle Üsküdar'a getirilen alay, Üsküdar meydanında on binleri bulan kalabalık eşliğinde Ayrılık Çeşmesi'ne ulaştı. Gemilerle Beyrut Limanı'na, oradan da Şam'a götürülmesi için uğurlandı.

# V

Çöl kumları, develerin tırnak aralarında bile barınamayıp etrafa savruluyordu. Kuma gömülen her tırnak, koca kum denizini harmanlıyor; insanı içine çeken sıcaklık sabırları zorluyordu. Kervan tek sıra halinde, derin bir sessizliğe gömülmüş halde ağır ağır ilerliyordu. Kafiledekiler, rüzgârın savurduğu kumlardan korunmak için beyaz örtülere sarınmışlardı. Kafile önderlerinin grubu yönlendiren naraları ara ara duyuluyor, sonrasında kervan, kumların üzerinden sessiz akışına devam ediyordu.

Elli iki konak yeri aşan hacıların önünde iki konaklık yol kalmıştı. Altmış gündür devam eden yolculuk, Kâbe'nin gölgesinde sona erecekti. Karlı dağlardan, bozkır ovalardan, keskin yosun kokularının hâkim olduğu coğrafyalardan geçmişlerdi. Kafiledeki insanların birçoğu bu topraklara ilk kez ayak bastıkları için, geçilen her menzil, yeni bir dünya anlamına geliyordu. Saçları sakalları ağarmış bu insanlar, altmış günde gördüklerine kendileri de inanmıyordu. Birçok dinin kutsal taşlarını, anıtlarını görüp hikâyelerini dinlemişlerdi. Renkleri, dilleri, yaşam tarzları farklı insanlar... Yol boyu yıkılmış, terk edilmiş harabe evler... Vahşi hayvan saldırıları... Ne anılar birikmişti torunlarına, çocuklarına anlatılacak, ne anılar... Ama hepsinde ortak olan bir duygu vardı, o da inancın insana kazandırdığı sabır ve tahammüldü.

Develerin bir kısmının boyunlarından sarkıtılmış deri muhafazaların içinde, camilerin is odalarından toplanmış isler bulunuyordu. İsler özel bir karışımla yoğrularak deri muhafazalara konuyor ve deve semerlerinin yanına asılıyordu. Aylarca süren bu hac yolculuklarında karışımlar kıvama geliyor ve dünyanın en kaliteli mürekkepleri ortaya çıkıyordu. Bu mürekkepler, hattatlar tarafından Kuran ayetlerinin yazılışında kullanılıyordu.

Kafilenin önünde Halife hazretlerinin Mekke ve Medine ahalisine hediye olarak gönderdiği hediyeleri taşıyan sürre kervanı yürüyordu. Sürreye eşlik eden muhafız sayısı oldukça azdı. Halife'nin gönderdiği hediyelere saldırılma ihtimali düşüktü. Kervandakiler sürreyle yol almanın hazzını yaşıyorlardı.

Kervanbaşı, yaklaşan kum fırtınasından kafileyi korumak için hızlı hareket edebilen iki öncü bedevi çıkardı. Adamların sağa sola koşuştururken verdikleri sert emirlerle çölün sessizliği yırtılıyordu. Kafiledeki hareketsizlik, kervanbaşının sinirlerini bozuyordu. Çöle alışık olmayan bedenler kendini salmıştı. Her geçen saniye, adımlardaki ritim bozulmaktaydı. Öncüler, kuru rüzgârı arkalarına almış hızla gelmekteydiler. Kervanbaşının yanına yetişince;

– Ya Bey! Yarım saat mesafede sert kayalıklar var. Biraz hızlı hareket edebilirsek fırtına ortalığı kasıp kavurmadan oraya varabiliriz, dediler.

– Adımlarımızı hızlandıralım! Herkes yanındakileri ve önündekileri takip etsin! Kafileden geri kalanlar, fırtına dinene kadar dönülüp alınmayacaktır!

Korku, adımları hızlandırdı. Kafile koşarcasına ilerlemeye başladı. Çöle naif bir serinlik aşılayan rüzgâr, şiddetini gittikçe arttırıyordu. Havada uçuşan kum tanecikleri, görüş mesafesini gittikçe azaltmaya başladı. Kafile kum vadilerinin arasından hızla ilerlerken, muhafızlardan biri "Allah!" diye bağırarak devesinden düştü. Rüzgârın uğultusu arasında önce ne olduğu anlaşılamadı. Kafiledeki hareketlilik kısa zamanda paniğe dönüştü.

Sağa sola koşturan insanlar birbirini eziyordu. Huysuzlanan hayvanlar yularlarından kurtulmaya çabalıyor, ürkerek birbirlerini tepeliyorlardı. Kum tepelerinin arkasından kırk kadar bedevi, naralarla kafileye doğru saldırıya geçti. Bedevi naraları, insanın içine büyük bir korku salıyordu. Kervandan "Haydut saldırısı!" diye sesler yükselmeye başladı. İnsanlar çöl kumları gibi sağa sola savrulurken, muhafızlar Sürre-yi Hümayun'u koruma telaşına düştüler. Haydutlar kaçışan insanların peşinden gitmek yerine develere yöneldiler. Etrafı bedevilerce sarılan muhafızlarsa kılıçlarını ve silahlarını çekip develerin etrafında bir daire oluşturdular. Kervanbaşı ateş edilmemesi için emirler yağdırıyordu. Üç muhafız sürre eminini korumaya almıştı. Atlar karmaşa arasında huysuzlanmış, çölü at kişnemeleri sarmıştı.

Kervanbaşı, beyaz bir atın üzerinde kendine yaklaşan siyahî adama duyduğu korkunun tesiriyle öyle bir bağırdı ki, kaçışan insanlar oldukları yerde durup geriye doğru baktılar.

– Duruunnn! Bre haydutlar! Bre densizler! Sultan kervanıdır bu kervan. Sürre-yi Hümayun'dur. Halife hazretlerinin emri ve duasıyla yola çıkmış bir kervandır. Durun! Canınıza mı susadınız?

Eşref, atını öne çıkan bedevinin yanına doğru sürdü:

– Söylediklerini pekâlâ biliriz kervanbaşı. Sürre-yi Hümayun'a, Arap İhtilal Cemiyeti adına el koyuyorum. Var, o müstebite söyle. Kuşçubaşızade Eşref sürreye el koymuştur.

– Ne dersin sen kendini bilmez! Tövbeye gel, başını İstanbul'a bal çuvalında götürmeyeyim.

– Bu kadar marifetlisin demek kervanbaşı! Al alabilirsen başımı! Al da götür o müstebit Padişahına hediye olarak.

Sert bir hareketle atını çevirdi Eşref. Bedeviler naralar atarak saldırıya geçti. Eşref, karmaşanın arasında "Aman dileyene kılıç vurmayınız!" diye bağırıyordu. Patlayan silahlar, eğri Arap kılıçlarından sızan kanlar... Kum fırtınası içinde çölü saran at kişnemeleri... Aman dileyenler... Naralanıp son bir gayret kılıç çekenler, mızrak atanlar...

Baskın kısa zamanda neticelendi. Bedeviler, Sürre-yi Hümayun'u taşıyan develeri ve katırları yularlarından çekerek dağlara yöneldiler. Kafile kum fırtınası içinde çırpınırken sürre emini iki atlıyı yola çıkardı. Atlılara, durumu sürre emirine anlatmalarını ve ondan yardım istemelerini söyledi. Dizleri üzerinde çöl kumlarına çöken sürre emini, gözyaşları içinde tövbe ediyordu.

Yalçın kayalıklara çekilen Eşref ve adamları denklerden çıkan yükler karşısında hayretler içinde kaldılar. El yazması Kuran-ı Kerimler, gümüş şamdanlar, ince iş buhurdanlar, ipek halılar, kıymetli taşlar, kadife ve meşin keselerde binlerce altın...

Kutlu kafile olarak da anılan Sürre-yi Hümayun'un saldırıya uğraması ve gasp edilmesi insanın düşünmeye bile cesaret edebileceği bir şey değildi. Hicaz'ın sam rüzgârları, çöl kumlarıyla sevişirken, Kuşların Şeyhi'nin, Sürre-yi Hümayun'u gasp ettiğini de çöl insanlarına fısıldıyordu. İnsanlar bu cüretkâr hareketi fısıltı halinde konuşurken bile, rüzgârın, sözlerini Yıldız Sarayı'na götürmesinden korkuyorlardı.

Eşref, sürrenin başında, derin bir sessizliğe terk etmişti kendini. İçini tam olarak anlamlandıramadığı yoğun bir sıkıntı kaplamıştı. Büyük bir günah işlediğine dair garip bir duygunun tesirindeydi. Bu olayın aşiretler arasında nasıl karşılanacağını bilemiyordu. Hediyelerin bir kısmını kendi adamlarına dağıttıktan sonra aşiretler için de güzel parçalar ayırdı. Aşiretler, her yerde büyük bir korku uyandıran bu davranışı fazlasıyla cüretkâr bulmuş ve alınan hediyelerin başlarına büyük bir uğursuzluk getireceğine inanmışlardı. Ancak bu inanç, Eşref'in kendileri için ayırdığı parçaları kabul etmelerine engel olmadı.

# VI

Arap İhtilal Cemiyeti, Medine'nin kuzeyindeki dağlardan çöle, bütün sırları sinesinde saklamakta maharetli aşiretlerin arasına çekilmişti. Sürre alaylarına yaptığı baskınlarla istediği neticeyi alamayan Eşref, daha büyük olaylara imza atarak Sultan'ın dikkatini üzerine toplamak istiyordu. Tam bu konuda derin düşünceler içindeyken, çadırına, yardımcısı Faraj girdi.

– Ya Bey, Sultan, babanız Nuri Bey'i affetmiş, İstanbul'a dönmesine izin vermiş.

Eşref, babasının ağır çöl koşullarında geçirdiği sürgünden kurtulduğunu öğrenince çok sevindi.

– Faraj bilir misin, Sultan babamı çok severdi. Ama bu Abdülhamid'in bize vereceği cevap değil. Bizi ya bir oyunla yumuşatmak istiyor ya da gerçekten cevap verecek durumda değil. Mesele, babam Nuri Bey meselesi değildir. Sürre-yi Hümayunları basmaya devam edeceğiz ama daha büyük bir iş var aklımda Faraj.

– Uçan Şeyh en iyisini bilir.

– Faraj, kisveyi* çalacağız.

Faraj hiç sesini çıkarmadan Eşref'i dinliyordu. Yay gibi gergindi.

_____

* Kâbe örtüsü

# VII

Gece karanlığında yola çıkan kafile, Mısır'dan getirilen kisveyi almak için çöl kumlarına mevzilendi. Kisve, onu taşıyan Kutlu Kafile'den gasp edilip Medine'nin kuzeyindeki dağlara doğru yola çıkarıldı. Kisve açıldığında Eşref, ne büyük bir işe giriştiğini daha iyi anladı. Faraj, kisve hakkında bilgi verirken, Eşref vicdanının derinliklerinden gelen sesle mücadele ediyor, vücudunun, hissettiği korkunun tesiriyle titremesine engel olamıyordu.

– Ya Bey, bu mübarek kisve arife gününden bir gün önce Kâbe'ye serilir. Toplam dört parçadan oluşur. Örtü hazırlanırken yüz yirmi beş kilo altın ve yirmi beş kilo gümüş sicim kullanılır. Örtünün hazırlanması tam bir yılı bulur. Her yıl aynı örtüden iki tane hazırlanır. Olağandışı bir durum olursa diğeri serilir.

Eşref örtüye el sürülmemesini ve ona gereken saygının gösterilmesini sıkı sıkıya tembih etti. İkinci bir örtünün olması onu biraz rahatlatmıştı. Kâbe hiçbir zaman örtüsüz kalmamıştı. Böyle bir olayın sorumlusu olarak anılmak istemiyordu.

Kisvenin çalınması Hicaz'da büyük yankı uyandırdı. Haber, Selanik'te ve Manastır'da büyük bir zafer olarak algılandı. Sultan'ın iradesinin artık dağılmakta olduğu yolundaki kanaatler kuvvetlendi. Eşref'in saldırıları, Selanik tarafından tamamen psikolojik yıpratma amacıyla kullanıldı. *Hicaz bölgesini ve hac yollarını koruyamayan bir padişah nasıl koca devleti yönetebilir* fısıltıları etrafa yayılıyordu. Harekete geçmek için bekleyenler başlarını kaldırmaya başladılar. "Sultan Hamid'e karşı mücadele edilemez" fikri yavaş yavaş kırılıyordu. Eşref, kisveyi çaldıktan birkaç gün sonra Hindistan'a gitme kararı aldı. Yıldız'ın cevabı Hicaz'a ulaşmadan, Eşref, örgütü geçici olarak dağıtıp yolculuk hazırlıklarına başladı. Maskat'a geçmek niyetindeydi.

\*\*\*

Yol boyunca kisve aklından çıkmadı. Bu işten dolayı başına ilahi bir belanın gelebileceğini düşünüyor, içindeki korkuyu bir türlü bastıramıyordu.

Bahreyn'den Hürmüz Boğazı'na doğru ilerleyen geminin güvertesinde, sakince salınan denizi seyrediyordu. Hürmüz Boğazı'ndaki manzara tarifsizdi. Buharlaşan hava, kararsız bir rüyada görülen peri masallarını anımsatıyordu. Beyaz bir gelinlik giymiş gibi duran Hürmüz Kalesi, Piri Reis'in hatıralarını canlı tutuyordu. İki körfezi ayıran bu geçit, Eşref'i fazlasıyla heyecanlandırmıştı. Gemi denizin derin maviliğinde kaybolmuş gibi ilerliyordu. Manzara karşısında derin düşüncelere dalan Eşref, *tarih bizi nasıl anlatacak, yüreğimizde taşıyıp da açığa vuramadığımız duygulara hangi vücutlar giydirilecek*, diye kendi kendine sordu.

Ayağa kalkarak dinlenebileceği bir yer aradı; yorgun bedenini kir pas içindeki tahta ranzaya bıraktı. Yattığı yerde, Hint topraklarında bir abdal gibi gezinmeyi, istiklal mücadelesi başlatmış liderlerle görüşmeler yapmayı planladı. Sultan Hamid'in de aynı niyetle Hindistan'a ve Asya'ya ajanlar yolladığı konuşuluyordu. Eşref, İngiltere, Rusya ve Çin işgali altındaki bu topraklarda, Yıldız'ın bir ajanı olarak tutuklanmaktan korkuyordu.

\*\*\*

Maskat'ta fazla kalmadı, zaten orada kalmasını gerektirecek bir şey de yoktu. Bulduğu ilk gemiyle Haydarabad'a geçti. Hindistan'a önceki gelişinde tanıştığı Hint milliyetçisi gruplarla bağlantı kurdu. Günler birbirini kovalıyor, her doğan gün, içinde yeni bir ümidi filizlendiriyordu. Eşref bitmek bilmeyen bir enerjiyle gezilerini sürdürüyor, bulduğu her ihtilalciyle dostluk kuruyordu. Hindistan hakkında edindiği bütün bilgileri, cebinde taşıdığı mukavva kaplı siyah deftere kaydediyordu. Geçirdiği uzun yolculukları, ihtilalci dostlarıyla yaptığı derin sohbetler süslüyordu. Hindistan, bir ömür dahi harcansa anlaşılamayacak kadar çok rengi barındırıyordu içinde. Memleketin karışık inanç sistemi, basit bir hayat süren köylüler, ırmak kenarını mesken tutan balıkçılar tarafından tek cümleyle ifade ediliyordu: *"Bir'in her şey olması ve yine her şeyin bir olması, tıpkı gökkuşağı gibi."* Lem'a lem'a, tel tel parçalanan ışığın, her lem'ası ayrı bir renk ama renklerin bütünü ışık... Her insan ayrı bir lem'a, ayrı bir renk ama parçalar bir araya geldiği zaman parlak bir ışık, bir nur; yani mutlak gerçek...

Yine uzun yolculuklarından birinde yanındaki refakatçiyi sessizce dinliyordu Eşref.

– Hindistan, beş bin yıllık bir kültür... Beş bin yıldır istilalar görmüş, işgaller görmüş bu topraklar, içinde barındırdığı yüzlerce ırk, onlarca dil, binlerce lehçeyle dünya mirasının en önemli bölgelerinden biri. Burada Hintçe'den başka, Assamese, Bengali, Gujarati, Kannada, Kashmiri, Konkani, Sanskritçe, Sindhi, Tamil, Malayalam, Marathi, Punjabi, Oriya, Telugu ve Urduca konuşulur.

– İnanılmaz bir şey bu! İnsanın havsalası almaz bunu...

– Din, bu topraklarda yaşamın ta kendisidir Eşref. Her kültürün kendine has efsaneleri, hikâyeleri, kahramanları var. Hepsine saygı duymadığınız zaman ne bu ülkeyi yönetebilirsiniz, ne de bir arada tutabilirsiniz.

Eşref, Hint Okyanusu kıyılarından Himalayalar'a kadar, adım adım bütün Hint topraklarını gezdi. Devamlı yer değiştiriyordu. Bir gün molla kıyafetiyle gezinirken, diğer gün fakir bir Hintli kıyafetini kullanıyordu. Bir gün yalçın kayalıklar ve ormanların derinliklerinde gezen Samanalarla sohbet ederken, bir başka gün ırmak kıyısında "mutlak doğru"yu arayan bir rahiple, sessizliğin türküsünü dinliyordu. Ancak zaman geçtikçe, pek çok şey öğrendiği bu topraklardan sıkılmaya başlamıştı. Hindistan, binlerce rengi içinde barındıran bir gökkuşağı olsa da kendisini hiçbir zaman bu topraklara yakın hissetmedi. Artık Türkistan'a geçmek istiyordu. Türkistan ismi dahi bir rüyaydı Eşref için. Türkistan'ı tanımak, orada yeni dostlar edinmek istiyordu. Peşaver'den Keşmir'e geçip Seyr-i Nihar şehrinde son kez Hint İstiklal Hareketi'nin liderleriyle görüştü. Onların da yardımıyla bir ticaret kervanına katılarak Küçük Pamir yaylasına doğru yola çıktı. Küçük Pamir'de bir kervana tâbi olmadan yakalanan herkes öldürülüyordu. Eşref, tenha ve susuz steplerde başına gelebilecekleri düşünüyor ve karşılaşabileceği tehlikelere karşı hazırlanıyordu.

Kafile, Pamir Yaylası'nın sınırında olan Bintek'e gelindiğinde biraz rahatladı. Bintek'ten sonra coğrafya bir anda değişiyordu. Her yanı, yükselen yaylar, yalçın kayalıklar ve tehlikeli geçitler süslüyordu.

İngiliz kontrol noktalarından rahatça geçtiler. Eşref olabildiğince dikkat çekmemeye çalışıyor, sıradan bir hizmetkâr gibi davranıyordu. Şiddetli rüzgâr, toz bulutlarını kayalıkların arasından savuruyor, kafilenin ilerlemesini yavaşlatıyordu. Eşref, Küçük Pamir'in derinliklerine bakarken, kervandaki arkadaşlarından, orada yaşayan Kırgız Türklerinin yaşam koşullarını dinliyordu. Kırgız süvarilerinin rehberliğinde Büyük Pamir'e geçtiler. Yükseklik arttıkça şartlar daha da zorlaşıyordu. Yükseklerde yaşamaya alışık olmayan insanlarda baş dönmesi, mide bulantısı ve baş ağrıları oluşuyordu. Kafileden bazıları, yüksekliğin etkisiyle anlam veremedikleri bir hastalığa yakalanıyor, oldukları yerde kaskatı kesiliyorlardı. Bir zamanlar bu topraklarda yaşamış olan atalarından gelen genler, Eşref'in buradaki koşullara uyum sağlamasını kolaylaştırıyordu. Çöle uyum sağlamada gösterdiği başarıyı, Türkistan topraklarında da gösteriyordu.

Verimli topraklar, bir an bıçak sırtı gibi kesiliyor, ansızın yükselen dağların başını sis ve kar süslüyordu. Kırgız liderlerinin bu bölgelerde muhtariyet yönetimleri vardı. Eşref, en çok da buna sevindi. Keskin yollar ve ıssız dağlardan geçerek Hotan'a vardılar. Hotan, Eşref'in ümitlerini arttırdı. Burada dağlar, yerini Hicaz'ı hatırlatan çöle bırakıyordu. Taklamakan Çölü'nün kıyısından Kaşgar'a ilerliyorlardı. Kaşgar'a vardıklarında, kafile, bitmesi imkânsız gibi görünen bir yolculuğun sona ermesinin rahatlığını yaşıyordu.

Artık, Doğu Türkistan'ın merkezindeydiler. Sarp yollar, ıssız geçitler, çöl kumları burada yerini verimli topraklara bırakmıştı. Eşref, Çin esareti altında ezilen bu topraklarda günlerce gezindi. Tek amacı Yakup Han'ın başlatıp da bitiremediği ayaklanmaya sahip çıkan insanlarla temas etmekti.

***

Kaşgar'ın kenar mahallerinden birinde, Said Ahmet'le Eşref arasında geçen konuşma samimi itiraflara doluydu. Doğu Türkistan'ın kurtuluşundan söz ettikleri konuşma, her ikisi için de oldukça heyecan vericiydi. Said Ahmet, bu toprakların her şeye rağmen Halife hazretlerine ve sadaret makamına gönülden bağlı olduğunu sık sık dile getirdi:

– Eşref, bu topraklar Türklerin en eski yurdudur, doğa cennetidir... Üç yüzden fazla göl, yüzden fazla nehir vardır. İpek yolu üzerindeki bu topraklar tarih boyunca istilalara uğramış, taht kavgalarıyla sarsılmıştır. Mançu sülalesi zamanında Doğu Türkistan toprakları işgal edilmiştir, ancak bu işgale karşı ayaklanmalar aralıksız sürmüştür. Yakup Bey'in başlattığı isyan da, diğerleri gibi, Türkistan'a bağımsızlık kazandırmak içindi. Atalık Gazi unvanıyla anılan Yakup Bey, Çin'e bağımlılığı reddederek kendini Kaşgar Hanı ilan etti. Kuzeyden Ruslar, güneyden İngilizler, doğudan Çinliler, Doğu Türkistan'ı tehdit ediyordu. Düşmanlar her zaman yaptıkları gibi, bağımsızlık bayrağını açanı satın alma yoluna gittiler. Fakat Yakup Han, bu devletlerin oyunlarına alet olmak istemiyordu. Elçiler göndererek Sultan Abdülaziz'e bağlılığını bildirdi. Osmanlıların Kaşgar'a askerî öğretmenler ve bir miktar silah göndermekten başka yapabileceği bir şey yoktu. Uzun yıllar devam eden onurlu direniş, Yakup Han'ın ölümüyle kırıldı. Çinliler bu tarihte Kaşgar-Turfan (Çağatay) Hanlığı'nı topraklarına kattılar ve bu bölgeye "yeni fethedilmiş ülke" anlamına gelen Sinkiang (Sincan) adını verdiler.

Eşref'in aklından geçen ilk şey, bu öğretmenler olmuştu. Harbiye'de okurken bu öğretmenlerin hikâyelerini dinlemiş, hatta birinden dersler ve nasihatler almıştı.

Eşref, Türkistan'daki arkadaşlarından, yanlarına tekrar geleceğine dair söz vererek ayrılma kararı aldı. Güzeller içinde en güzelinin gerdanındaki inci kolye gibi olan bu toprakları bırakıp gitmek kolay değildi. Yakup Han'ın yarım bıraktığını tamamlamak için tekrar geleceğini söylerken, içinden "inşallah" temennileri geçiriyordu.

Afganistan'a, Said Ahmet'in yardımlarıyla geçti. Himalayalar'dan sonra Hindukuş Dağları'nda, Kabil'in tozlu sokaklarında gezindi. Yiğit ve mert Afgan kardeşleriyle yer sofralarında yemek yedi, atlı oyunlar oynadı. Acem bozkırlarında, çöllerinde gezindi. Artık kendini ait hissettiği topraklara, Hicaz'ın sam rüzgârlarına ve çöl kumlarına kavuşmuştu. Aradan geçen zaman sanki hiçbir şeyi değiştirmemişti. Babasının vatana ihanet suçundan tekrar gözaltına alındığını duyunca Eşref yine kontrolünü kaybetti. Artık Sultan Hamid'le aralarındaki ilişki satranç oyununa dönmüştü. Sultan'ın bu "şah"ına, Osmanlı görevlilerini kaçırmakla karşılık verdi. Oyunu tutmuştu.

Hicaz bölgesinden bir hacı kafilesine dâhil olarak kıyafet değiştirip Port Said'e geçti. Mısır kendisi için daha güvenliydi. Port Said'de fazla dikkat çekmemeye gayret ediyordu. Burada, Hicaz'dan tanıdığı eski bir arkadaşının lokantasında çalışıyordu. Avrupa'ya en kolay Kıbrıs üzerinden geçeceğini düşünüyordu.

Orada bir İttihat ve Terakki hücresi vardı. Arkadaşı da Eşref'e elinden geldiğince yardım etmeye çalışıyordu. Birkaç hafta da olsa garsonluk yapmak, Eşref'in canını sıkmıştı. Fakat Abdülhamid'in ajanlarının peşinde olduğunu çok iyi biliyordu. Sultan'ın kontrolü dışındaki topraklara ulaşmak istiyordu. Makedonya'da, Paris'te, Selanik'te Sultan Hamid'i devirmek için mücadele eden ihtilalcilere katılma düşüncesi hayallerini süslüyordu. Arkadaşı, bir gün lokantanın arka odasına çağırdığı Eşref'e müjdeli haberi verdi. Bir İtalyan gemisinde ona iş bulmuştu.

Ertesi gün Eşref, yeni kıyafetleri ve yeni ismiyle Port Said Limanı'nı seyrediyordu. Port Said Limanı, her zamanki gibi, görenleri büyülüyordu. İnsanlar, gemiler, yük hayvanları müthiş bir hareketlilik içindeydi. Bütün bu hengâme insana yoğun bir yaşam enerjisi aşılıyordu. Deniz yolculuğunun sonu Paris'e çıkacaktı. İttihat ve Terakki'nin fikir hareketlerinin oluştuğu yere...

# İKİNCİ DEFTER

## Muin

# I

1905
*Yıldız Camii Cuma Selamlığı*

Kışladan çıkan Arnavut askerleri, Tahir Paşa komutasında Yıldız Camii'ne doğru ilerliyordu. Piyade, topçu, bahriye, istikam alayları sırasıyla yerlerini almıştı. Arap Zuhaf Taburları, yeşil burma halatlarını kırmızı feslerinin üzerine dolayarak yaptıkları sarıkları, kırmızı şeritlerle süslü cepkenleri ve poturlarıyla askerî merasimin en renkli bölümünü oluşturuyordu. Hilafet makamı tüm Müslümanları temsil ettiğinden, her milletten temsilciler, yabancı sefirler, tören alanına saf saf dizilmişti. Her bando takımı kendi alayının önünde durmuş, Mızıka-i Hümayun'a eşlik etmek için bekliyordu. Beyaz şayaktan cepkenleri, kırmızı şeritlerle süslü, bellerine taktıkları meşin silahlıkları ve kasaturalarıyla ilerleyen Arnavut askerleri, Tahir Paşa'nın sert komutlarıyla tek bir vücutmuş gibi hareket ederken göz kamaştırıyordu. Halifeye bağlılıklarıyla tanınan bu birlikler gururlu, sert adımlarla geçit merasimi yapmaktaydılar. Halk, sarayla cami arasındaki yolda sıralanmış, Halife hazretlerini görmeye çalışıyordu. Kalabalıktaki hareketlilikten Padişah'ın gelmek üzere olduğu anlaşılıyordu. Tahir Paşa sert komutlarını ardı ardına sıralıyordu:

– Hazır ol, süngü tak, selam dur!

Bütün alaylar, kılıç şakırtıları arasında düzene girdi. Mızıka-yı Hümayun, Hamidiye Marşı'nı çalmaya başladı.

Dört çift atın çektiği, oturağı sırmalı, fenerleri, bordürleri altın yaldızlı bir fayton belirdi. Arabacıbaşının yanında bir at uşağı oturuyordu. Arabacıbaşı atlara o kadar alışkındı ki onlarla konuşarak anlaşıyordu sanki. Arabanın körüğü her zaman olduğu gibi yarı açıktı. Abdülhamid hafif öne eğilmiş gibi duruyordu. Solda ilerleyen dört atın üzerinde dört süvari vardı. Başları dik duruyorlardı. Sırtlarında yeşil ve kırmızı çuhaları tamamlayan sırmalı cepkenler vardı. Ayaklarındaki siyah çizmelerin ağzı beyaz sahtiyanla çevriliydi. Öylesine gururluydular ki gözler ister istemez onlara kayıyordu.

Yoris'in gözleri ise Abdülhamid'in üzerindeydi. İşin kolay olacağına dair bir duygu vardı içinde. Kuşku çekmemeye çalışıyor, kalabalığa uyum sağlayarak, onların gösterdikleri tepkilere benzer tepkiler vermeye çalışıyordu.

Hamidiye'den sonra Üç Selam Marşı çalmaya başladı. Tüm alaylar, Arnavut askerleri ve Arap Zuhaf Taburları hep bir ağızdan "Padişahım çok yaşa! Padişahım çok yaşa! Padişahım çok yaşa!" diye bağırdılar. Yıldız ve Beşiktaş civarında yankılanan sesler, Boğaz'ın serin sularına karışıyordu.

Yoris'in bütün vücudu bu haykırışların etkisiyle titremeye başladı. Halkına karşı üstlendiği görevin kutsallığı heyecanını biraz yatıştırdı. Bakışlarındaki keskinliğin dikkat çekmesinden endişe duyuyordu. Fark edilirse kalabalığın elinde paramparça olması işten bile değildi. Dikkat çekici huzursuzluğunu atması fazla uzun sürmedi. Yoris, bu gösterişli merasimlerin, gulgule ve gösterilerin bu topraklara has olduğunu biliyordu. Okuduğu kitaplardan hatırladığı kadarıyla Yeniçerilere dağıtılan ulufe törenleri de böyle ihtişamlı olurdu.

İslam Halifesi, halkın sevgi gösterileri arasında dört çift atın çektiği saltanat arabasıyla ilerliyordu. Camiye girilirken, Yoris arkasına doğru dönerek gözleriyle iki arkadaşını aradı. Yabancı sefirler ve gayrimüslimler haricinde herkes camideydi. Hünkâr yaverleri sakin tavırlarıyla bir yandan etrafı gözetliyor, bir yandan da Padişah'ın çıkışına hazırlanıyorlardı.

Yoris cebinden köstekli saatini çıkarıp zarif bir dokunuşla kapağını açtı. Sekiz taşlı Serkisof marka antika bir saatti bu. Arka yüzündeki demiryolu arması üzerinde parmaklarını gezdirdi. Saati cebine koyarken, sol elinde tuttuğu küçük şişeyi burnuna yaklaştırarak kokladı. Cehennem topunun patlamasına üç dakika kalmıştı. Kendini takip eden iki arkadaşına, kaçamak bakışlarla, artık uzaklaşmaları gerektiğini söyledi. Kendisi de yavaş hareketlerle kalabalığın arkasına doğru ilerliyordu. İslam Halifesi her zamanki vaktinde camiden çıktı ama beklenilenin aksine saltanat arabasına değil de Şeyhülislam Ziyaaddin Efendi'ye yöneldi. Hünkâr yaverleri yerlerini almış, atlı korumalar şaha kalkan atlarını sakinleştirmeye çalışıyorlardı. Namaz çıkışları, karşılamalar kadar gürültülü olmuyordu. Bütün gözler Halifenin üzerindeydi.

Bir anda insan bilincini körelten büyük bir patlama sesiyle ortalık birbirine girdi. Atlı korumalardan ve hünkâr yaverlerinden birkaçı patlamanın etkisiyle dağılan parçalardan aldıkları darbelerle oldukları yere yığıldı. Ses, kalabalık içinde öylesine korkunç bir paniğe neden oldu ki, yerden kalkamayan korumaların ve askerlerin arasında Sultan Hamid öylece ayakta duruyordu. Sultan'ı, Ziyaaddin Efendi'den başka koruyacak kimse kalmamıştı. Yükselen toz kütlesi ve barut kokusu etrafı sardı. Kalabalıkta büyük bir kargaşa yaşanmaya başladı. Sultan, paniğin arasında ayakta durmaya devam ederek "Korkmayın! Korkmayın!" diye bağırıyor, elleriyle insanları oldukları yerde kalmaları için ikaz ediyordu. Şüphesiz korku onun da bütün vücudunu sarmıştı ama bilincini kaybetmemeye, olayı kontrol altına almaya çalışıyordu. Patlama sırasında hünkâr yaverleri arabaya çok yakın olduklarından, bombadan en çok onlar etkilenmişti. Onlarca cansız beden ve yaralı asker inlemeleri arasında Abdülhamid, saltanat arabasına yönelerek seyis mahalline oturdu. Karmaşa ve gürültüden huysuzlanan atların dizginlerini eline alarak arabayı Yıldız Sarayı'na doğru sürdü. Arkasında parçalanmış cesetler ve birbirini ezerek kaçışan insanlar bırakmıştı.

Yabancı sefirlerin alkış seslerini duyunca başını gayriihtiyarî onlara doğru çevirdi. Ancak sefirlerden bazılarının bu işe karışmış olduklarını düşündüğünden hiçbirinin yüzüne bile bakmadı. Sefirler de masum olduklarını anlatmak istercesine alkışı kesmeden Sultan Hamid'i uğurladılar.

Yoris dikkat çekmeden kalabalığın arasından Beşiktaş'a doğru yürümeye başladı. Meydana gelen kargaşadan dolayı olay kontrolden çıkmıştı. Suikastçılar, Yoris'in ardı sıra yürüyorlardı. İki sokak ötede, köşebaşında bekleyen arabaya bindiler ve Sirkeci Garı'na yöneldiler. Yoris cebindeki küçük şişeyi çıkarıp kapağını açtı. Şişeyi burun deliklerine getirip kokuyu derin derin içine çektikten sonra tekrar cebine koydu. Korkudan yüzü sapsarıydı. Telaşlı adımlarla, Boğaz'ın serin sularında salınan kayıklara yöneldi.

***

Günler birbirini kovalıyordu. Abdülhamid, *"Kimin işi olabilir?"* sorusunu zihninde sürekli tekrarlıyor, suikastı çözebilecek her türlü ayrıntıyı değerlendirmeye çalışıyordu. Saraya ilk üç günde gelen jurnal sayısı üç bini bulmuştu. Sultan, masaya yaydığı kâğıtlar arasında uzun saatler geçiriyor, olayı tekrar tekrar baştan sona düşünüyordu. Jurnallerin çoğu kardeşi Reşat Efendi'yi işaret etse de, bu olayın arkasında daha büyük bir örgütlenmenin olduğunu düşünüyordu.

Şehremininin gecesi gündüzüne karışmıştı. Elinde topuzlu bastonuyla, takati tükenerek kendini bıraktığı koltukta yeni gelen haberleri düşünüyordu. Bir zabit içeri girip selam durdu:

– Efendim, emriniz üzere Minas Efendi'yi getirdik.

– İçeri alın.

– Emredersiniz!

Aralanan kapıdan iki büklüm içeri giren Minas Efendi, kapı kenarında ellerini önüne bağlayarak durdu. Bacaklarının titremesine engel olamadığı için her an düşecekmiş gibi görünüyordu.

– Efendiye yardım edin de otursun.

Kapıda bekleyen iki asker Minas Efendi'nin koluna girerek onu bir koltuğa oturttu.

Şehremini, askerlere dışarı çıkmalarını ve hiçbir sebeple kendisini rahatsız etmemelerini söyledikten sonra, karşısında korkudan titreyen adama biraz sakinleşebilmesi için su isteyip istemediğini sordu. Minas Efendi, hemen sehpanın üzerindeki sürahiye uzandı ama ellerindeki titremeye mani olamıyordu. Güçlükle bir bardak su içtikten sonra konuşabildi:

– Vallahi billahi benim bu işte bir dahlim yoktur efendim.

– Sakin olun efendi. Sadece soracağım sorulara cevap verin. Suçunuz yoksa, ortaya çıkacaktır.

– Peki efendim.

– Baytar sınıflarında muallimmişsiniz?

– Evet efendim.

– Cuma günü neredeydiniz? Bana tafsilatlı anlatınız.

– Efendim âdet üzere, cuma selamlığına katılmak için o gün Binbaşı Mustafa Bey'le bir yaylıya binerek Yıldız Camii'ne geldik. Vazifemizi ifa ettik. Çıkışta o menfur olay vuku buldu. Benim bildiğim başka bir şey yok.

– Efendi, ben sana tafsilatlı anlat dedim, sense bir nefeste bitirdin.

– Vallahi ben suçsuzum.

– Neyse... Biz o güne dönelim. Şimdi söyle, o gün arabaya binerken yanında bir pelerin var mıydı?

Minas Efendi'nin sararmış yüzü bir anda kızardı. Mimikleri kontrolünün dışında hareket ediyordu. Gözlerinin önüne, Binbaşı Mustafa'yla aralarında geçen o konuşma geldi. *"Mustafa! Beni ihbar eden Mustafa! Evet... Ne kadar da aptalmışım. Bunu nasıl düşünemedim"* diye geçirdi içinden.

– Efendi, ne diye kendi kendine söylenip duruyorsun? Bana pelerinden bahset.

– Efendim, o gün rütbelerimin takılı olduğu pelerinim yanımdaydı. Sarıp yanıma koymuştum. Arabadan inerken dalgınlıktan pelerini unutmuşum. Bu menfur olay gerçekleşince aklıma pelerinim geldi ama ne kadar arasam da ne arabacıyı bulabildim ne de pelerini.

– Neden?

– Bir nedeni yok. Yani ortalık çok karışıktı. Uçan kuştan bile şüphe edileceğini düşündüm. Korktum. Bir şüphe üzerime dönerse diye... Sadece çok korktum.

– Neden korktun? İçinde ne vardı? Veyahut şöyle sorayım, pelerinde ne saklıyordun?

– İçinde hiçbir şey yoktu efendim.

– Ama hiç sırtına giymemişsin.

– Evet... Ama içinde hiçbir şey yoktu.

– Be adam! İçinde hiçbir şey yoksa bu pelerin rüzgârdan hiç mi hareket etmez? Belli ki içinde ağır bir şey vardı.

– İçinde bir şey yoktu. Evlad u iyalim üzerine yemin ederim ki bir şey yoktu.

– Bak efendi, açıklayamadığın bir şeyler var. Seni şimdilik burada misafir edeceğiz. Er geç bize olayın hakikatini anlatacağını ümit ediyorum. Sonu iyi gözükmüyor bu işin...

Şehremini masanın üzerindeki zili çaldı. İçeri giren askerlere;

– Efendiyi alıkoyunuz. İstintak* ediniz, dedi.

---

\* Sorgulama

Minas Efendi, insanın içini burkan çığlıklar arasında suçsuzluğunu anlatmaya çalıştı sorgu odasında. Üç gün...

Ona aylar gibi gelen koca üç günün sonunda yeni bir gelişme oldu. Patlamadan sonra bulunan tekerlek parçasından, arabanın İsviçre'de bir fabrikada üretildiği tespit edildi. Elçilik aracılığıyla fabrikadan, arabanın kime satıldığına dair bilgi geldi. Gümrükte yapılan kısa bir araştırmadan sonra olaya karışanların isimlerine ulaşıldı.

Yoris, elinde sürekli kokladığı şişesiyle şehremininin huzuruna çıkarılırken, Minas Efendi de günlerce işkence gördüğü hücreden alınıp evine bırakıldı. Olanları unutması söylenirken, duyduğu korkudan "evet" bile diyemeyip sadece hafifçe başını sallayabildi.

\*\*\*

Abdülhamid, kabul salonunun penceresinden uzakları seyrediyordu. Ölümün, bu soğuk kış gününde her yanını sardığını düşünüyordu. Nadir Ağa'yla uzun kış geceleri boyunca yaptıkları sohbetlerin konusu bu yeni olaydı. Amcası Sultan Aziz'in başına gelenlerden çok etkilenmiş olduğundan aklına olmadık kişiler de gelmekteydi. Acaba Yıldız'ın bahçesinde, devletin kötü günleri için sakladığı binlerce altın mı birilerinin dikkatini çekmişti? Zihnini kurcalayan sorular, onlara verdiği cevaplar Abdülhamid'i fazlasıyla yormuştu. Makedonya'nın, Selanik'in bu işte parmağı var mıydı? "Yaramazlar" diye nitelendirdiği çocukların bu işte parmağı var mıydı? Bu kadar ileri gitmiş olabilirler miydi?

Kabul salonundan çıkıp biraz yürüdü. Bakışları Boğaz'ın serin sularında geziniyordu. Arkası sıra ilerleyen Reşit Paşa'nın bir şeyler söylemesini istiyordu:

– Reşit Paşa, bir sıkıntın var senin.

– Efendim, üzülmenizden endişe ediyorum.

Reşit Paşa biraz duraksadıktan sonra nasılsa bir gün ortaya çıkacak diyerek titreyen eliyle Sultan'a sarı renkli bir zarf uzattı.

82

Abdülhamid zarfı aldı ama açmadı. Dakikalarca elinde tuttuğu
zarfa baktı. İçinde önemli bir haber olduğundan kuşkusu yoktu.
Geri dönüp avluya kadar yürüdü. Reşit Paşa ardı sıra ilerliyordu.
Paşa, Sultan'a biraz acıyarak, biraz da metanetini takdir ederek
bakıyordu. Abdülhamid zarfı açtı. Düzgün bir yazıyla temize çe-
kilmiş mısraları okudu. Kâğıdı zarfa özenle koydu ve Boğaz'ın
serin sularına doğru ilerledi. Dakikalarca Boğaz'ı seyretti. Fısıl-
dayarak metni tekrar ediyordu.

*Ey şanlı avcı, daamını beyhude yere kurmadın*
*Attın fakat yazık ki, yazıklar ki vurmadın*

Tevfik Fikret

– Bir Türk münevveri Yoris'e, "şanlı avcı" diye hitap ediyor
Reşit Paşa. Bunların bana kini bu kadar çok mu?

– İfsat komitelerine alet oluyorlar.

– İfsat komiteleri bile belki bana bu kadar kin duymuyordur.
Bir gün milletim her şeyi öğrenecek. Beni hain olmakla itham
ediyorlar, kendi mülkümü menfaatler karşılığında sattığımı yazı-
yorlar. Milletim bir gün her şeyi öğrenecek.

# II

1906
*Manastır Kırmızı Kışla*

Tahta merdivenlerden, içini saran korkunun ürkekliğiyle çıkıyordu Kazım. Abisinin gözlerinin, ardı sıra kendisini takip ettiğini düşünüyordu; fakat içindeki merak, duyduğu heyecandan baskındı. Basamakları ikişer ikişer çıkarak hızlıca odaya girdi. Pencereden dışarıya baktı. Daracık sokaklarda, tozu dumana katarak nümayiş yapan Ermenileri gördü.

Eve gelen misafirlere hizmet ederken, etraftan duyduğu haberleri düşünüyordu. Evin içinde gözleriyle gazeteleri aramaya başladı. Kitaplıktan istifade etmesini engelleyen hiçbir yasak yoktu. Ermenilerin nümayişinden çıkan sesler ve ara sıra duyulan silah patırtıları sinirini bozuyordu. Kitaplığa yöneldi. Parmakları, özenli işçiliği olan ciltlerin üzerinde gezinirken gözleriyle isimleri takip ediyordu. *Cevdet Tarihi, Tarih-i Ata, Hükümdar, Gülistan, Bostan, Divan-ı Kebir...* Kitapların çoğu, ciltlerine özenilmiş ve bakımları çok iyi yapılmış el yazmalarıydı. Kitaplığın gözle görülen yerlerinde olmayacaklarını bildiğinden, dikkatlice raf aralarını inceliyor, aradıklarının koyulmuş olabileceği yerlere bakıyordu. Kitapların arkasında, ince tomarlar halinde sarılmış kâğıt rulolarının olduğunu fark ettiğinde heyecanlandı. Hızla kucağına doldurduğu rulolarla mindere oturdu. Kâğıtlar, bağdaş kurarak oturduğu minderin etrafına yayılmıştı. Daha önce okuduğu gazeteler, kötü baskılarından ve boya kokularından ayırt ediliyordu. *Mizan, Meşveret...*

Abisinin yanına girip çıkarken duyduğu ilginç haberler vardı gazetelerde. Elinde boya izleri bırakan bu sayfaların yasaklanmış olması, Kazım'a ayrı bir heyecan veriyordu. Tüm vücudu korkuyla karışık bir titremenin etkisindeydi. *Meşveret*'in bütün sayılarında alt başlık olarak 'Ordre et Progres' yazıyordu.

Yüzünde bir tebessüm belirdi. Anlamını çok iyi bildiği bu iki kelimenin, bu sayfalardaki işlevini çözemedi. Bunun bir tür şifre olma ihtimalini düşündü. Gençliğin verdiği, gizemli olana aşırı ilgi duyma hissi, yer minderinin üzerinde oturan Kazım'ı yıllar öncesine, babasının sürgün günlerine götürdü. Sultan Hamid'e karşı düşmanlık duygusu biraz daha pekişti. Hızlı hızlı çevirdiği sayfalarda gezinen gözleri, ailenin çok yakından tanıdığı bir isme, Mizancı Murat'a takıldı. Bu adam yakın bir aile dostlarıydı. Gazetede geçen isimlerin birçoğu müsteardı. Sayfaları çevirdikçe kalbinin vuruşları göğüs kafesini zorluyordu. Pencereyi açmak için kalktığında yüzünün alev alev yandığını hissetti. Dışarıdan gelen serin hava biraz olsun rahatlattı Kazım'ı.

Yazılarda, Sultan Hamid'in eli kanlı bir katil olduğu, bu zalim herif ortadan kalkmadıkça milletin iyi gün görmeyeceği, Meşrutiyet idaresi kurulmadıkça, hürriyet tesis edilmedikçe vatanın tehlikede bulunduğu, İttihat ve Terakki Cemiyeti'nin bunu başaracağı gibi cesurca ifadeler dikkat çekiyordu. Bazı sayfalardaki karikatürlerde Abdülhamid, insanın yüzünü kızartacak şekilde aşağılanıyordu. *"Milletin fedakâr gençleri çöllerde sürünüyor, boğulup denizlere atılıyor... Avrupa terakki ederken, cahil padişah terakkimize mani oluyor."*

Elinde tuttuğu kâğıtlardan başını kaldırdığında babası geldi aklına. Yüreğinin derinliklerinden gelen ince bir sızı, bütün hatıralarını boğazında düğümledi. Bir çift gözün gölge gibi üzerinde dolaştığını hissetti. Abisi Hamdi, kardeşine duyduğu güveni kaybetmiş gözlerle kendisine bakıyordu. "Sen geçen gün oku da adam ol, öyle gel demiştin ya abi... İşte ben de o tavsiyeni tutmaya çalışıyorum."

"Bak Kazım, bütün olanları şimdilik unut. Babamızın, Sultan Aziz'in katliyle hiçbir ilgisi yok. Bu sadece vehimler içinde yaşayan o müstebitin çetrefilli işlerinden biri. Şimdi beni iyice dinle. Senin şimdilik yapman gereken tek şey, Harbiye'yi bitirmek. Bu ailenin tek umudu sensin. İnşallah bir gün bu istibdat çökecek. Allah'ın izniyle onu biz çökerteceğiz. Ama sen şimdilik sadece okulunu düşün."

"Ben de bu cemiyete girmek istiyorum abi."

"Girdin gitti Kazım ama önce okul... Kendini her şeyden koruyacağına söz ver kardeşim."

Abisinin, zihninde gezinen sesi, Kazım'ı uzandığı yerde huzursuzluktan sağa sola döndürüyordu. Gözlerini açtığında ter içinde kaldığını fark etti. "Rüyaymış" diye söylendi. "Bu ailenin tek umudu sensin" sözü hâlâ kulaklarındaydı. İçeri giren askerin sesiyle kendine geldi.

– Komutanım, Geredeli Hilmi şehit oldu.

– Nasıl?

– Efendim, çete takibine çıkan birlik pusu kurmuş. Hilmi yanlışlıkla kendi arkadaşlarımız tarafından şehit edilmiş.

– Olamaz... Böyle bir şey nasıl olur?

Olduğu yere yığıldı Kazım. Kendini toparlaması uzun sürdü.

\*\*\*

Hilmi, zabit arkadaşlarının ve erlerin elleri üzerinde götürülürken, merasimde yüksek rütbeli bir subayın olmaması herkesi derinden sarsmıştı. Artık bir şeyler yapma vaktinin geldiğini düşünüyordu Kazım. Büyük devletlerin oyunları hep aynıydı.

Osmanlı'ya bağlı topraklarda önce sorun çıkarıyor, sonra da devletin oralara yaptığı müdahaleleri bahane ederek bu topraklar için muhtariyet tarzında kısmi özerklikler istiyorlardı.

Çırpınışların beyhude olduğunu düşünmeye başlayan zabitlerin heyecanlarına artık engel olunamıyordu. Merasimden sonra Kırmızı Kışla'da toplandılar. Atlı devriye gezmeleri sırasında yapılan sohbetler, kışladaki zabitler arasındaki bağlılığı arttırmıştı. Kırmızı Kışla'nın koridorlarında büyük bir öfke geziniyordu. Mektepli genç zabitler, alaylı zabitlere, çete takibinde peşinde koştukları insanlara bakar gibi bakıyorlardı. Gecenin ilerleyen saatlerinde Kırmızı Kışla'nın duvarları, Kazım'ın sualleri ve onlara verdiği cevaplarla inliyordu. Bir erkân-ı harp zabitinin Kırmızı Kışla'yı inleten "Bu halimizin sorumlusu kimdir ve kurtuluşumuzun çaresi nedir?" sorusu bütün yüreklerin birlikte vurmasını, kaybolmaya yüz tutan heyecanların tekrar canlanmasını sağlıyordu. Bu sert konuşmalar, koridorlarda sessiz öfke yığılmalarına sebep oluyordu. Geredeli Hilmi'nin ölümü ve alaylı zabitlerden kimsenin cenaze merasimine katılmaması, koridorlarda gizliden gizliye gezen öfkenin patlamasına sebep olmuştu. Kazım içinde biriken öfkeye engel olamıyordu artık. Bir zabitin aklından dahi geçiremeyeceği sözcükler Kazım'ın dudakları arasında vücut buluyordu. Kışlayı artık akıl değil hisler, heyecanlar yönetiyordu... Yüksekçe bir yere çıkan Kazım gür sesiyle salonu inletiyordu:

– Bu halimizin sorumlusu kimdir? Halimizin sonu nereye varacaktır?

Kalabalık arasından yavaş yavaş sesler yükseldi:

– Alaylı zabitlerimiz, paşalarımız nerededir?

– Onların nerede olduğunu Allah bilir kardeşlerim. Bakın, size bir şey anlatayım arkadaşlar: Bugün harp köpeği yetiştirmek için Golç Paşa'nın bir risalesi geldi. Bizim hiçbir şeyle alakadar olmayan paşalarımız bu işi de bana yıktılar. Kitabı bana veren zabit " Hâşâ bin huzur, insanlar terbiye oldu da sıra kelplere mi geldi?" diye sordu. Ecnebiler yapmış, biz onların yaptıklarını okumaktan, anlamaktan aciziz. Bu muhterem arkadaşımız, yanlışlıkla kendi arkadaşlarımız tarafından öldürüldü. Alaylı zabitler çete takibi yapmazlar, eğitimlere katılmazlar, eğitim için gelen risaleleri dahi okumazlar. Okumazlar ama... Bu sorumsuzluk bizi nereye götürecek?

Alaylı-mektepli subay ayrımı gizliden gizliye telaffuz edilen bir durum değildi artık. Sözü alan, "biz ve onlar" diye konuşmaya başlıyordu. Kırmızı Kışla, Manastır'da olgunlaşan kinin merkeziydi artık. Kırmızı Kışla ve Beyaz Kışla'nın heyecanına gece boyu kimse mani olamadı. Sabaha kadar süren konuşmalardan bütün mektepli zabitler yorgun düşmüştü.

*** 

Kazım, bir günde çıktığı üç çete takibinin yorgunluğuyla, nöbetçi yüzbaşı olduğu kışlada kendine tenha, sessiz bir köşe arıyordu. Telaşlı adımlarla gelen Erkân-ı Harp Kolağası Fethi, Enver'in Lisola köyünde bir Bulgar çetesiyle kapıştığını ve toplayabildiği bütün atlılarla yardıma yetişmesi gerektiğini iletti. Kazım yirmi atlı adamıyla Lisola köyünü basarken, Enver'in hayatta olması için dua ediyordu durmadan.

Onu bulduğunda durum hiç de iç açıcı değildi. Cephaneleri azalmış, gece karanlığı çökmüştü. Kazım, Enver ve Fethi çetelere biraz daha yaklaşıp durumu kontrol etmek istediler. Geri dönüşte fark edilme ihtimalleri yüksekti. Daracık bir taş kulede Bulgar çetelerine sekiz on adım mesafe uzaklıkta sabahladılar. Hareketliliğin azaldığı bir saatte, Enver ince bıyıklarının altından gülerek Kazım'a takılmak için;

– Geçen gece Kırmızı Kışla'yı talim sahasına çevirmişsin Kazım, dedi.

– Hilmi'yi çok severdim Enver Bey. Sanırım biraz dozu kaçırdık.

– Paşaların hışmını üzerine çekmen iyi olmaz Kazım. Sabır... Zamanı var...

– Haklısın Enver Bey. Fethi'nin de bizden geri kalır yanı yoktu.

Kendi ismini duyan Fethi konuşmaya katıldı:

– Aman Kazımcığım, hitabet ve hiddet sanatında senin eline su dökebilir miyiz?

– Bu mevzuda Kazım'ın hakkını yeme Fethi, içimizde en sakin ve mutedil olan Kazım'dır.

Üç erkân-ı harp sabaha kadar konuşup dua etti. Yapılacak küçük bir hata, askerlerin hepsinin hayatına mal olabilirdi. Zorlu geçen gece bekleyişi, bu üç asker arasında, koca bir imparatorluğun hayatına tesir edecek güçlü bir dostluğun kurulmasına vesile oldu. Üç asker Lisola köyünde sıkıştıkları yerden kurtulduktan sonra, çete takibiyle uğraştıkları üç günü daha bir arada geçirdiler.

Makedonya'daki çete takiplerinde Enver bir efsaneydi. Kendi aralarında latife olarak ona "Cihan Seraskeri" diyorlardı. Bu durumdan çok hoşlanıyor gibi görünmese de arkadaşlarının yaptığı iltifatlar, yalnız kaldığı zamanlarda Enver'in yüzünde ince bir tebessüme sebep oluyordu. İçinden "Cihan Seraskeri" diye tekrarlıyordu.

Kazım, serin dağlardan düze indikleri üçüncü gün, Enver ve Fethi'yi odasında kahve içmeye davet etti. Enver'in, Kazım hakkında söylediği mültefit sözler aralarındaki samimiyeti gittikçe arttırdı.

– Efendim, böyle parça parça hareket etmek netice vermez, erkân-ı harpleri planlı hareket ettirmek lüzumludur, diyen Kazım'ı, Enver'in kendisini tasdik eden tavırları rahatlattı. Kazım açılmıştı:

– Efendim, kumandanlar ihtiyar, korkak, bilgisiz ve tecrübesiz. İçlerinde okuma yazma bilmeyen paşalar bile var.

– Kardeşim Kazım, sen de bilirsin ki Osmanlı yüzlerce yıldır eğitimi önemsediği gibi liyakati de önemser. Fakat son dönemlerde, biliyoruz ki liyakat de yeterli değil, sadakat her şeyin önünde. Yeni arkadaşlarımız çete takiplerinde çok zorlanıyorlar.

Fethi:

– Ne düşünüyorsun Kazım?

– Bilmiyorum, ama kışlalarda gizli gizli yeni bir Alemdar Ordusu'nun İstanbul'a yürümesi ihtimali konuşuluyor.

Alemdar Ordusu lafı Fethi'nin yüzündeki ifadeyi değiştirdi. Böyle bir şeyin söylentisi bile korkunçtu. O gün için çok cüretkâr sözlerdi bunlar ama Geredeli Hilmi'nin defni sırasında yaşananlardan sonra artık erkân-ı harp subayları dizginlenemiyordu.

Makedonya dağlarında, Paris'te ve Selanik'te fikrî tabanı oluşturulan hareketin askerî boyutunun belirlenmesi gerekiyordu. Sabah ezanına kadar süren sohbet, namazla sonlandı.

Enver, ertesi gün Selanik'e gitmek için arkadaşlarından ayrıldı. Bir hafta sonra geri döndüğünde içi içine sığmıyordu. Kazım'a bir şeyler söylemek istiyor, fakat uygun bir zaman ve ortam yakalayamıyordu. Bir gün devriyeye Kazım'la çıkmak istediğini söyledi. Bir süredir bu teklifi bekleyen Kazım, çete takibinden henüz yeni dönmüş olmasına rağmen kabul etti. Manastır'ın kuzeyinde Kukraçan köyüne geldiklerinde, havadan sudan konuşmayı bırakıp Enver'in sualleriyle siyasete kaymaya başladılar:

– Kazım, Sultan Hamid'in ağırlaştığına dair haberler dolaşıyor Selanik'te. Ölüm haberi gelirse meşrutiyetin ilanı için ne çare düşünürsün?

Kazım atının gemini çekerek durdu. Enver'in ne yapmak istediğini anlayamadığı için hemen cevap vermedi. Atını mahmuzlayarak ilerleyen Enver'e yetişti:

– Kuvvetli bir müfrezeyle Manastır dışına çıkar, İstanbul'a meşrutiyetin ilanı için baskı yaparım.

Enver istediği cevabı almıştı. Kazım'ın tuzağa düştüğünü düşünerek ikinci sualini sordu:

– Sen bu işi yaparsan ve ben de seni takiple görevlendirilirsem?

– Oooo... Vakıa, bu şartlarda kavga etmemiz icap edebilir. Ama sanırım zannederim etmeyiz.

– Neden?

– Manastır dışına çıkacak müfreze senin emrinde olacaktır. Ben de senin emrinde olacağımdan takip görevini bana veremezler.

Kır atını dizginledi Enver:

– Kardeşimsin Kazım! Dünya var oldukça kardeşimsin! Ver elini, şimdi sana en büyük sırrımı söyleyeceğim. Yalnız bu sırrı benden habersiz kimseye açmayacağına şerefin üzerine söz ver bana.

– Namusum ve şerefim üzerine söz veriyorum.

– Abdülhamid çok hastaymış. Yıllardan beri saraya çöreklenmiş zevat, Şehzade Burhaneddin'i tahta geçirmek için hesaplar yapıyormuş.

– Senin düşüncen nedir?

– Aslında sana anlatmak istediğim bunlar değil Kazım. Şehzade Burhaneddin taraftarları muvaffak olursa, bugünkü düzen Abdülhamid'i de aratacak şekilde devam edecek.

– Peki, buna nasıl mani olunacak Enver Bey?

– Selanik'te bunun planları yapılıyor. Yeni bir cemiyet teşekkül etti.

– İttihat ve Terakki gibi mi?

– Hem öyle hem değil... Bu İttihat ve Terakki'ye benzer yönleri olmakla beraber tamamıyla farklı bir teşekkül. Üyeleri yeminle teşkilata giriyor.

– Merkezi Selanik mi?

– Öğrenebildiğim kadarıyla merkez İstanbul. Ama bu konu kesinlik kazanmış değil. Selanik'te de bir merkezi olabilir.

– Enver Bey, bu, İsmail Hakkı Bey ve Cemal Bey'in de seninle beraber dâhil oldukları cemiyet olmasın?

Enver, Kazım'a sitem eder gibi baktı:

– Katiyen. Manastır'da bu olaydan ilk söz ettiğim kişi sensin. Bahsettiğin arkadaşlar da benimle beraber cemiyete yeni girdiler. Osmanlı Hürriyet Cemiyeti senin hakkında çok iyi şeyler düşünüyor Kazım. Eğer katılmayı düşünüyorsan bana yemin ver, istemiyorsan da bunca yıllık dostluğun hatırına söylediğim her şeyi unut.

– Osmanlı Hürriyet Cemiyeti'ne girmeyi kabul ediyorum. Vallahi, billahi...

– Şimdi sana bir işaret göstereceğim Kazım. Bu, cemiyetin işaretidir.

Enver atını durdurdu. Sağ elinin baş ve şahadet parmağını hilal şekline getirip kalbinin üzerine koydu.

– Tuhaf... Hilal mi?

– Cemiyete girince öyle her şeye itiraz etmek yok. Sen değil misin, kışlanın ortasında "Ben bir Türk'üm" marşını çaldıran?

– Aman efendim, beni yanlış anladınız. Şimdi rica ederim bana parolayı söyleyiniz.

– Aaaah Kazım! Senin şu heyecanın yok mu? Parolamız "MUİN".

– Nasıl?

– Bak şöyle: Ben "mim" ile başlayan bir şey söylerim, sen "ayn"la başlayan bir cevap verirsin. Ben "y"li bir cümle kurarım, sen "nun"lu bir cümleyle cevap verirsin. Ama önce işareti vereceksin. Sonra...

– Manastır'a mı gidiyorsun?

– Ali Bey beni görmek istediği için oraya gidiyorum.

– Yeri uzak mı?

– Nerede oturduğunu bilmiyorum. Sora sora buluruz.

– İşte böyle Kazım. Yalnız, bir sorunumuz daha var. İkimizden başka üye yok. Biz şimdi numarayı üçten başlatırsak hem dikkat çeker hem de yeni girenler sayının azlığından endişeye düşebilir.

– Kolayı var Enver Bey. Sayıyı dört yüzden başlatırız olur biter.

İki erkân-ı harp kahkahalar atarak atlarını Manastır'a doğru sürmeye başladılar.*

\*\*\*

Ertesi gün gelen bir haber ikisini de çok sevindirdi. Arap topraklarını kasıp kavuran Kuşçubaşızade Eşref, Kıbrıs üzerinden Avrupa'ya geçmişti. Enver, ömrünün sonuna kadar kendine sonsuz bir sadakatle bağlı kalacak bu adamla bir araya gelmek için sabırsızlanıyordu. Yapmayı planladığı ilk şey, Eşref'i Cemiyet'e davet etmek, sonra da onu fedailer grubuna katmaktı. Cüretkâr ve sadık adamlarla, İmparatorluğun dağılma sürecinden kurtulma ihtimali olduğunu düşünüyordu. Eşref'in, Necid çöllerinde Abdülhamid'e karşı giriştiği mücadele bu düşünceyi doğruluyordu.

Eşref'le görüşünce, onun beklediğinin de ötesinde biri olduğunu anladı. Onu "fazla düşünmeyen, sorgulamayan, fakat tam bir görev adamı" diye anlattı Kazım'a.

---

\*    Kazım Karabekir, *İttihat ve Terakki Cemiyeti*, Emre Yayınları, 2005, İstanbul.

# III

Marsilya Limanı'ndan hareket edecek gemiye, kalkmasına birkaç dakika kala yaklaştı. Pardösüsünün yakasını kaldırmış, saçlarını hafifçe yana taramıştı. Çok da uzun olmayan sakallarıyla kendini gizlemeye çalışıyordu. Kafası çok karışık, bakışları ise ürkekti. Marsilya'da olma ihtimalleri çok düşük olmasına rağmen Yıldız'ın hafiyeleri tarafından yakalanmaktan korkuyordu. Sert ve hemen alevlenen mizacını, yüzündeki yumuşak ifadeyle dağıtmaya çalışıyordu. Ne kadar saklasa da aniden gelişen durumlarda kendini toparlaması zor oluyordu.

Yalnız kaldığında denizi uzun uzun seyredip, Rum komitacılarla yaptığı anlaşmayı düşündü. Etrafına iyice bakındıktan sonra içliğinden sarı bir zarf çıkardı. Şifreli bir mektuptu bu. Tekrar tekrar okudu. Deniz sakince salınıyordu. Oysa İmparatorluk çok yakın bir zamanda kopacak fırtınalara hazırlanıyordu. Napolyon'un, "Casuslar, gözle görünmeyen lanetli bir ordunun gözüpek savaşçılarıdır" sözü geldi aklına. O, bir doktor olarak bunu "casuslar sağlıklı bünyedeki hastalıklı hücreler gibidir" şeklinde yorumluyordu. *Sultan Hamid'in fazla da şansı yok*, diye geçirdi içinden. Sarı zarfı özenle katlayarak cebine koydu. O zarfın, idama mahkûm edilmiş bir adamı hayata bağlayan tek şey olduğunu çok iyi biliyordu.

Bazen sakin, bazen coşkulu olan deniz, Nazım'ın ruh haline tesir ediyordu. Görevi çok önemliydi. Yıllarca, Avrupa başkentlerinde oluşumu sağlanan, fakat bir türlü birlik kuramayan İttihat ve Terakki için yeni çıkış kapıları aramıştı. İstanbul'da dağıtılan örgüt, Paris'te yeniden toparlanmıştı. Fakat Avrupa'da, Prens Sabahattin ve Ahmet Rıza grubu ittifak sağlayamamış, hatta tekrar bir araya gelmemek şartıyla ayrılmışlardı. Doktor Nazım uzun uzun bu ayrılığın nedenlerini düşündü. Aslında itiraf etmekte güçlük çekseler de ayrılığın nedeni taşıdıkları fikirlerin farklılığı değil, Ahmet Rıza ve Prens Sabahattin arasındaki liderlik kavgasıydı. Kendi aralarında dahi birlik kuramayan liderlerin, devrim ve devrimden sonra ülkenin nasıl yönetileceği konularında anlaşabileceklerine inanmak Nazım'a çok akıllıca görünmüyordu.

Pire Limanı'nda kendini biraz daha güvende hissetti. İnsanlar yavaş yavaş limandan çekiliyordu. Nazım'ı sessizliğin huzursuzluğu sardı. Arkasından yaklaşan siyah elbiseli, melon şapkalı, esmer bir adam "Ordre et Progres" dedi. Nazım bir anda irkildi. Bu Auguste Comte'a ait bir sözdü ve *Meşveret*'in birinci sayfasını aylarca süslemişti. Geriye dönerek "Düzen ve İlerleme" dedi.

– Hoca Yakup Bey mi?

– Evet.

– Takip ediniz efendim.

Nazım, adamı büyük bir sükûnetle takip etti. Yolculuk boyunca onunla hiç konuşmadı. Araba ilerledikçe şehrin kenar mahallerine yaklaşıyorlardı. *Muhtemelen komitacıların kullandığı metruk bir mekâna götürülüyorum,* diye düşündü. Ferah bir çiftlikle karşılaşınca sevindi. Orada geçirdiği birkaç gün boyunca sadece okudu ve düşündü.

\*\*\*

Çiftlikten ayrılıp Atina'ya geldiklerinde sıkıntılar başladı. Rum komitacılar onu Selanik sınırına kadar getirme sözü vermişlerdi ama günler geçtiği halde bunun için en ufak bir girişimde dahi bulunmamışlardı. Nazım can sıkıntısını dağıtmak için Selanik'te yapacaklarını planlıyor, komitacılarla uzun sohbetler ediyordu. Gerçek kimliğini elinden geldiğince saklamaya çalışıyor, özel konulara girmemeye dikkat ediyordu.

Bir gün, kaldığı çiftliğe yaralı bir Rum komitacı getirdiler. Adam, Osmanlı askerleriyle girdikleri bir çatışmada yaralanmıştı. Derin bir kurşun yarası almıştı ve acılar içinde kıvranıyordu. Arkadaşları teselli etmeye çalışsalar da yaralı komitacı çığlıklar atmaya devam ediyordu. Doktor bulmak için gönderdikleri kişinin, doktorun Atina dışına çıktığını, birkaç gün sonra döneceğini söylemesiyle Nazım'ın rengi değişti. Doktor olduğunu kimse bilmiyordu. Bu gerçeğin bilinmesi gizli görevini tehlikeye sokabilirdi. Vicdanıyla görevi arasında sıkışıp kalmıştı. Öyle bir zamandı ki her gün yüzlerce insan çete kapışmalarında ölüyordu. Fakat birinin göz göre göre ölmesine razı olamadı. Aniden ayağa kalktı.

– Bana sıcak su getirin, dedi.

Çantasını açtı. İtinayla sardığı ince uçlu makas ve bıçakları çıkardı. Komitacının yaralarını temizledi, ağrılarını kesecek bir iğne yaptı. Adam biraz sonra, yeni doğmuş bir çocuk gibi uykuya daldı. Herkes şaşkınlık içinde Nazım'ın yüzüne bakıyordu. Bunu ancak bir doktorun yapabileceğini bilen komitacılar, ismini dahi bilmedikleri bu garip adamın doktor olduğunu anlamışlardı. Nazım, sessiz kalmanın bir şeyler izah etmekten daha anlamlı olacağını düşündüğünden susmayı tercih etti. Cam kenarındaki eski koltuğa oturdu. *Hayat ne garip... Kurtarmaya çalıştığımız devletimize kurşun atan bir komitacıya yardım ediyorum. Tarih bunca karmaşayı nasıl açıklayacak acaba,* diye geçirdi içinden.

Bir süre sonra eski okul arkadaşlarından Serezli Makro Teodoridis'le karşılaştı. Ondan Selanik'e geçmesine yardım edebileceği sözünü aldı. Vakit kaybetmeden yola çıktılar. Yürüyerek Selanik'e iki saatlik mesafede olan harabe görünümlü bir taş binada konakladılar. Makro Teodoridis verdiği sözü tutmuş, Nazım'ı Selanik sınırına kadar getirtmişti. Bundan sonrası Doktor Nazım'ın zekâsına kalıyordu.

Nazım yol boyu sırtında taşıdığı çantasını açtı. İçinden çıkardığı elbiseleri yanına koydu. Temiz tıraşlı yüzüne, yüz hatlarını kapatacak şekilde takma sakalını geçirdi. Sarı saçlarını eliyle tarayarak düzeltti. Saçıyla takma sakalın renklerinin aynı tonda olmasına dahi dikkat etmişti.

Selanik, hayatının büyük bir bölümünün geçtiği şehirdi. Burada gördüğü her sokağın, her evin, her yüzün bir anlamı, bir karşılığı vardı hafızasında. Bu şehirde tanınma riski yüksekti. Sultan Hamid'in sadıkları Selanik sokaklarında, yoğurtçu, balıkçı, hamal, hatta papaz kıyafetleriyle geziniyordu. Ancak ajanlarına rağmen Selanik, Osmanlı'nın en serbest ve ayrıcalıklı bölgesiydi. Bunda, Mason localarının büyük bir etkisi vardı. Sultan buradaki localardan haberdardı fakat izlediği siyaset gereği onların varlığına ses çıkarmıyor, sadece faaliyetlerini takip ettiriyordu. Aslında Sultan Hamid'e yönelik bu bilinmezlik, Doktor Nazım'ın yüreğinde önünü alamadığı bir korkuyu büyütüyordu.

Sarığını özenle başına sararken hafifçe tebessüm etti. Gittiği şehir "Hürriyetin Kâbesi" diye anılıyordu. Ama aynı zamanda bu şehir çift kimliğin, takiyyenin de başkentiydi. *Hayatım boyunca daima çift kimlikle yaşamayı becerdiysem, Parisli bir centilmen gibi yaşayıp bir Türk köylüsü gibi görünmeyi de becerebilirim*, diye geçirdi içinden. Sırtına içliğini ve cübbesini geçirip kendisine uzun uzun baktı. Bir Muamin olarak dirildiği günü hatırladı.

Cumbalı evlerin arasından geçerek birbiriyle bağlantılı sokaklarda yürümüştü. Yeşile boyalı gizli ibadet yerindeki uyanış gecesini daha dün gibi hatırlıyordu. Esasında neslinde cübbe giyen ilk kişi değildi. Büyük Kral, Mesih Sabetay Sevi de mesihlik iddiasından vazgeçtiğini söyleyip Aziz Mehmet Efendi adını alırken

"Sarık İmamı"nın cübbesini giymişti. Sabetay'ın da inandığı şeyler için bunu yapmış olması, Nazım'ın yaptığı işi doğruluyordu. Kendisiyle gurur duyuyor, bu benzerliği önemsiyordu. Cübbenin insana ayrı bir hava kattığını düşündü. Çarıklarını bağlayıp tespihini eline aldı. Çarıklar çok yabancı duruyordu ayaklarında. *Kral Sabetay'a şekil olarak benzemek yetmez*, diye düşündü. Onun ismini de kullanmalıydı. Böylelikle görevine mistik bir hava da katabilirdi. Mehmet Aziz Efendi'yi Hoca Mehmet Efendi olarak değiştirdi.

Selanik'teydi artık, bir rüyanın tam ortasındaydı. Adını Büyük İskender'in kız kardeşinden almıştı bu şehir. Şehrin asaleti ve isyankâr ruhu buradan geliyor olmalıydı. Sokaklar ona bir rüyanın arifesinde, ağzında kalan kekremsi çay tadı veriyordu. Eli gibi, kolu gibi hissettiği bu şehrin dokusuyla uyuşmayan kıyafetinin içinde büyük bir rahatsızlık duyuyordu. Paris'te geçirdiği ayrılık yıllarından sonra etrafında gördüğü bunca tanıdık şey, tanıdık sima, içinde tarif edilmez seylâplar oluşturuyordu. Yılların verdiği alışkanlıkla tanıdığı insanlarla kucaklaşmak, sohbet etmek istiyordu. Selanik ana rahmi gibiydi Nazım için. Yaşamak için bütün sebepler bu şehirdeydi. Yeni kıyafeti bütün benliğiyle çelişse de şartlar dikkate alındığında böyle gizlenmek en iyi yol gibi görünüyordu. Yalçın dağlar arasından Selanik Körfezi'nin maviliğine doğru akan treni hasret dolu bakışlarla seyrettikten sonra, özleminden burnunun direğini sızlatan Beş Çınar Kahvehanesi'nin, göğü delercesine uzanan kavaklarına odaklandı. *Hayal âlemi bu olsa gerek*, diye geçirdi içinden. Körfezin maviliğini örten uzun ağaçlar, Vardar'ın narin kolları arasında ilerleyen trene ve her biri yüreğinde ayrı bir hikâye taşıyan yolcularına "hoş geldin" diyordu. Hürriyetin Kâbesi, kızıla boyanmış bir renk içinde son isyanına hazırlanıyordu. Belli belirsiz minareler, göğün şefkatli sinesini parçalarcasına bir varlık mücadelesi veriyordu, bu çırpınışlar manidar bir hüznün de son kırıntılarıydı.

Körfezden Vardar Ovası'na doğru yay gibi uzanan şehir, zirvelerinde barındırdığı kalesiyle, karlı Olimpos Dağı eteklerinde dua eden bir dervişi anımsatıyordu. İstasyon ve liman arasına, boncuk taneleri gibi ticaret şirketleri yerleşmişti. Müslüman mahalleleri genelde sur içine, Yahudi mahalleleri de Beyaz Kule civarına kümelenmişti. Vardar kapısına açılan bölgede Frenk mahallesi vardı. Müslüman ve Yahudi mahalleleri arasına ise Rum mahalleleri sıkışmıştı.

Beyaz Kule'ye doğru yürümeye başladı. Beyaz Kule'den limana bakarken çocukluğuna ait anılar birbiri ardına sıralandı zihninde. Selanik, hürriyetin, Beyaz Kule de Selanik'in simgesiydi. Bu kulenin İmparatorluğun son günleri gibi acı ve hüzünlü bir hikâyesi vardı. Eskiden bir hapishane olarak kullanılan kule, halk arasında 'Kanlı Kule' olarak anılıyordu. Bu kötü şöhretten kurtulmak için beyaza boyanmıştı. Nazım, sırtını limana dönerek Olimpos Dağı'nın zirvelerine buğulu gözlerle baktı. Mahkûmiyet havasından derin bir nefes çekti. "Zincirlerini kırmak ve seni özgür bırakmak için geldim nazlı gelin" diye fısıldadı. Tepeden dikkatlice bakıldığında surların dışına taşan modern evler dikkatini çekti. Zenginlerin yeni gözdesi Hamidiye Mahallesi'ydi.

Burası bir ticaret kentiydi ve demiryoluyla Avrupa'nın içlerine bağlanıyordu. Nazım, büyük bir hayranlık duyduğu Paris'e olan inancını artık yitirmişti. Paris'teki çırpınışlar boşunaydı. İhtilalin gerçek başkenti burasıydı. Olimpos Meydanı'na indiğinde sağlı sollu gazinoların önünde durdu. Taşları her sabah süpürülen ve sulanan gazinolarda, geceden kalma Rum kadınlara, biraz da geçmiş günlerinin özlemiyle baktı. Selanik'te gece yaşamı renkliydi. Yanyo'nun gazinoları, rıhtımı, yeşil tonlarıyla süslü Beş Çınar Kahvehanesi gönlünde ayrı bir yere sahipti.

Genç Türklerin birinci devrede başaramadıkları ve yeni nesle havale ettikleri ihtilali gerçekleştirmek ancak bu şehirde mümkün olabilirdi. O günlerde Selanik sokaklarında büyük şirketlerin finanse ettiği hürriyet havarileri gezinmekteydi. Ayrılıkçı hareketler, kendilerine has komitacılık faaliyetleri içindeydiler.

Özellikle Bulgar çetelerinin şehirlerde estirdiği terör havası, komitacılık faaliyeti içinde olan diğer grupları da etkiliyordu. Atılan bombaların insanlar üzerinde uyandırdığı korku şaşırtıcıydı. Diğer komitacılar bunu incelemeye değer buluyorlardı. Selanik sokaklarında bir havari gibi gezinirken bunları düşünecek çok vakti olacaktı.

Fikrî zemini olgunlaşmaya başlayan ihtilalin dinamik bir hareket kazanması gerekliydi. Arap çöllerinde, Makedonya'da başlayan hareketler belli bir seviyeye gelince, hepsi bir araya toplanarak İstanbul'a doğru harekete geçebilirlerdi. Beş Çınar Kahvehanesi'nin serin çınarları altında çaylar eşliğinde demlenen sohbetlerde Mehmet Talat'ın, İstanbul'a yürüyecek Alemdar Ordusu'nun mayasını attığını duymuştu. Asıl görevi, bu birliktelikteki yerlerini belirlemekti. Ahmet Rıza'yla bu konuları uzun uzadıya konuşmuş ve Prens Sabahattin'den önce, oluşumdaki yerlerini sağlamlaştırma kararı almışlardı. Nazım, ilk iş olarak yakın arkadaşı Mithat Şükrü'nün (Bleda) yanına gitti. Hoca Mehmet, Mithat Şükrü'nün hafızasında hiçbir çağrışım yapmadı. Doktor Nazım, tebdili kıyafetin başarılı olduğuna sevindi. Gizli bir köşede kimliğini açıklayınca, Mithat Şükrü küçük dilini yutacak gibi oldu. Arkadaşının gözlerinin içine baktı. Evet, bu gözler, bu mimikler ona aitti. Nazım'ın yeni ismindeki inceliğe hayran kaldı. Bindikleri faytonla Frenk mahallesine doğru ilerlediler. Genişçe bir pansiyonun merdivenlerinden çıkarken Mithat Şükrü hâlâ olanlara inanamıyor, Doktor Nazım'ı zekâsından dolayı övüyordu.

– Kime ait Mithat, bu ev?

– Bir İtalyan'a...

– İtalyanlar bize karşı nasıl?

– Ya Fransızlar! Bize karşı herkes iyi olmak zorunda Nazım. Birliktelik için toplanan ilk kongreyi hatırlıyorsun, değil mi?

– Elbette.

– Bu iş, dış destek almadan olmaz. Ahmet Rıza Bey de bunu çok iyi bilir, Prens Sabahattin de. Ama Mahmut Celalettin Paşa bugün yaşıyor olsaydı, Paris ve Cenevre'nin durumları çok farklı olurdu. Paşa, Avrupa'da gezinirken, Ahmet Rıza Bey'in liderlik durumu pek de iç açıcı değildi. Geçen zaman, yükselen değerleri değiştirdi Nazım, herkes bize karşı iyi olmak zorunda. Tabiî ki bizim de onlara karşı iyi olmamız şartıyla...

– Selanik sokaklarında gezinen "Hürriyet Havarisi" kim Mithat? Hikâyeleri Paris sokaklarında geziniyor.

– İsmi...

Kısa bir sessizlikten sonra devam etti:

– Baruh Kohen, Voltaire hayranı bir özgürlükçü, önyargısız, kalıplara ve geleneklere karşı biri. Çok tepki aldı, hahamlarla bile çatışmayı göze aldı... Tıpkı Sabetay gibi...

– Sultan, Biraderlere* fazla karışmıyor mu?

– Sultan, başında o kadar dert varken sadece Masonlar için ayrı takipler yaptıramaz. Haa, artık yaramaz çocuk muamelelerinde de değişiklik olacaktır.

– Hareketin başında kim var?

Doktor aslında sorduğu sorunun cevabını biliyordu. Mithat Şükrü, biraz duraksadıktan sonra "Talat Bey" dedi.

– Ya Biraderler?

– Macedonia Risorta.** İtalyan Büyük Locası'na bağlı. Talat Bey de dâhil olmak üzere hepimiz burada uyandık.

– Fransızlar?

– Aslında iş biraz karışık Nazım. Talat Bey aynı zamanda Fransız büyük maşrıklığına bağlı Veritas Locası'nda da yer alıyor.

– Bunun anlamı ne?

– Kafalar çok karışık. Tarih önünde bunların izahları nasıl yapılacak bilmiyorum ama herkes kafasındakini gerçekleştirmek için birbiriyle işbirliği yapıyor. Asıl kavga İstanbul'da başlayacak.

---

*       Masonlar
**      Dirilen Makedonya

– İstanbul'da mı?

– Buna inanmıyor musun yoksa?

– İstanbul mu dedin Mithat?

Mithat Şükrü bu soruya sessiz kaldı.

Üst katta oturdular. Nazım gördüklerine hâlâ inanamıyordu. Selanik tahminlerinin de ötesinde yol almıştı.

– Başka kimler var?

– Cavit, Rahmi...

Nazım'ın sarı yüzüne bir anda kan hücum etti. Anlık tepkilerine engel olmakta her zaman zorlanırdı.

– Rahmi ha? Selanikli Rahmi... Mizancı Murat'la birlikte Abdülhamid'in çağrısına uyup ilk dönenlerden...

– Rahmi hareketin sadıklarındandır Nazım.

Nazım, *inşallah karşılaşmayız*, dedi içinden. Döneklere hiç tahammülü yoktu.

– Bursalı Mehmet Tahir, Yüzbaşı Naki, İsmail Canbolat, Miralay Galip, Hasan Tosun, Enver, Cemal, Mustafa Kemal, Mustafa İsmet.

– Bu isimlerin hepsi localara bağlı mı?

– Hayır, localarla işleri Talat, Emanoel Karasso ve Manyasizade Refik Bey ayarlıyor.

– Cemiyete ait evraklar?

– Localarda saklanıyor.

– Yani localar bir anlamda hürriyetin karargâhı olarak kullanılıyor.

Nazım büyülenmişti. Paris'te verdikleri fikir mücadelesine karşılık Selanik güç kullanma taraftarıydı. İlk aklına gelen Ahmet Rıza Bey'in de Selanik'e gelerek burada olanları görmesiydi. Yanındaki sehpada gümüş bir çakının durduğunu fark etti. Çakıyı eline aldı. Bir yanında kelime-i tevhid, diğer yanında "İttihat ve Terakki" yazıyordu.

– Bu nedir Mithat?

– Talat Bey'e aitti. Bana hediye etti. Eskiden bu kadar imkâna sahip değildik Nazım. Kahvehanelerde, meyhanelerde, kulüplerde konuşur, kendimize taraftar toplardık.

– Payitahta yürümeyi mi planlıyorsunuz?

– Neden olmasın? Üçüncü Ordu bizim elimizde, yeni subaylar ihtilal fikriyle yanıp tutuşuyor. Manastır, çete takiplerinden bıkmış, kimse maaşını alamıyor. Parçalanmış kuvvetler bir bir toparlanıyor.

– Çok güzel olmakla birlikte insanı korkutan gelişmeler bunlar Mithat. Üçüncü Ordu'dan daha fazlası İstanbul'da, Yıldız'ın çevresinde var. Yıldız, yeni bir Alemdar Ordusu'na hoş geldiniz der mi?

– Ah Nazım, fikir mücadeleleri seni çok yormuş. Makedonya, Balkanlar, Arap Yarımadası kaynıyor. Çil çil İngiliz altını, Arap çöllerini serinletiyor. Yıldız artık işin nihayete yaklaştığını fark ediyordur. Saltanat makamı kuru cihangirlik davasının güdüldüğü yer değildir. Saltanat makamında oturan herkes bunun bilincindedir. Sultan Hamid de.

– Manastır?

– Manastır'daki yapılanma biraz farklı. İhtilalci subaylar orada zor şartlarda yaşıyorlar. Cemiyet'in bir fedai grubu var orada.

– Fedai grubu mu?

– Ne o? Şaşırdın Nazım.

– Dağ Şeyhi'nin* fedaileri gibi mi?

– Evet, Alamut fedaileri gibi.

Olanları Nazım'ın aklı almıyordu:

– Mithat! Öncekiler ve biz onlarca yıldır Avrupa'dan, halkı ayaklandırmak için yazılar yazdık, onlara yol gösterdik. Ama bu

---

*    Hasan Sabbah

halkı anlamakta hakikaten güçlük çekiyorum. Kuru bir itaatle Halife'ye bağlılar. İstanbul'a yürüme fikrini aklım hâlâ almıyor.

– Bunları konuşacak çok vaktimiz olacak. Hadi bakalım Hoca Mehmet, seni biraz dolaştırayım.

Nazım, bir anda, unuttuğu Hoca Mehmet'i hatırladı. Şu an onun görüntüsünü kullanıyordu. Hava kararmaya yüz tutmuştu. Faytonla Beş Çınar Kahvehanesi'ne doğru ilerlerken, cumbalı evleri, Arnavut kaldırımlı sokakları seyretti. Yahudiler, Rumlar ve Müslüman Türkler şehirde büyük bir sükûnetle bir arada yaşıyorlardı. Selanik'teki bu sessizlik, kopacak fırtınanın habercisi miydi?

"Rahmi..." dedi Mithat Şükrü, Nazım'ın yüzündeki dinginlik bir anda kayboldu.

– Rahmi, önceleri Rum komitacılar hakkında bilgiler verirdi Yıldız'a. Şimdi devam ediyor, fakat bizim lehimize.

– Nereye gidiyoruz Mithat?

Mithat, Nazım'ın sözü değiştirmek istediğini anladı.

– Biz... dedi, bir an durdu. Özenli konuşmaya çalışıyordu. Nazım'ın birden alevlenen halini bildiğinden bir çuval inciri berbat etmek istemiyordu.

– Biz artık bir parçayız.

Bunu söyler söylemez anlatmak istediği şeylerden vazgeçti:

– Beş Çınar Kahvehanesi'ne gidiyoruz. Toplanma yerimiz burası, Yanyo'nun birahanesi ve Mason localarıdır. Biraderlere katılmayı düşünüyor musun Nazım?

– Bilmem.

– Biz Mason olanlarla, anneden ve babadan kardeş, olmayanlarla ise babadan kardeş kabul ediyoruz kendimizi. Biz seninle anne ve babadan kardeş olmak istiyoruz.

– Manastır üvey evlat mı oluyor?

– Manastır'la yolumuz İstanbul'da ayrılacak. Bunlara hazırlıklı olmak lazım.

Nazım, derin bir sessizliğe gömüldü. Manastır'ın da aynı şeyi düşündüğünü biliyordu.

– Osmanlı Hürriyet Cemiyeti'ni nasıl kurdunuz Mithat?

– Talat akıllı bir insandır. Avrupa'da yaptıklarınıza hepimiz minnettarız fakat o melun satın alma olayı, bizi bazı şeyleri tekrar gözden geçirmeye zorladı. Ahmet Celalettin Paşa çil çil altınları dağıtırken gözleri kamaşanlar, inançlarını bırakıp İstanbul'a döndüler. İshak Süküti'ye Roma, Abdullah Cevdet'e Viyana sefaret kâtiplikleri teklif edildiğinde ve bu adamlar makam karşılığı davalarını satarken, bu konuya bir çözüm getirilmeliydi.

Nazım'ın yüzünde, sinirlendiği zaman hâkim olamadığı o ifade belirdi. Kekeleyerek;

– Dönek herifler, dedi.

İhanete tahammülü yoktu. İshak Süküti ve Abdullah Cevdet, 1890'da askerî tıbbiyenin uzak bir köşesinde, İttihat ve Terakki'yi, İtalyan Karbonilerden esinlenerek kuran dört kişiden ikisiydi. Sadece bunlar mı? Çürüksulu Ahmet ve Belgratlı Şefik Beyler de Viyana Ateşe Emirliği karşılığında ihanet etmişlerdi. Ya Murat Bey, *Mizan*'ın babası... Bütün bu sayılan isimler onun Fransız İhtilali'ni anlatan yazılarını okuyup da bu işlere merak salmamışlar mıydı? O da, Şura-yı Devlet Dâhiliye Dairesi üyeliği için İstanbul'un yolunu tutmuştu. Nazım aslında Mizancı Murat'ı pek sevmezdi. Murat, din olgusu ve kültürü aslî unsurlar olarak kabul eder, Ahmet Rıza ve Nazım ise, dinin sadece folklorik ve bağdaştırıcı değeri üzerinde durur, onu bu yönüyle ele alırlardı.

– Osmanlı Hürriyet Cemiyeti bütün bunların üzerine teşekkül etti. Bir gece Yanyo'nun birahanesinde içiyorduk. Bu dağınıklık ana konumuzdu. Talat'ın teklifi üzerine bir gün Beş Çınar Kahvehanesi'nin bahçesinde toplandık. Orada olmalıydın Nazım. Büyük servilerin altında oturmuş, biralarımızı yudumluyorduk. Talat uzun uzun nutuklar attı.

– Kimler vardı orada?

– Kimler yoktu ki...

Aslında Nazım kimlerin olduğunu çok iyi biliyordu. Mithat da onun bildiğini bildiğinden isimleri saymadı. Nazım aslında cemiyetin adını Osmanlı İttihat ve Terakki Cemiyeti olarak değiştirilmesini teklif edecekti ama uygun zamanı bekliyordu.

– Manastır'daki fedai gruplarından bahsediyordun biraz önce. Aslında Paris'ten ayrılmadan evvel, bu fedailerden biriyle yakın ilişkilerim oldu. Kim olduğunu tahmin bile edemezsin.

Mithat kim olduğunu gerçekten de bilmiyordu. Nazım sırlarla, sürprizlerle dolu bir adamdı.

– Kimdi o Nazım?

– Kuşçubaşı Eşref... Abdülhamid'in kuşçubaşısı Mehmet Nuri Bey'in oğlu... Arap çöllerini kana bulayan, sürre alaylarını basan adam...

Mithat anlayamadım der gibi Nazım'ın gözlerinin içine baktı.

– Meşhur Arap İhtilal Cemiyeti'nin lideri... Eğer Abdülhamid karşısında gösterdiği cesareti bir gün bizim karşımızda da gösterirse...

Gece yolcuları Beyaz Kule civarında seyir halindeyken sohbetlerinin konusu Selanik'in fazla bilinmeyen yönlerine kaymaktaydı. Geçtikleri sokaklardan birinde, bir kadınla başına geçirdiği şalın altına saklamaya çalışarak götürdüğü bir çocuğu gördüler. Kadının tedirginliği ve çocuğun anlamsız bakışları Nazım'ı geçmiş yıllara götürdü.

"Bir uyanış gecesi..." diye sessizce fısıldadı.

Gıcırdayan kapı açıldığında, ruhunun derinliklerinden gelen fısıltılar ürpermesine sebep oldu. Kadın, çocuğu önündeki kapıdan içeri iter gibi sokuşturuyordu. Bugün on üç yaşına giriyordu Rüştü. Kadın oğlunu, İbrahim'in, oğlu İshak'ı giydirdiği gibi giydirmişti. Oğlunun ellerinden tuttu, kokladı, öptü. Önde çocuk, arkasında kadın ilerlemeye başladılar. Ahşap evlerin arasından yürüyorlardı. Herkes Rüştü'ye kutlu bir yola giden savaşçıya bakar gibi bakıyordu. Rüştü ise hayatının bu en önemli anında, etrafında olan şeyleri dikkatlice hafızasına kaydediyordu. Annesi öyle yapmasını söylemişti. Bir Muaminin hayatındaki en önemli gün bu gündü. Bu gün gerçek uyanışın günüydü. Bu gün ömründe hiç kimseden duymadığı ve on üç yaşına gelmemiş bir Muaminin duyamayacağı şeyleri duyacak ve dünyanın gerçek efendisinin adını öğrenecekti. Annesi bir de başını dik tutması ve gururlu olması gerektiğini söylemişti. Ahşap evlerin dizildiği dar sokaklardan geçerek bir eve geldiler. Evin arka kapısından bir bahçeye geçtiler. Daha önce burayı hiç görmemişti. Yıllardır hissettiği fakat bir türlü çözemediği sır bu gün çözülecekti. Birkaç ara odadan daha geçtikten sonra yeşile boyalı bir kapının önünde durdular. Annesi ellerini avuçlarının içine aldı ve alnından öptü çocuğu.

– Git ve uyan oğlum, dedi.

Rüştü yeşil ışıklarla aydınlatılan odaya girdiğinde adeta büyülenmişti. Ağır adımlarla ilerledi. Burası daha önce gördüğü yerlere hiç benzemiyordu. *Kral Davud'un soyundan gelen Yüce Kral kim acaba,* diye geçirdi içinden. Mum ışıklarının altında yeşil elbiseli, beyaz keçe külahlı ve üzerine sarılmış yeşil sarıklı kişiye doğru ilerledi. Tüm erkeklerin saçları kısa kesilmişti. Kadınların saçları ince örüklerle ayrılmıştı ve ayaklarında sarı mestler vardı. Rüştü, kendine rehberlik eden kişiyi takip ediyor, onun yaptıklarını taklit ediyordu. Ulu Kişi'nin karşısında saygıyla eğildikten sonra, önünde diz çöktüler.

Ulu Kişi mutat olduğu üzere fakirlere yardım edilmesi gerektiğinden, Yüce Yaratıcı'ya iman etmekten bahsetti. Ulu Kişi'nin arkasında duran balık resmi dikkatini çekti çocuğun. *Bu resim nedir acaba,* diye düşündü. Merakı konuşulanlardan çok, duvardaki resim üzerine yoğunlaşmıştı. Ulu Kişi, Rüştü'nün balık resmine baktığını görünce;

– Yüce Kralımız Sabetay, bizi balık burcunda Kutsal Şehir'e götürecektir, dedi.

Tekrarlanan İbranice duaları dikkatlice dinliyordu Rüştü. Kısa bir sessizlikten sonra Ulu Kişi Amentü okumaya başladı. Her cümlesinin sonunda bütün Muaminler hep bir ağızdan "Tam ve kesin inanışla!" diye bağırarak onu onaylıyorlardı.

Bunlar Rüştü'nün ilk kez duyduğu sözlerdi. Tanrı tüm insanlığın Tanrısıydı ama anlaşılan artık yeni bir Tanrısı daha olmuştu. Adını dahi bilmediği "İsrail'in Tanrısı"... Daha önce yaşadıkları neydi? O anda bunları kimseye sorma şansı yoktu. Ulu Kişi, Rüştü'yü adıyla yanına çağırdı. Çocuğun kalbi bir anda göğsünden fırlayacakmış gibi atmaya başladı. Ulu Kişi diz üstü çöktü. Diz kapakları birbirine değiyordu. Konuşmaya başladı:

– Bundan böyle, Yüce Mesihimiz Sabetay Sevi'ye bağlı kalacak ve ona bağlı kalanların kurallarına uyacaksın. Bu kurallar bizzat Sabetay Sevi tarafından konmuştur. Bunlar on sekiz kuraldan oluşur. Bu kuralları rehberinle birlikte ezberleyecek, tam ve kesin bir inanışla onlara sadık olacaksın.

Hiçbir Türk'ü can dostun bellemeyeceksin, birlikte yürümek zorunda kaldıklarınla o yolun erkânına uygun yürüyeceksin. Evliliğini Türklerden değil, kendi içimizden yapacaksın. Kesinlikle kuzu eti yemeyeceksin. Biz kuzu etini senede bir defa yeriz. Muaminlerden başka bir kadınla birlikte olursan kesinlikle cehenneme gidersin. Gözün gördüğü yerlerde sarık imamının dinine ait bütün yükümlülükleri yerine getirecek fakat bunlara kalpten bağlanmayacaksın. Kalbimiz, Efendimiz, Kralımız ve Mesihimiz Sabetay Sevi'nindir. Bu ibadetlerden Türklere hiç söz etme. Türkler soğan gibidir. Sen hiç acı olmayan soğan gördün mü?

Ulu Kişi'nin izniyle toplantı sona erdi. Tüm Muaminler başlarına örtülerini çekerek evlerine dağıldılar. O gece yaşananlar herkes için bildik şeyler olsa da Rüştü için tam bir muammaydı. *Hayatımı değiştiren bu gecede tam olarak ne oldu*, diye yüzlerce kez sordu kendine. Başına çektiği yorganın altında acılar içindeydi. Bildiği her şey bir anda değişmişti. Düğümün, sabah limanda çözüleceğini ümit ediyordu. Annesi iyi uyumasını tembihlemişti. Gece, karanlığını büyük bir sükûnetle üstünden sıyırırken, Selanik, kızıl renkli ışıktan gömleğini giyiyordu.

Rüştü erkenden uyandırılmıştı. Annesinin ardı sıra limana doğru yürüdü. Gece boyunca, yaşadıklarına bir anlam verememişti. Tanıdığı bütün insanlar limana doğru ilerliyordu. Daha önceden de limana gidildiğini biliyordu. Ancak o zamanlar alışveriş için gidildiğini sanıyordu. Gerçek sebebi şimdi öğrenecekti.

Limanda toplananlar alışkanlıkları olduğu üzere bir yerde durdular. Herkes gözlerini dikmiş, ufka bakıyordu. Mesihleri Sabetay'ın bu limana döneceğine inanıyorlardı. Döndüğünde, yanlarında getirdikleri yiyecekleri ona ikram edeceklerdi. Yıldız'ın hafiyeleriyse hadiseyi rapor etmek için küçük balıkçı tekneleriyle kıyıya yanaşıyorlardı.

\*\*\*

Rüştü'nün, Mesih Sabetay'ı limanda beklediği gün, Mithat Şükrü de misafirini, yapraklarından çıkan seslerin naif bir musiki oluşturduğu Beş Çınar Kahvehanesi'ne götürdü.

Hoca Mehmet'i bir heyecan sarmıştı. Yüzü kızarmış, bütün damarları dışarıya fırlayacakmış gibi şişmişti. Bahçeden birkaç basamakla çıkılan cam bölmeye geçtiler. Talat'la el sıkışırken ona karşı büyük bir yakınlık duyduğunu hissetti. Selanikli Rahmi, mahcup bir edayla elini uzattı. Nazım ortamı bozmamak için uzatılan eli sıktı. Çaylar eşliğinde yapılan sohbet Nazım'a büyük bir keyif verdi. Fikrî mücadele taraftarı olduğunu, payitahta yürümenin sakıncalı olacağını, bu konuda çekincelerinin bulunduğunu söyledi. Fakat Selanik'in harekete geçme konusundaki kararlı tutumu, ifade etmese de kendisini memnun etmişti.

İlerleyen günlerde biraderlere katılarak "Dirilen Makedonya"da uyandı. Artık Mason biraderlerden biri ve İttihatçılarla anadan ve babadan kardeş olmuştu. Üvey kardeşlere gelecek olmadığını keskin zekâsıyla kavramıştı. Nazım, Aydınlanma'yı çok iyi biliyordu. Fransız İhtilali'ni çok önemsiyordu. Voltaire'e ayrı bir hayranlık duyuyordu. Beş Çınar Kahvehanesi'nde nihayete ermeyen tartışmalar Yanyo'nun meyhanesinde sürüyordu. Hoca kıyafeti bazen sorun çıkarsa da Nazım iki kimlikli bir hayatın hiç de yabancısı değildi. Sohbetin konusu Aydınlanma'ya geldiğinde kendini tutamıyor, ince nüktelerle dolu nutuklar atıyordu. Voltaire'i ve Newton'u anlatmaktan ayrı bir zevk duyuyordu. Aslında Voltaire de bir Newton hayranıydı. İngiltere'de geçirdiği yıllarda Newton'un cenazesine katılmış ve İngilizlerin bir bilim adamına gösterdiği saygıdan oldukça etkilenmişti. En çok tartıştıkları konulardan biri de, değişimin İngiliz modelindeki gibi uzlaşmayla mı, yoksa Fransa'daki gibi kanlı bir devrimle mi gerçekleştirileceği idi. Her iki ülkede de bunun hangi yolla yapılacağını krallar belirlemişti. Fakat Abdülhamid'in böyle bir tercih yapma şansı olacak mıydı? Artık ihtilalden o kadar emindiler ki, Sultan Hamid'e şans verilip verilmeyeceğinden bahsediyorlardı.

Nazım bir gün, uzun bir nutuk attıktan sonra sözlerini Voltaire'in meşhur sözleriyle bağladı: "Tanrı'nın insana verdiği en büyük hediye çalışmaktır. Büyük işler başarmak için, bir başla iki el yeter. İnsan bunların sayesinde her güçlüğün üstesinden gelir. Toplumun refaha erişmesinin yolu çok çalışmaktan geçer."

Kahvehaneden çıkınca içinde bir varoluş, bir uyanış hissetti. Biraz yürümek istiyordu. Selanik'in sokakları ona tarifsiz bir mutluluk veriyordu. Beyaz Kule civarında ilerleyen Hoca Mehmet, "Nazım! Nazım!" sesiyle irkildi.

Bir an tereddüt etti, ne yapacağını bilemedi. Kollarını açmış kendisine doğru ilerleyen Doktor Toledo'yu gördü. Toledo çocukluk arkadaşıydı. Nazım'ı tanımıştı. Nazım kendini topladı ve adımlarını hızlandırarak önündeki ilk köşeden döndü ve gözden kayboldu. Toledo neye uğradığını anlayamadan açık kollarını kapayıp durumu anlamlandırmaya çalıştı. Ama Selanik henüz üzerindeki perdeyi kaldırmamıştı. Sır ifşa edilmemişti. Toledo, arkadaşı Refik Hıfzı Efendi'nin evinde, Nazım'ı gördüğünü, adamın tuhaf bir kıyafet içinde olduğunu ve kendisini tanımadığını söylediğinde kimse ona inanmadı.

Rahmi ile Mehmet Talat, Toledo'nun evine geldiklerinde, onu kırmızı kadife kaplı bir sandalyede oturmuş buldular.

– Doktor Nazım'ı gördüğünü duydum. Doğru mu Toledo?

Rahmi'nin sesinde tehditkâr bir hava vardı.

– Doğrudur. Musa Peygamberin adına doğrudur. Nazım'dı o...

– Nazım, Paris'te...

– Evet, ben de biliyorum Talat Bey... O gözler, o yüz... Adım gibi eminim Nazım'dı o. Seslendiğimde dönüp bakar gibi oldu, sonra hızla uzaklaştı.

– Toledo, gördüğün kişi Nazım olsa seni tanımaz mıydı?

– Ben de en çok buna hayret ettim Rahmi Bey. Garip bir kıyafet içindeydi.

Mehmet Talat, Toledo'nun ısrarından sıkıldığını anlatmak istercesine sert bir şekilde ayağa kalktı. Elini belindeki tabancanın üzerine koydu. Toledo'nun yüzü korkudan beyaza kesti.

– Nazım'ın ne işi olabilir hoca kıyafeti içinde?

– Bilmiyorum Talat Bey... Bilmiyorum. Ama oydu... Musa Peygamberin...

– Toledooo...

– Aman kızmayın Talat Bey.

Mehmet Talat, belinden çıkardığı tabancayla oynamaya başladı.

– Bir yanlışlık var bu işte. Yanlış yanlışı tetikler Toledo. Nazım Paris'te... Bilmem anlatabiliyor muyum?

– Aman Beyefendi... Sakin olunuz lütfen... Nazım Paris'te... Muhtemelen ben yanıldım.

– Güzel... Umarım bu yanılgından başka yerlerde de bahsetmezsin.

– Etmem beyefendi, etmem...

# ÜÇÜNCÜ DEFTER

## "Ta Ezelden Beri, Kurt Eniği Kurt Olur"

# I

Eşref'in Avrupa yolculuğu Paris, Cenevre ve diğer bazı başkentlerde sürdü. Farklı fikir hareketleriyle tanıştı. Yeni tanıdığı insanların kendisine karışık gelen düşüncelerini, çok anlamasa da dikkatlice dinledi. Ahmet Rıza ve Prens Sabahattin beylerle tanışma fırsatı buldu.

Ahmet Rıza grubu katı bir merkeziyetçiliği savunurken, Prens Sabahattin merkeziyetçiliği çok sakıncalı bulmakta ve iyi devirlerin, iyi yetiştirilmiş insanlar döneminde yaşandığını; esas olanın öğrenen, sorgulayan bireyler yetiştirmek olduğunu savunmaktaydı. Prens Sabahattin'in mütevazı karakteri ve parasal hırslardan uzak tutumu Eşref'i daha çok etkiledi.

Eşref, her şeye rağmen fikir mücadeleleriyle bir sonuca varılamayacağını düşünmekteydi. Gönlü, Makedonya'da çete takipleri yapan gruba daha yakındı. Cemiyete girişini, fedai gruplarına seçilmesi takip etti. İttihat ve Terakki'nin örgütlenmesinde Balkan komitacılarının etkisi de, anlamlandıramadığı konular arasındaydı.

İhtilalin ateşini yüreğinde taşırken, gıyabında yapılan bir davadan idama mahkûm oldu ve yakalandı. Yüksek rütbeli subaylar Eşref'i korumaya çalışsalar da, onu idamdan asıl kurtaran Şemsi Paşa'nın yardımlarıydı. Mektepli subaylar Şemsi Paşa gibi alaylı komutanları pek sevmezlerdi ama bu yardımlarından dolayı kendisine minnettar kaldılar. Eşref, babası ve Selim Sami'yle birlikte İzmir Tepeköy'de Padişah'ın arazisi olan bir çiftliğe nakledildi. Eşref'in yüreği Makedonya'daydı. İzmir firar için uygun bir yerdi, fakat orada firardan ziyade, eski dostlarıyla örgütlenmenin yollarını araştırıyordu. İzmir, Padişah'ın kontrolünün çok iyi olduğu bir yer değildi, yabancı tüccarlar bu şehirde çok rahat hareket edebiliyorlardı. Çerkez Raşit, Selim Sami, Eşref ve on iki arkadaşı yeni bir İttihat ve Terakki hücresi kurdular. Kırsal bölgelerde halkın İstanbul'a bağlılığı fazlaydı. Eşref artık İzmir'in dumanlı dağlarında iyi cins atlarla, tütün tüccarı kılığında geziniyordu. Bir gün İzmir bölgesinin namlı eşkıyalarından Çakırcalı Mehmet Efe'nin yanına gitmek için, arkadaşlarıyla Tepeköy'den ayrıldı. Yanlarında Çakırcalı'yı tanıyan Sarı Efe de vardı. Dumanlı dağlardan Ödemiş'e doğru dörtnala gidiyorlardı. Gediz'in yararak geçtiği verimli ovalardan, küçük koyaklara sıkışmış eşkıya yuvalarından, vadilerin dağların içine uzanan kıvrımlarında kurulmuş onlarca köyden geçtiler. Kâh dörtnala yol alıyor, kâh atlardan inerek yürüyorlardı. Geçtikleri tüm köylerde, Çakırcalı'ya misafir gittiklerini söyledikleri için saygı gördüler. Sarı Efe, Eşref'e Çakırcalı'yı anlatıyordu:

– Çakırcalı Ağamın kızancıklarla dağa çıkışı zaptiyelerce vurulan babası Koca Ahmet Efe'nin öcünü almak içindir Eşref. Koca Ahmet Efe yörenin en namlı efesiydi. Sultan Aziz'in misafiri olarak İstanbul'a gittiği ve Sultan'la güreş tuttuğu hikâyeleri köylerde çok anlatılır.

– Çakırcalı, köylerde neden bu kadar seviliyor?

– Yörüğün dağda eşkıyası yoksa bir kanadı kırık demektir. Dağ başı ovaya benzemez. Arkan yoksa elindeki malın güvencesi de yoktur. Devletin zaptiyesi bu obalara bir ayran içimi soluklanmaya ya gelir ya gelmez. Onun için Yörük, eşkıyasını tutar, ona bakar. Eşkıya da yörüğü korur Efem.

– Aman Sarı Efe... Efelik bizim neyimize? Bizim yolumuz, kör istibdadı yıkmaya karşı mücadeledir.

– Aman Eşref Efem, hemen kızma.

Eşref, sağında Sarı Efe, solunda da Selim Sami'yle beraber at sürüyordu. On iki atlı da onları arkadan takip ediyordu.

– Şimdi devam et bakalım Sarı Efe, Çakırcalı'nın hikâyesine.

– Çakırcalı babasının intikamı için dağa çıktığında yanında, babasının kızanlarından Hacı Eşkıya vardı.

– Hacı Eşkıya mı?

– Evet ya... Hacı Eşkıya... Tüm yörük obalarına, yörük beylerine haber saldı. Çakırcalı gittiği her obada hürmet gördü, baş mindere oturdu, has ayran içti. Namı aldı yürüdü. Yörük kanununu harfiyen uyguladı.

– Yörük kanunu mu?

– Bu dağlar da göçerlerin kanunu işler Eşref Efem. Uzun mevzudur ama kısası şöyledir: Yaşamak yörüğün birinci önceliğidir. Bunu tehlikeye sokan her kim olursa, yola geçirirler. Babaları bile olsa...

– Yola geçirmek ne demek Sarı Efe?

– Bu zeybeklerin ve yörüklerin kullandığı bir tabirdir Eşref Efem. Kısaca, yanlış yapan öldürülür. Kanundur bu... Suali olmaz.

Sohbet uzayıp gitti. Çakırcalı'nın bulunduğu Kaya köyüne geldiklerinde, Eşref ve adamlarının bütün silahları alındı. Sofraya oturulduğunda Çakırcalı da Mehmet de gergindi.

Dağ köylerinden gelen insanlar, Çakırcalı'ya aralarındaki anlaşmazlığı anlatıyor, onun verdiği karara göre birbirleriyle helalleşip köylerine dönüyorlardı. Kız alıp vermeden çoban hakkına kadar onlarca anlaşmazlık, halkın huzurunda karara bağlandıktan sonra, misafirler teker teker kalktılar. Eşref hiç konuşmadan davaların bitmesini bekledi. Adamları, avluda kurulan sofradaydı. Yanında sadece Sarı Efe ve Selim Sami vardı. Çakırcalı, misafirleri için kahve yapılmasını istedi. Tedirginliği her hareketinden belli oluyordu:

– Eşref Bey, sizi ve arkadaşlarınızı inşallah iyi ağırlayabilmişizdir.

– Şanınız yüce olsun Efem.

– Bu gece misafirimsiniz, uzun yoldan geldiniz.

– Sağolun Efem.

Çakırcalı kapıda iki büklüm bekleyen kızanı, kahvelere bakmasını söyleyerek dışarı yolladı.

Oturdukları salon geniş ve ferahtı. Yan yana dizilmiş onlarca küçük pencere, el dokuması perdelerle örtülmüştü. Salonun ortasında küçük bir mermer havuz vardı. Alçak divanlar has yörük minderleriyle kaplanmıştı. Yerde kırmızı rengin hâkim olduğu bir çul seriliydi. Yörüklerin günlük işlerinin motifler halinde nakşedildiği bu çul, yaklaşık on metre uzunluğundaydı. Duvarlarda heybeler ve antika silahlar asılıydı. Burası insana rahatlık veren bir salondu. Eşref hemen karşısında oturan efenin uzattığı sarma tütünü aldı. Tütün saran yaşlı adamın sakalları bembeyaz, bıyığı ise sapsarıydı. Tok ve sakin bir sesi vardı. Fazla konuşmayan bu ihtiyar söze başladığında, herkes büyük bir dikkatle onu dinliyordu. Çakırcalı'nın çok hürmet ettiği bu adam, Eşref'in fazlasıyla dikkatini çekmişti. Çakırcalı bunu fark etmiş olacak ki;

– Bu piri fani atamızdır Eşref Bey, dedi. Rahmetli babamın sadığı, benim de atam Hacı Efe'dir.

Elindeki sarı kehribar tespihle birlikte sağ elini kalbinin üzerine koyan ihtiyar;

– Sağol evladım, dedi. Atan da olsak senin sadığınız. Sen beysin, biz yârenin...

Gelen kahveleri sessizlik içinde içtiler. Çakırcalı'nın tedirginliği halen geçmemişti. Hacı Eşkıya sessizliği dağıtmak için Eşref'e dönerek sordu:

– De bakalım şimdi kızancık. Seni buraya çeken nedir?

– Efemizin namı cihanı sarmış. Duyduk, yanına gelip sohbetine mülaki olalım dedik.

– Eyvallah...

– Duyduk ki dağlara veda etmişsiniz Mehmet Efem.

– Doğrudur Eşref Bey. Dağdan yenice indik. Bir daha da çıkmak niyetinde değiliz.

Hacı Eşkıya:

– Kimlerdensin oğul? Bizim buralardan değilsin.

– Değilim Hacı Efem. Abdülhamid'in Kuşçu Ocağı'nın Ağası Mustafa Nuri Efendi'nin oğluyum. Abdülhamid'e asiyim. Sürgündeyim...

– Eşref Bey, bu ziyaret bir kahve hatırı için değil ya?

– Doğru dedin Mehmet Efem... Bu dağların kanunu nedir, onu öğrenmeye geldim. Ben yıllarca Arap âleminde, bedeviler arasında gezindim. Oranın kanunu ayrıydı, buranın kanunu ayrı.

– Bak oğul, dedi Hacı Efe. Kulağını aç, iyi dinle. Sana bir solukta anlatacağım istediğin şeyi. Ama önce Çakırcalı desin meramını.

– Eşref Bey, ben İstanbul'la anlaştım. Sen sormadan ben söyleyeyim. İstediğin her neyse, bizim yanımızda değil. Seni ve adamlarını hakkıyla ağırlamaktan başka sana verecek hiçbir şeyimiz yok. Gelişini dostça bildik, seni de dost kabul ettik. Bundan ötesi olamaz.

Çakırcalı susunca Hacı Eşkıya konuşmaya başladı:

– Oğul, dağlarda bey olmak zordur. Koca Ahmet Efemiz öldürüldüğünde benim gözüm Mehmet'in üzerindeydi. Dağa ne zaman çıkacağını merak ediyordum. Ona hiçbir telkinde bulunmadım. Çünkü kanundur ki ta ezelden beri kurt eniği kurt olur. Mehmet Efe de beni yanıltmadı. O da kurt olmayı seçti. Bize de yârenliği düştü. Dağda, zeybeğin uyacağı ilk kanun, yatak tutmaktır. Eşkıya demek, yatak demektir. Efemiz Koca Ahmet öleli yıllar oldu, onun yatakları kimlerdir ben bile bilmiyorum. Yatak, eşkıyanın tutan eli, gören gözüdür. İkincisi, zeybek kızancıklarını, beyi, obayı korur kollar. Çeyizi olmayan kıza çeyiz parası verir. Üstü başı düşkün olanı giydirir. Aç olanı doyurur. Köylüsüne eziyet eden ağanın malını alıp köy ortasında onu sopaya çeker, malını halka dağıtır. Zeybek verir, yörük onun yatağı olur. Yoksa zeybek dağda üç gün dahi yaşayamaz, acından geberir. Sadece obayı doyurmakla da olmaz. Zaptiyeyi, beyleri, paşaları da görmek gerekir. Ecnebi tüccarların küçük işlerini görür zeybek... Hepsinin işini gören ancak bey olur. Diyeceğim bu kadardır Eşref oğlum. Şimdi var git yoluna... Dostumuz olarak kal.

\*\*\*

Çakırcalı'nın yanından eli boş İzmir'e döndü Eşref. Selim Sami, Selanik'ten gelen bir doktorun kendisini görmek istediğini söylediğinde, Çakırcalı'yı ziyaret ettiğinin duyulmuş olacağından şüphelenerek onu salona almalarını istedi. Kapı aralığından korkarak baktığı kişi Doktor Nazım'dı. Nazım'la, Paris'te tanışmıştı. Doktorun İzmir'de ne işi olabilirdi?

Nazım, sohbetleri sırasında olanları en ince ayrıntısına kadar anlattı:

– Eşref Bey, Manastır'dan bazı dostlar bana yardım etmenizi rica ettiler. Makedonya'da fedailer dağa çıkmak için hazır bekliyor. İzmir'de örgütlenme çok önemli. Çünkü dağa çıkacak fedailere bir müdahale olursa, bunun yapılacağı yer İzmir olacaktır. Burayı ihtilale hazırlamayı becerebilirsek...

– Nazım, ben burada takip ediliyorum. Sana fazla yardımım dokunmaz ama bu konuda size yardım edebilecek bazı dostlarla seni tanıştırabilirim.

Eşref Paris'teyken, çok fazla inanmasa da, bu adamın bir şeyler yapabileceğine kanaat getirmişti. Selanikli Hoca Mehmet Efendi, şimdi de Tütüncü Yakup Ağa namı ve kıyafetleriyle İzmir'de çalışmalarına başlıyordu.

Prens Sabahattin grubunun İzmir'de örgütlenme çalışmalarında gösterdiği başarı Nazım'ı şaşırttı. Bir ticaret kenti olan İzmir, ferdiyetçiliği yadırgamamıştı. Nazım, ferdiyetçiliği esas alan Prens Sabahattin grubunun görüşlerini sevmez, onlara şiddetle muhalefet ederdi. Selanik'te adem-i merkeziyetçileri silerken, İzmir'de onlardan birkaç adım geriden başlamak Nazım'ı kahırlandırmıştı. Onun yerine 'düzen' ve 'ilerleme'yi esas alan merkeziyetçiliği ve katı bir fırka disiplinini savunurdu. İlk İttihat ve Terakki kongresinde partinin parçalanmasına sebep olan, bu iki farklı görüş ve liderlik kavgasıydı.

Tütüncü Yakup Ağa namıyla, köylü kıyafetleri içinde gezen Nazım, Hüseyin Lütfi'nin yardımlarıyla Evliyazade Mehmet Efendi'nin dükkânını kiraladı. Tütün ve fes satışı yapma bahanesiyle subaylar arasına sızarak, onları büyük bir isyana hazırlama hevesindeydi. Nazım, İzmir'in kahvehanelerinde, Levantenlerin üye olduğu kulüplerde, mahallelerde ayarladığı evlerde durmadan nutuklar atıyor, subaylarla olan ilişkilerini düzenlemeye çalışıyordu. Her gün, köylü kıyafeti içinde gittiği kıraathanelerde, elinde taşıdığı doksan dokuzluk tespihi sallayarak geziniyor, şahsi dostluklar kurmaya çalışıyordu. Mason localarını, Bektaşi ve Mevlevi tekkelerini verimli bir şekilde kullanıyordu. "Tekkede buluşalım" sözü yeni parolasıydı İzmir'in. Harbiye'de yetişen subaylar, el altında gezen Fransızcadan tercüme eserleri fazlaca okuyup pozitivizme merak saldıklarından, Nazım'ın onlarla ilişki kurması hiç de zor olmuyordu. Meşveret'i çıkarırken Auguste Comte'un 'ordre et progres' yani 'düzen ve ilerleme' anlamına gelen sözlerini kullanıyor; pozitivizmi yazılarında ve konuşmalarında bir din gibi tanıtıyordu. 'Düzen ve ilerleme' ifadesi, ustaca bir çeviriyle İttihat ve Terakki'ye dönüştürülmüş ve Cemiyetin ismi olmuştu. Tütüncü Yakup Ağa'nın dükkânının üst katı, subayların ve heyecanlı gençlerin tekkesiydi. Masonlardan öğrendikleri gizlilik ve Balkan komitacılarından öğrendikleri teşkilatçılık tecrübesi, Nazım'ın kişisel zekâsıyla birleşince Yıldız'ın hafiyelerinin işi zorlaşıyordu. Subayların, maaşlarını alamamaları, alaylı subaylara nazaran üvey evlat muamelesi görmeleri, Aydınlanma'nın bu coğrafyada pek de bilinmeyen felsefî fikirleri Nazım'ın işini kolaylaştırıyordu. Nazım, bulduğu her fırsatı değerlendiriyor, sözü düzen ve ilerlemeden başlatıp eşitlik, özgürlük, kardeşlik nutuklarıyla güzelleştiriyor, bu düzene bir son verilmesi gerektiğinden bahsediyordu. Olumlu karşılık bulduğu insanlara, tenha yerlerde, cemiyete katılmalarını teklif ediyordu.

Selanik'te, Enver ve Kazım Beylerin yürüttükleri örgütlenmeyi, İzmir'de Nazım gerçekleştiriyordu. Her geçen gün, etrafında toplanan insanların sayısı artıyordu. Bir ara, İzmir'den uzaklaşarak Aydın'ın dağlarında Hoca Yakup olarak gezindi. Kılıktan kılığa giriyor, her ihtimali değerlendiriyordu. Gezilerini biraz da, dağ şeyhi Hasan Sabbah'ın siyah cübbesiyle yaptığı o meşhur gezintilere benzetiyor, kendi eliyle inşa ettiği Alamut'u isyana hazırlıyordu.

Eşref gibi Nazım da, dağdan yeni inen ve İstanbul'la arasını düzelten Çakırcalı'dan beklediği ilgiyi göremeyince, bu görüşmenin aralarında kalması ricasıyla onlardan ayrıldı. Dükkânına döndüğünde Süleyman Askeri'yle karşılaştı. Süleyman Askeri, yanındaki genç subayı Nazım'a tanıştırdı:

– Mustafa İsmet.*

İnce, zayıf ve kısa boylu Mustafa İsmet'in bakışları Nazım'ı tedirgin etti. Bir önseziydi bu. Tütüncü dükkânının ikinci katında masaya saçılmış Fransızca dergilerin, kitapların, teksir ve boya kokan gazete sayfalarının arasında Nazım, her zamanki gibi heyecanla konuşuyordu. Sofistler gibi akıl oyunları yapmayı çok seviyordu. Kuşçubaşı Eşref, kırık ayaklı bir taburede oturmuş, etrafındaki subayların Nazım'a dikkat kesilmiş hallerini inceliyordu. Süleyman Askeri ve Mustafa İsmet, Nazım'ın nutkundan etkilenmişlerdi. Eşref'in rahatsız olduğu tek şey, aralarında iki kadınının bulunmasıydı. Kadınlarla beraber toplantılar yapmak

* Mustafa İsmet İnönü

Nazım'ın tarzıydı. Baskın anında olaya zamparalık süsü vermek düşüncesindeydi. Eşref, anlam veremediği birtakım garip duygular beslediği bu adamla, aslında aynı kaderi paylaştığını defalarca düşünmüştü.

Nazım peltek konuşmasıyla nutkuna devam ediyordu:

– Düzen ve ilerleme, gelişmenin iki temel ilkesidir. Gelişme, toplumun sosyal gelişme evresini karşılayan düzen şekli, yerleştikten sonra harekete geçer. Gelişmenin ilk şartı düzendir ve düzen ancak merkeziyetçi bir yapıyla sağlanabilir. Ancak muktedir olan güç bu düzeni kurabilirse, bu bir kıymet arz eder. Zalim bir hükümdarın başıbozuk icraatları toplumu çok çabuk dağıtabilir. Bugünkü dağılışımızın yegâne sebebi de budur. Bu gelişmede en önemli rolü eğitim almalıdır. Eğitim çok önemlidir ve hedefi sadece bireyin terakki etmesi olmamalıdır. Asıl olan, bireye toplum içindeki görevlerini öğretmektir.

Düzen ve ilerleme için iki el ile bir baştan başka hiçbir şeye ihtiyacınız yoktur. Başınızı iki elinizin arasına alın ve düşünün. Tabiatın değişmez, sabit kuralları vardır. Her şeyden önce, bu kuralları iyi anlamak gereklidir. Yeni Osmanlılar, tabiî hukuk ve tabiat kanunu kavramlarını ilahî varlığın bir yansıması olarak kabul etmişlerdi. Bundan dolayı, bazen şeriat kurallarına bazen de akla dayalı hükümler vermişlerdi. Akıl gibi bir rehber olmasa, akıl gibi bir güneş olmasa nasıl bulabiliriz yolumuzu? Birlikten kuvvet doğar arkadaşlar. Kabiliyetlerimiz, aldığımız eğitim, sahip olduğumuz her şey, birlik olursak bir güç oluşturabilir. Tek bir oku kırabilirsiniz, fakat onlarca oku birden kırmak pek güçtür. İktidardaki güç sizi korkutmasın. Sizin gücünüz, birlik olmanız halinde bir padişahın korkuyla inşa ettiği güçten kavidir. Her gün bir vatan toprağı parmaklarımızın arasından kayıp gitmekte. Bunun tek bir sebebi var: Tolerans. Sahip oldukları servet ve makamı korumak için tolerans gösteren ve azgın bir canavar gibi devleti içeriden tüketen bürokrasi sınıfı. Ve okuma yazma bilmeyen alaylı zabitlerin, paşaların varlığı bu milletin yokluğudur...

Nazım'ın uzayıp giden konuşması tepki almıyor, üstelik kafa sallamaları ve haklısın sözleriyle pekişiyordu. Eşref, Nazım'ın fikirlerine önem vermekle beraber, onun milleti ayaklandırabileceğini düşünmüyordu.

– Nazım, bu halkı anlamak çok zordur. Sen ikna edici konuşuyorsun ama...

– Kolay değil Eşref, kolay değil... Görünmeyen bir deveyle güreşiyoruz... Cehaletle savaşmak kolay değildir. Her şeye rağmen, ben iyi şeyler olacağını düşünüyorum.

– İnşallah Nazım, inşallah...

Ama ikisi de çok iyi biliyorlardı ki sadakati akılla anlaşılamayacak halk, siyaset ilmiyle yönlendirilmeye ve kullanılmaya çok müsaitti. Nazım bir ibadet neşvesi içinde sürdürdüğü toplantıları devam ettirirken, Makedonya'da kıyam hazırlıkları başlamıştı. Artık kaybedecek vakit kalmamıştı. Sportik Kulüp'te aldığı bir haber Nazım'ı sarsmıştı. Heyecanını kontrol etmeye çalışıyor, fakat beceremiyordu.

Selanik merkez komutanı ve Abdülhamid'in sadıklarından Yarbay Nazım Bey, İttihat ve Terakki Cemiyeti tarafından vurulmuştu, ağır yaralıydı. Nazım Bey, son günlerde deşifre etmeye yaklaştığı Cemiyet mensuplarından 397 kişilik bir listeyi Yıldız'a bildirmeye hazırlanıyordu. İstanbul'da daha önce tedbirsiz davranmanın cezasını dağılmakla ödeyen Cemiyet, bu sefer erken harekete geçmiş, sorunu daha başlamadan halletmişti. Yarbay Nazım Bey, Enver Bey'in eniştesiydi ve suikasta Enver'in ismi de karışmıştı. Tüm Cemiyet büyük bir korku ve panik havası içindeydi. Yeraltında örgütlenen Cemiyet, ilk kıvılcımı beklemek ve gelişen durumdan vazife çıkarmak için gizemli sessizliğine devam etme kararı aldı. Aslında kimse, ne yapacağını tam olarak bilemiyordu. Cemiyet İzmir'de, gelişmeleri fısıltılar halinde gezen gazetelerden takip ediyordu. Yarbay Nazım Bey'in yaralanma olayından bir ay sonra, "Reval Mülakatı" yayınlandı.*

---

* 8-9 Haziran 1908

İmparatorluğun kaderi, bilinmez bir uçuruma doğru yol alıyordu. İngiliz Kralı VII. Edward ve Rus Çarı II. Nicola arasında imzalanan antlaşma, "Hasta Adam" tabir edilen Osmanlı İmparatorluğu'nu paylaşmayı esas alıyordu. İttihat ve Terakki, gelişmelerden fazlasıyla rahatsızlık duyuyordu, fakat yeraltının derinliklerine çekilmiş olmaları, oyunda ellerini zayıflatıyordu. Ancak kimse bu sessizliğin fazla uzun sürmesini beklemiyordu. Selanik, Cemiyet'e tam anlamıyla hâkim olamıyordu. Herkes münferit bir hareketin olmasından korkuyordu.

Nazım, aldığı haberi Eşref'e aktardıktan sonra, hızlı adımlarla tütüncü dükkânına yöneldi. Buradaki evrakları hızla toparladı. Ömrünün sonuna kadar unutamayacağı bu tütüncü dükkânına son kez bakarken gözleri nemlendi.

*** 

İki ay geçmeden ilk kıvılcım çakıldı. Resneli Niyazi Bey cuma namazını müteakip* iki yüz kişilik bir kuvvetle hürriyetin ilanını sağlamak amacıyla dağa çıkmıştı. Haber, Selanik, İzmir ve Manastır'da büyük bir sevinçle karşılanmış, artık bu yolun dönüşünün olmadığı herkesçe anlaşılmıştı. İkinci bir hareket de Manastır'dan bekleniyordu. Hürriyeti yalnızca Cemiyet istemiyordu. Bulgar, Yunan, Sırp, Karadağ komitacıları da hürriyet arzusuyla yanıp tutuşuyordu. Cemiyet bu duruma kendince bir çözüm bulmuştu. Bütün komitacılarla barış yapılmıştı.

Eşref haberi alınca, bir köşeye çekilip saatlerce düşündü. Doktor Nazım'a açmasa da yapılanlar arasında anlamlandıramadığı tek şey buydu. Balkan komitacılarıyla birliktelik kurmak, devleti yıkımdan kurtarmaya çalışan Cemiyet'in, ayrılmak isteyenlere istediklerini kendi eliyle vermesi demek değil miydi? Doktor Nazım, Resneli Niyazi'yle beraber dağa çıkanların isimlerini sayıyordu:

---

* 3 Temmuz 1908 günü

– Sırp komitacıların başı sayılan ünlü Circis, Yunan Kaptan Kleftus, Arnavut beyi İsa Bolatin, Bulgar komitacı Sandanski.

Eşref:

– Arap çöllerinde yaptığım işlerin bir tek amacı vardı, o da istibdat yönetimini yıkmak. Ama görüyorum ki, bugün anlayamadığım bazı şeyleri uzun bir süre daha anlayamayacağım... Enver'in nerede olduğu biliyor musun Nazım?

Nazım, bir sırrı ifşa eder gibi Eşref'in kulağına eğilerek;

– Enver, Tikveş'te saklanıyor, dedi.

Çölde geçirdiği sürgün yıllarında kendisine anlatılan bir hikâyeyi hatırladı.

– Nazım, çölde geçirdiğim günlerde bir hikâye anlatırlardı... Bak, dinle. Hikâye bir adamla bir yılanın dostluğunu anlatıyor. Adamın biri, bir yılanla dost olmuş. Dostlukları ilerleyince yılan, evi olan kuyunun başına her gün gelirse adama bir altın vereceğini söylemiş. Söylediği gibi de yapmış. Adam bir gün, hastalandığı için kendi yerine oğlunu göndermiş. Oğul babası gibi arif olmayıp açgözlülük ettiğinden, *yılanı öldürürsem kuyunun dibindeki bütün altınlar benim olur* diyerek havyanı öldürmeye teşebbüs etmiş ve attığı taşla yılanın kuyruğunu koparmış. Can pazarı tabiî, yılan kendini kurtarmak için çocuğa saldırmış ve onu ısırmış. Çocuk şiddetli zehrin etkisiyle olduğu yere yığılıp kalmış. Adam olayı öğrenince kuyunun başına koşmuşsa da iş işten geçmiş. Her ne kadar adam yılanla dostluğunu devam ettirmek istemişse de, yılan hakikatli bir söz söyledikten sonra gitmiş...

Eşref'in yüzüne anlamsız bakan bir ifade ile Nazım;

– Neymiş o yılanın hakikatli sözü, diye sordu.

– Bu söz Anadolu'da çokça söylenir. "Bende kuyruk acısı, sende evlat acısı olduktan sonra bizim dostluğumuz baki olmaz."

Eşref biraz duraksadı, vicdanında, yaptığı işlerin ezikliğini hissetti.

– Biz... Biz, kirlenen elbisemizin, uzayan sakalımızın, altında pislikler biriken tırnaklarımızın temizliğiyle meşguldük. Balkan komitacılar, elimizi, kolumuzu, bacağımızı kesmekle meşguller. Aynı şeyleri yapıyor gibi gözüksek de, yaptıklarımız birbirinden farklı. İstanbul'a yürüyeceğimiz komitacılarla, elden çıkan vatan toprağını kurtarmak için de beraber hareket edebilecek miyiz?

Nazım başını önüne eğip sessiz kalmakla, kaderi kendi kaderine çok benzeyen bu adama hak veriyordu. Eşref'in en çok güvendiği Enver Bey'di. *Her ne olursa olsun, onunla hareket edersem belki vatana faydam dokunabilir*, diye düşündü. Bedenine hâkim olmasını engelleyen bir sersemlikle yerinden kalktı, arkasına bile bakmadan yürüdü. Nazım, Eşref'in gidişinden öylesine etkilenmişti ki gidişini çöken bir imparatorluğun son onurlu yürüyüşü gibi algıladı.

Eşref aslında bundan sonraki hayatına doğru yürüyordu. Ömrünün sonuna kadar yapacağı her iş bu yürüyüş gibi olacaktı. Onurlu fakat her adımda tükenişe giden bir yürüyüş. Nazım uzun uzun Eşref'i seyretti. Vücuduna bir ağırlık çökmüştü. Eşref'in söyledikleri doğruydu ama dışarıdan yardım almadan Kanun-i Esasi'yi ilan ettirmek imkânsızdı. Otuz yıldır Abdülhamid'le mücadele ediliyordu. Son noktasına gelmiş bir işten, içinde yanlışlıklar barındırıyor diye vazgeçilemezdi. *Önemli işler, içinde duygusallık barındıramaz ve bu noktada kimsenin duygusal olmaya hakkı yoktur*, diye fısıldadı.

# II

Niyazi'nin dağlardaki hikâyesi üçüncü gününü dolduruyordu. Şarklılara özgü, bir hayvanın dağda gezen savaşçılara yol gösterme efsanesi, şimdi de Makedonya dağlarında vücut buluyordu. Niyazi Bey kadar, onun geyiği de anılıyordu artık. Geyik hakkında neler söylenmiyordu ki... Onun da bir hürriyet kahramanı olduğu, dağda hürriyet mücadelesi veren çetelere ilahî olarak yol gösterdiği...

Niyazi ve Eyüp Sabri Beyler, her şeyi arkalarında bırakıp dağlara çıkarlarken, finansman sağlamak için Selanik'te yapılan çalışmalar hızla devam ediyordu. Emanuel Karasso, bir İtalyan bankasından alınan, toplam dört teneke hacminde olan dört yüz bin lira değerindeki altını dağ yolcularına nasıl göndereceğini düşünüyordu. Aklına müthiş bir yol geldi. Parayı hiçbir şekilde yanlış yapmayacak olan Eyüp Sabri'ye, Mitroviçeli Necip Draga isimli zengin bir adamla gönderecekti. Aslında dört teneke altın iyi bir yatırım için gönderilmişti. Birinci kazanç, Filistin topraklarında bir Yahudi yurdu kurmak, ikinci kazançsa Abdülhamid tahttan indirilirse, gönderdiklerinin yüzlerce mislinin Yıldız Sarayı'nda olması idi. Âli Osman'ın yüzyıllarca yıldır biriken yatırımları

Yıldız Sarayı'ndaydı. Üçüncü kazançsa, biraz tarihî bir hesaplaşmaya dayanıyordu. 1902 yılında Filistin topraklarını Yahudiler için yurt olarak isteyen, karşılığında büyük paralar teklif eden ve hilafet makamından sert bir azar işitip kovulan Teodor Herlz'in intikamını almak. İştah kabartan bu yatırım Karasso'nun yüzündeki tebessümlerin artmasına sebep oluyordu. Gece yarısı tenekeler içine saklanmış altınlar dağ yolcularına gönderildi.

***

"Kâbe-i Hürriyet olan Selanik, yüzyıla şekil veren Büyük İnkılâbın* hayalleriyle kızıl bir güne uyandı. Binbaşı Enver, küçük aynanın karşısında yüzünü biraz daha iyi görebilmek için eğilmiş, ince uçlu bir makasla bıyıklarını düzeltiyordu. Eniştesi Yarbay Nazım Bey'in öldürülme olayına karıştığı için biraz pişmandı. Ama ablasına kötü davranan adamdan bu yolla intikamını aldığını da düşünüyordu. Yarbay Nazım'ın ölmemiş olması önceleri aleyhlerine görünse de, Niyazi'nin dağa çıkışı geri dönülmez bir hareketi başlatmıştı. Aslında olaylar, birbirini takip eden yanlışlar dizisinden başka bir şey değildi. Şikâyet ederek yaşamak istemiyordu. Bütün İttihatçıların bir sır gibi içlerinde taşıdıkları duygu, yönetime hâkim olma ve hükmetme arzusuydu. Bu duygu, önlenemez bir hal almıştı.

Bir an, çok sevdiği Niyazi aklına geldi. Geyiğin peşinden giden hürriyet kahramanı... Aklından geçenler, tebessüm etmesine sebep oldu. Arka cebinden ince kemik tarağını çıkardı. Prusyalı subaylar gibi uçlarını yukarı kaldırarak taradığı bıyıklarını bu sefer aşağı indirdi. Alışkanlığın verdiği bir bakışla bu yeni şekli beğenmedi ve bıyıklarını tekrar eski haline getirdi. Üzerindeki üniformayı uzun uzun seyretti. Apoletlerine uzattığı elini bir titreme aldı. Çevik bir hareketle apoletlerini söktü. Omzunda taşıdığı bu büyük sorumluluğu indirmek, içinde manevi bir ra-

---

\* Fransız Devrimi

hatlığa sebep oldu ama çok sevdiği askerlik mesleğine bir daha hiç dönemeyebilirdi. Apoletlerini söktükten sonra üniformasını da çıkardı. Beyaz mintanıyla beyaz poturunu özenle giydi. Üzerine kırmızı kuşağını sardı. Aynadaki hali hiç hoşuna gitmedi. Mintanın etekleri biraz uzundu. Başına kırmızı fesini geçirdi, boynuna da dürbününü taktı. Tam bir köylüye benzemişti. Kapıda bekleyen iki nefer, huysuzlanan atını zapt etmeye çalışıyordu. Dışarıya çıkıp atına bindi ve atı iki yüz kişiden oluşan Manastır Milli Taburu'nun önüne doğru sürdü.

Sağında, bir at boyu geride duran Yakup Cemil'e baktı. Cemiyet'in fedaileri arasında en acımasız ve en cesaretli olan oydu. Fakat Yakup Cemil'i kontrol etmek kolay değildi. Aklına koyduğu şeyi gözünü kırpmadan yapardı. Enver, Yakup Cemil'in ağlamamak için kendini zor tuttuğunu görünce şaşırdı. İki yüz kişilik birliğe dönerek;

– Hürriyet için dağa çıkıyoruz, dedi. Şu andan itibaren birer devlet adamı değiliz. Başıboş hareket edilmeyecek, ırz ve namusa el uzatılmayacak. İhtiyaç hâsıl olmadıkça mala dokunulmayacak. İhtiyaçları ise biz belirleyeceğiz. Başıboşluk affedilmeyecek. Malzeme temin ederken devlet görevlilerine senet vereceğiz ve bu senetler para yerine geçecek. Zorluk çıkaranlar cezalandırılacak fakat buna siz karar vermeyeceksiniz.

Selanik'in Vardar Ovası'na açılan kapısında son kez etrafını seyretti. Olimpos Dağı'nın yüceliği, içinde zaptedemediği savaşçıyı gururlandırdı. Kazım'ın Manastır'da, biraz da latife olsun diye söylediği "Cihan Seraskeri" sözünü hatırladı. Yüzüne hoş bir tebessüm yansıdı. Birlik, hareket emriyle ilerlemeye başladı. Atların ayak sesleri pusat şakırtılarına karışmıştı. Süvariler, Vardar Kapısı'ndan ince sigara dumanını anımsatan bir toz bulutu şeklinde ilerliyorlardı.

Tikveş'te Mustafa Kemal'le karşılaştılar. Mustafa Kemal, Cemiyet'in verdiği yetkileri bildiren mektubu Enver'e uzattı. Enver Bey o sırada Mustafa Kemal'in elini tuttu:

– Hepimizin yolu aynı... Ya hürriyet, ya ölüm...

– Allah muvaffak etsin Enver Bey.

– Sağol kardeşim. Cemiyet, malzeme temini ve para bulma hususunda kurallara dikkat edilmesini istiyor. Başıbozukluk ve çapulculuktan korkuyoruz.

– Evet. Bu bizi halkın gözünden düşürür. Maksadımızdan uzaklaştırır.

***

İstanbul'un dağa çıkanları indirmek için düşündükleri, dağdakileri dehşete düşürdü. Müşir Şemsi Paşa seksen taburla yola çıkmıştı. Serin serin esen rüzgârlar, dağdakilerin kulağına Şemsi Paşa'nın acımasızlığını fısıldıyordu. Şemsi Paşa'nın kişiliği kadar sert bir karar alınmışsa oluk oluk kan akacağı kesindi. Dağ başında hararetli tartışmalar yaşanıyordu. Aslında herkesin aklında aynı çözüm vardı fakat bir taliplisi çıkmaz diye kimse bunu yüksek sesle söyleyemiyordu. Gecenin ilerleyen saatlerinde nihaî karar alındı. Mülazım Atıf, yeni görevi kabul etti. Atıf, arkadaşı Mustafa Necib'i dışarı çağırdı:

– Sağ dönmezsem bu saati anneme ver.

Dağ kendini korkuyla karışık bir uykuya teslim ederken, Atıf'ın gözleri yeni görevinin endişesini taşıyordu. Yapacağı iş, oluk oluk kan akmasından daha iyi gibi görünüyordu. Vicdanından gelen ses, düşüncelerini yalanlasa da, görevinin doğruluğuna inanmak istiyordu.

# III

Manastır Meydanı'nı büyük bir sessizlik kaplamıştı. Çeşme başında su dolduran genç kızlar, koşuşturan çocuklar, bir anda yaklaşan at seslerine dikkat kesildi. Sağında yaveri Mustafa Fevzi,[*] solunda ve arkasında iki emir subayıyla ilerliyordu Paşa. Her an uçmaya hazır gibi duruyordu atları. Paşa'nın bakışları, insanlarda büyük bir korku uyandırmıştı. Atlılar, meydandan postaneye yöneldiler. Bir çift göz, Paşa ve arkadaşlarını sessizce takip ediyordu.

Yaver Mustafa Fevzi ve Şemsi Paşa birlikte içeri girdiler. Telgraf başındaki asker, söylenenleri dikkatle dinliyor, manyetonun ritmik sesi postanede yankılanıyordu. Seksen tabur asker, büyük bir iç isyanı önlemek için hazır bekliyordu. Şemsi Paşa sert ve tavizsiz kişiliğiyle tanınırdı. Ama yeni görevi, yüreğinin derinliklerinde korkuya sebep olmuştu. Huzursuzluğu her geçen saniye biraz daha artıyordu. Bir avuç eşkıyanın Devlet-i Âli'ye rest çekme hakkı olamazdı. Bugün bunu düzeltmezse tarihin akışı farklı olabilirdi. Ne kadar kan akacağını kestirmek zordu. Ma-

---

[*]   Mustafa Fevzi Çakmak

kedonyalı İskender'in Perslerle yaptığı büyük savaş geldi aklına. Bir an, Mustafa Fevzi'nin tebessüm ederek kendisine baktığını gördü. Manyetonun sesi kesilince topuk seslerini dinleyerek dışarı çıktı.

Postanenin önünde durup dikkatli gözlerle Manastır'a baktı. Gözlerinin önünden hayal gibi gidip gelen gölgeler, kendisine doğru yaklaşan bir subayın topuk sesleriyle dağıldı:

– Komutanım, acil bir mektup var.

Paşa, subayın gözlerine bakarken şaşkınlığını gizleyemedi. Hafızasında, karşısında duran subaya ait bir resim yoktu. Elini mektuba uzatırken madalyalarla dolu göğsünden sesler geliyordu. Mektubu açarken içini saran endişe, bir ağrı olarak kalbine vurdu. Yaşlanmıştı. Subayın elini silahına attığını gördü. Bir anda gölgeler sardı etrafını. *Çaresizlik bu olsa gerek*, diye geçirdi içinden. Karşısında duran bir subay değildi. Arka arkaya duyulan iki el silah sesi, gölgeleri karanlığa çevirmeye başladı. Paşa'nın madalyalarla dolu göğsü kan içinde kaldı. İri bedeni merdivenlere düştü.

Yaver Mustafa Fevzi, bir an şaşkınlıktan ne yapacağını kestiremedi. Teğmen Atıf Kamçıl'ın arkasından tabancalar ateşlendi. Yağmur gibi yağan kurşunlardan sadece biri, suikastçının ayağına isabet etti. Paşa'yı hastaneye yetiştirme telaşı başladıysa da, artık çok geçti. Emir subaylarından biri, Paşa'nın kanlar içinde kalmış avucundaki zarfı aldı. Korkudan kanı çekilmiş dudaklarından, beynini uyuşturan şu cümleler döküldü: "Ya vatan ya ölüm…"

İttihatçılarla Yıldız Sarayı arasında savaş başlamıştı artık. İlerleyen günlerde kan durmadı. Şemsi Paşa'nın yerine atanan Müşir Osman Paşa da, Manastır'a ulaşamadan bir bağ evinde Resneli Niyazi tarafından dağa kaldırıldı. Balkanlar'dan üst üste telgraflar geliyor, her gün yeni bir suikastla Saray'dan, Meşrutiyet'in ilanı isteniyordu. Saray'ı en çok şaşırtan olaylardan biri, 22 Temmuz'da gerçekleşti. İzmir Kolordusu'na bağlı on sekiz bin asker, Selanik rıhtımına ayak bastı ve kardeş kanı dökmeyeceklerini söyleyerek silah bıraktı. Eşref, bu olayın tamamıyla Doktor Nazım'ın marifeti olduğunu, Nazım'ın aylarca sürdürdüğü çalışmaların neticesini aldığını küçük, mukavva kaplı defterine not etti.

Abdülhamid, Rumeli Müfettiş-i Umumisi Hilmi Paşa'dan vaziyeti ve Cemiyet'in şu anki kuvvetini hemen cevaplanmasını istediği bir telgrafla sordu. Telgrafhaneden gelen cevap, durumu kısaca özetliyordu:

"Zat-ı Hazret-i Padişahîlerine arz edeyim ki, bu havalide benden başka herkes İttihat ve Terakki Cemiyetine dâhildir."

# IV

11 Temmuz 1908
İstanbul-Selanik-Manastır-İzmir

Üzerinde hırpani bir tulum bulunan çocuk, Beyoğlu'nun dar sokakları arasından Pera'ya doğru koşuyor, avazı çıktığı kadar bağırıyordu:

– İlave! İlave! Padişah Efendimiz Hazretleri'nin emriyle basılan son ilave... Yazıyor... Padişah buyruğunu yazıyor...

Son dakika baskıları İstanbul'da çok da bilinen bir şey değildi. Herkes büyük bir merak ve heyecan içinde çocuğa yöneldi.

– Nedir bu çocuğum?

– Padişah Efendimiz Hazretleri'nin emriyle basılan bir not.

Çocuk, boynuna astığı bezden dikilmiş torbadan küçük kâğıtlara basılmış notları çıkardı.

– Neden sabah baskısında yoktu?

– Gazete baskıdan çıktıktan sonra geldi. Merak etmeyin efendim, herkese yetecek kadar var.

Bir yandan da, meraklı gözlerle kendisini uzaktan seyreden insanları başına toplamak için bağırıyordu:

– Yazıyor... Yazıyor...

İtalyan kesim şık bir redingot takım giymiş bir delikanlı, çocuğun dağıttığı notlardan birini eline alıp okudu. Delikanlının yüzünde, şaşkınlıkla karışık bir tebessüm belirdi. Okuduklarına inanmakta zorluk çekiyordu. Notun altında, Padişah'a ait bir imza ya da mühür yoktu. *Güvenilir bir not mu acaba*, diye düşündü. Ama okuduğu notun şaka kaldırır yanı yoktu. Sokaklarda "İlave! İlave!" diye bağıran çocukların sayısı artınca, kendisine notu veren çocuğa iyi bir bahşiş uzattı. Çocuk hayretle redingot takım giymiş gence bakarken şefkatli bir elin saçlarında gezindiğini hissetti.

– Sağolun efendim.

– Asıl sen sağol arkadaş, elinde ne taşıdığını bir bilsen...

– Nedir efendim?

– Hürriyet evladım... Hürriyet... Hürriyet...

– Hürriyet nedir efendim?

– İyi bir şeydir arkadaş, tebessüm etmek gibi bir şeydir.

Siyah elbiseli adam elindeki notla uzaklaşırken çocuğun başındakiler kendilerini bir tartışmanın içinde buldular.

– Nedir bu hürriyet?

– Nerden bilelim! Tebessüm gibi bir şeyler söyledi ama anlamadım.

Aşağıdakiler, balkonlarından meraklı gözlerle bakarak soru soranlara cevap yetiştirmeye çalışıyorlardı.

– Hürriyet gelmiş, hürriyet...

Kalabalıktan hürriyetin aslında bir kadın olduğunu, yakında İstanbul'a geleceğini söyleyenler çıktıysa da, bu düşünce pek itibar görmedi. Daha aklı başında birinin, "Hürriyet serbestliktir, insanın aklına gelen her şeyi yapmasıdır" yorumu da pek ilgi görmedi. "Bu daha önce görülmüş, duyulmuş iş midir?" diye çıkıştı biri. Bir başkası, "Herkes aklına geleni yaparsa düzen mi kalır? Hem Padişahımız Efendimiz böyle gayriciddî işlere izin verir mi?" diye serbestlik yorumuna muhalefet gösterdi.

Anlaşılan hürriyetten en çok hırpani tulum giymiş çocuk memnun olmuştu. Cepleri şimdiden bahşişle doldu. Bir anlam veremediği tartışmaları arkasında bırakarak gazetenin yolunu tuttu. İçinden, *hürriyet iyi bir şey herhalde, şimdiden ceplerim bahşişle şişti*, diye geçirdi.

Siyah elbiseli adam, sefaret kapısında bekleyen görevliye tebessüm ederek baktı. Görevli çok da alışık olmadığı bu durum karşısında ne yapacağını bilemedi. Eli ayağına dolaşarak toparlanmaya çalıştı. Sefaret binasından Selanik'e son baskı geçiyordu. Telgraf başındakiler, dökülen harfleri dikkatlice takip ediyorlardı.

*"Vezir- i mali semirim Said Paşa, Ferid Paşa kabinesinin vuku-u istifasına ve müsellem olan ehliyet ve dirayetinize binaen mesned-i sadaret uhdenize mesned-i meşihat dahi Cemaleddin Efendi uhdesine tevdi edilmiştir. Memleketin bundan böyle meşrutiyetle idaresi padişah tarafından irade olunmuştur."*

Düşülen son not nefesleri kesmişti. Kötü bir şaka gibiydi bu. Ortam bir anda buz kesmişti. Ama Mason localarından, kulüplerden gelen haberler hep aynıydı. İstanbul'da yaprak kımıldamazken, Selanik bir anda sevince boğuldu. İnsanlar birbirlerinin boynuna sarılıyor, şapkalar havalara fırlatılıyordu. Secdeye kapananlar, kiliselere mum yakmaya koşanlar... Sokaklarda bir anda mahşerî bir kalabalık toplandı. Havaya sıkılan kurşunlar, sevinç çığlıklarıyla karışıyordu. Şehre tam bir sefahat havası hâkim oldu. Kulüplerde Rum kadınlar, müzik eşliğinde dans ediyor, kadehler havalarda tokuşuyordu. Coşku içindeki İttihatçılardan bir anda ayağa fırlayıp nutuk atmaya başlayanları, alkış tufanları onurlandırıyordu. "Hesaplar benden!" naraları, meyhanelerin yağ kokusu sinmiş duvarlarında yankılanıyordu.

– Devr-i istibdat artık bitti! Yaşasın hürriyet! Yaşasın kardeşlik! Yaşasın eşitlik!

Sokaklardaki insanlar yavaş yavaş Beyaz Kule'nin etrafına akmaya başladı. Beyaz Kule, Selanik'in özgürlük anıtıydı. Bir zamanlar insanların hapsedildiği, zincirlere vurulduğu söylenen

kule, kötü şöhretinin silinmesi için sonradan beyaza boyanmıştı
ama hafızalarda bıraktığı izler hâlâ tazeydi.

Kutlamalar hız kesmeden devam ediyordu. Yüz bir pare top
atışı yapılarak hürriyetin ilanı kutlandı. Manastır'da da durum
farklı değildi. Top atışları şehri sarsıyordu.

Manastır'daki kutlamalar daha çok askerî ağırlıklıydı. Harbi-
ye Mektebi Müdürü Vehib Paşa, meydanda top arabası üzerine
çıkmış, olanca azametiyle nutuk irat ediyordu:

– Muazzez vatandaşlar, mukaddes kardeşler! "Ümmetim, da-
lalet üzere içtima etmez" hadis-i şerifi en kuvvetli rehberimizdir.
Adalet, müsavat, hürriyet esas mesleğimizdir. Cenab-ı Hakk'a
sayısız hamd ve senalar olsun ki, insan gibi yaşamak, Allah'ın
emri, Peygamber'in kavliyle amil olmak zamanını idrak ettik.
Artık cennetmekân Kanunî Sultan Süleyman zamanından beri
padişahla millet arasına çekilen kafesi kıracağız. Padişahımızın
etrafını saran hain, rezil, kötü niyetli, sefil ve alçak herifler kah-
rolsun! Aç ve bîilaç olarak San'a zindanlarında, Diyarbakır, Er-
zurum, Akka kalelerinde, Fizan'da sefil ve sergerde olan ümmetin
özgürlük taraftarlarının saadet, hürriyet ve ikbalini dileriz.

Ey vatandaşlar! Ya Kanun-i Esasi, ya ölüm!

Ey Ohri kahramanları, ey Resne aslanları, ey Manastır yiğit-
leri! Dünyada misline tesadüf edilmeyen bir asalet ve necabetle
millî vazifelerinizi ifa ettiniz. Sizi bağrımıza basar, sonu gelmez
teşekkürlerimizin kabulünü rica ederiz.

Yaşasın vatan, yaşasın millet!

Top arabasının etrafını sarmış subaylar arasında gözyaşlarına
engel olamayanlar çıkıyor, fakat Paşa'nın huzurunda aşırı heye-
can göstermemek için kendilerine hâkim olmaya çalışıyorlardı.

İzmir'de durum daha farklıydı. Kordonboyu, sevinçlerini
kontrol edemeyen insanların buluşma yeri haline gelmişti. Türk,
Bulgar, Yunan, Sırp, Musevi... Hepsi ellerinde kendi bayraklarıy-
la yürüyorlardı. İzmir'de de halk arasında hürriyetin ne olduğu
üzerine tartışmalar devam etmekteydi. Gece Kordon'da fener

alayları düzenlendi, top atışları yapıldı. Kuşçubaşı Eşref sokaklarda geziniyor, gösterileri heyecan ve gururla seyrediyordu. Arap çöllerinde verdiği mücadelenin tek amacı işte bugüne kavuşmaktı. İçinde çok da anlamadığı bir huzursuzluk vardı. Bir anda karşısında Doktor Nazım'ı görünce çok şaşırdı. Nazım, durumun hassas olduğu günlerde ortadan kaybolmuştu. Kaderleri birbirine benzeyen iki arkadaş sevinçle kucaklaştılar.

– Nazım, nerelerdeydin? Yakalandığını düşünmüştük.

– Milas'ta saklanıyordum.

Doktor Nazım hıçkırıklarını tutamıyordu.

Kadife Kale'den hürriyeti selamlayan top atışları duyuluyordu. Nazım, Kadife Kale'ye dönerek gözlerindeki yaşları sildi.

– Tam on beş yıl Eşref... Mücadeleyle geçen on beş yıl... Boşuna değilmiş. Bir idam mahkûmu olarak Selanik'te, İzmir'de çalıştım. Bugün görüyorum ki hiçbir gayret neticesiz kalmıyormuş.

Eşref'le birlikte Kordon'a doğru yürüyorlardı.

Eşref:

– Kıyafetin Nazım... Hâlâ Tütüncü Yakup Ağa'nın kıyafeti üzerinde, dedi.

– Evet Eşref. Tütüncü Yakup Ağa da, Hoca Mehmet Efendi de en az Nazım kadar kahramandır tarih huzurunda.

– Ne yapmayı düşünüyorsun?

– Hemen Selanik'e gitmeyi düşünüyorum. Sizden bir ricam olacak Eşref Bey. Hassas günler bu günler, fırsatçılar için bulunmaz günler. Hürriyetin ne olduğu çok da bilinmiyor. Bazıları, akıllarına gelen her şeyi yapabileceklerini sanıyorlar. Siz arkadaşlarla duruma hâkim olmaya çalışın.

– Tamam, ama resmî mi, gayriresmî mi?

Nazım, Eşref'in tebessüm ederek yaptığı şakayı gülerek karşıladı:

– Biz idama mahkûm olmuş insanlarız Eşref. Gerçi Şemsi Paşa sana yardımcı oldu ama ben hâlâ idam mahkûmuyum.

– Yakında umumî af çıkacaktır.

Eşref, dava arkadaşının elini sıktı. Ona veda ederken gözleri doldu.

– Hürriyet kahramanlarına, Kuşçubaşızade'den selam söyle Nazım.

Nazım fazla gecikmeden Selanik'e doğru yola çıktı. Biliyordu ki bu işte önde gitmiş insanların hepsi orada olacaktı. Yanılmamıştı da. Enver de aynı saatlerde Selanik istasyonundaydı. Talat, Enver'e sarıldı. Önceden hazırlattığı kırmızı kaplı bir Kanun-i Esasi kitabını hediye etti. Binbaşı Cemal, Enver'in boynuna sarılarak kulağına fısıldadı:

– Sen artık Napolyon oldun Enver.

# V

Kuşçubaşı Eşref, üzerindeki İzmir ve havalisi zaptiye amiri kıyafetine bakınca kendini gülmekten alamadı. İdama mahkûm bir sürgün olarak geldiği şehrin güvenliğinden sorumlu olmuştu. Kardeşi Selim Sami de, arkasından yardımcısı olarak yürüyordu. Kalabalık İzmir limanında toplanmış, bir kahraman namzedi olan Doktor Nazım'ı bekliyordu. İmamlar, hahamlar ve papazlar sağ tarafa, tüccarlar sol tarafa dizilmişti. Eşref, tüccarlar arasında İttihatçıların büyük saygı duyduğu Evliyazade Refik'i gördü. Refik Bey, kar beyaz bir mendille gözyaşlarını siliyordu. Kordon'da yapılan kutlamalar da dikkat çekiciydi.

Eşref'in kardeşi Selim Sami etrafta düzeni sağlıyor, olası bir hareketliliği gözlüyordu. Kalabalığın dışında bir manga asker, silahlı olarak emir bekliyordu. Aslında şehir İttihatçıların kontrolündeydi. Eskiler, başlarına geleceklerin belirsizliği içinde güvenli yerlerde gizleniyorlardı. Önemli görevlerde olanlar ise, haklarında verilecek kararın ne olacağını bilemedikleri için büyük bir tedirginlik içinde af bekliyorlardı. Gemi gözükünce hareketlilik başladı. Uğultular giderek yükseliyor, herkes birbirine Doktor Nazım'ı ve yaptığı kahramanlıkları tekrar tekrar anlatıyordu.

Doktor Nazım çok uzaktan bile belli olan kalabalık karşısında şaşırdı. Komita iyi çalışmıştı. Tütüncü Yakup Ağa ve Hoca Mehmet Efendi'nin kıyafetleri Doktor Nazım'ın çantasındaydı.

Artık gizlenmesini gerektirecek bir şey kalmamıştı. Üzerinde, Paris centilmenlerinin giydiği türden bir kıyafet vardı. Komitacı değil, doktor kıyafetiydi giydiği.

Çalan bando eşliğinde renkli mendiller sallanıyor, iltifatlar birbiriyle yarışıyordu. Küçük sandallar, yanaşan gemiye eşlik ediyorlardı; ayağa kalmış insanlar, ellerindeki bayrakları sallayarak seslerini Doktor Nazım'a ulaştırmaya çalışıyorlardı. Doktor Nazım'ın, hazırlanan kürsüden bir nutuk atmasını istediler.

Nazım kalabalıklar karşısında konuşmaktan ve alkışlanmaktan çok hoşlandığı için, yaptığı kahramanlıkları anlatırken ara ara nefes alıyor, kalabalığın alkışını dinliyordu. Gıyabında idamına karar verildiği bir dönemde, Marsilya limanından hareket etmiş, önce Selanik'te, sonra da İzmir'de çalışmıştı. Aklına gelen hatıraları kısaca yâd ettikten sonra kürsüden indi. Antik Çağ kahramanlarının gururunu taşıdığına inanıyordu. Peleponnes savaşlarının kahramanı Aşil'in, Abdülhamid istibdadı karşısında yeniden dirildiğine inanıyordu. İçindeki coşku yavaş yavaş büyük bir gurura dönüşüyordu.

Nutuktan sonra Yüzbaşı Ruşenî'yle birlikte yürümeye başladılar. Eşref, güvenliği sağlamakla meşguldü. Belediye ve azınlıklara ait havralar, kiliseler ziyaret edildi. Hürriyetin ilanı için verilen mücadelede gösterdikleri yardımlardan dolayı yetkililere teşekkürler edildi. Müftülüğe uğranmaması Eşref'in dikkatinden kaçmamıştı ama bunun özel bir anlamı olduğunu düşündüğünden arkadaşlarına herhangi bir ikazda bulunmadı.

Gördüğü ilgi Doktor Nazım'ı coşturmuştu. İçindeki ses ona, fatih bir komutan olduğunu fısıldıyordu. Tütüncü Yakup Ağa'nın, Asmalımescit'te tütün ve fes sattığı küçük dükkânına gidildiğinde, duygularına hâkim olamadı. Sarı yüzüne kan hücum etti. Heyecanlandığı zaman kekelemeye başlardı. Yine aynı şey olmuş, kelimeler boğazına düğümlenmişti. İhtilalin mayalandığı bu küçük dükkân Eşref'i de derin düşüncelere daldırdı. Asmalımescit'teki dükkândan ayrıldıklarında, Doktor Nazım içinde büyüyen gurura engel olamadığını hissediyordu. Sıra, hürriyet mücadelesi verilirken saltanata sadık kalanlara verilecek cezalara gelmişti. Doktor Nazım, bu konuda son derece sert bir tutum takınmıştı. Büyük bir hırsla hareket ediyor, karşısındaki komutanların yüzlerine, devlete sadık kalmayı tercih ettiklerini büyük bir günah işlemişlermişçesine haykırıyordu. Hızını alamadığı zamanlarda, rütbelerini kendi elleriyle söktüğü komutanların yüzüne tükürüyordu. Doktor Nazım'ı takip eden, halktan bazı kişiler de bu şiddetli hareketlerden cesaret alarak askerlere saldırmaya kalkışıyordu. Eşref, olanlar karşısında duyduğu şaşkınlığı üzerinden atarak Nazım'ı sakin bir köşeye çekti.

– Nazım, ne yapıyorsun sen?

– Bu adamlar bunu çok daha fazlasıyla hak ediyor Eşref.

– Ne yapmış olurlarsa olsunlar, böyle davranmak bizim hakkımız olamaz.

– Eşreeef! Sen bu işlere fazla karışma, muhalifleri sindirmek lazım. Cemiyet'in eğilimi bu yöndedir.

– Bak Nazım, ben komita kararı falan anlamam. Seni son kez ikaz ediyorum. İnsanları rencide edecek şekilde hareket etme.

Eşref'in yüz hatlarındaki gerginlik, Nazım'a işin ciddiyetini anlatıyordu. Aslında Eşref, Doktor Nazım'da gördüğü birçok davranışı, İzmir'de ona yardımcı olduğu günlerde de kabullenemiyordu. Nazım'ın toplantılara zamparalık havası katmasına karşı çıkıyordu. Ancak şimdi Eşref için Doktor Nazım tanınamaz bir hale gelmişti. Eşref kutlamalardan sonra başlayan sokak olaylarını ve Prens Sabahattin grubunun faaliyetlerini önlemek için günlerce durup dinlenmeden çalıştı.

İzmir günler sonra, gelinliğini giymiş genç bir kız gibi mutluydu. Levantenlere ait kulüplerde sohbetlerin konusu aynıydı. Abdülhamid'in istibdadı kahrolmuş, hürriyet bir güneş gibi ufukta doğmuştu.

# DÖRDÜNCÜ DEFTER

## Otuz Bir Mart

# I

1909
*İstanbul*

Kutlamaların sarhoşluğu fazla sürmedi. Meşrutiyet'in ilanı yeni sorular doğurmuştu. Bütün hesaplarını Meşrutiyet'in ilanına, Abdülhamid'in tahttan indirilmesine göre yapan Cemiyet büyük bir şaşkınlık içindeydi. Asıl amaçları olan Meşrutiyet'in ilanı gerçekleşmişti. Abdülhamid'in kendilerini politika meydanına çekmek istediğini düşünüyorlardı. Avrupa'yı iyi tanıyor olsalar da, politik kararlar alabilme konusunda Yıldız'la baş edebileceklerine inanmıyorlardı. Devlet-i Âli çok zor zamanlar yaşıyor olsa da, Abdülhamid iktidarını otuz iki yıldır aralıksız sürdürebiliyordu. Yıldız Sarayı'nda olup bitenler hâlâ sırrını çözemedikleri bir muammaydı.

Eşref, İzmir'de kalmıştı ama Cemiyet'in yeni gözdesi İstanbul'du. Sokaklar bayram yeri gibi canlı ve enerji yüklüydü. Kışlada askerî bando halkı coşturacak marşlar çalıyor, çocuklar ellerindeki bayrakları sallayarak sokaklarda koşuşturuyorlardı.

"Ordumuz etti yemin,
Titredi haki zemin,
Biz milleti ettik emin,
Açıldı rah-ı nevin,

Sancağımız canımız,
Osmanlı unvanımız,
Vatan bizim canımız,
Feda olsun kanımız."

Meşrutiyet'in ilanından bir gün sonra, umumi af ilan edildi. Affa uğrayan mahkûmlar hep bir ağızdan "Padişahım çok yaşa!" naraları atıyordu. Hürriyet havası, memleketin dört bir yanına yayılıyordu. Anlamını çok da iyi bilmedikleri hürriyeti, akla gelebilecek her şeyin yapılabilmesi olarak anlayanların sayısı hiç de az değildi.

Basın, hürriyetin ilanıyla eleştirilerini daha da şiddetlendirmiş, hakaretler önü alınmaz bir hal almaya başlamıştı. Cemiyet, art arda gelen ayaklanmaları önlemek için, meşrutî yönetimin şeriata uygun olduğu yönünde fetva aldı.

İttihat ve Terakki mensuplarının buluşma yeri olarak da bilinen Şeref Sokak'taki merkezde, redingot takım giyinmiş, belinde martini tabancalarını göstere göstere gezen fedailerin sayısı gün geçtikçe artıyordu. Bunların çoğu, Meşrutiyet'in ilanı için çalışmış kişiler değildi. Ekserisi yeni düzenden istifade etmeyi planlayan, kendilerine yeni bir çevre edinmeye çalışan çıkarcı kimselerdi. Ayak takımı diye nitelenen bu kişilere, muhalif bir grup meydana getirebilirler endişesiyle hoşgörüyle bakılıyordu. Cemiyet, Meşrutiyet'in ilanıyla hayalini kurduğu teşkilatlanmayı başaramamıştı.

İstanbul'a gelen Talat, Enver, Cavit ve Rahmi beyler ilk iş olarak eski kadroları tasfiye edip alaylı subayların orduyla ilişkisini kestiler. Selanik'te, Manastır'da kinle baktıkları subayların birçoğu artık yetkili değildi. Ordu, Harbiyeli genç subayların elindeydi. İttihatçılar, Sultan Hamid döneminde eleştirdikleri ne varsa hepsini pervasızca tekrarlıyor, aynı hataları geçmişi aratırcasına yineliyorlardı. İstanbul, Cemiyet ile muhaliflerin savaş alanına dönüşmüştü. Sokaklarda güvenlik kalmamıştı. Faili meçhul cinayetlerle insanlar sindiriliyor, istenilen bildirileri yayınlamayan gazeteler basılıyor, Cemiyet'e eleştiride bulunan gazeteciler silah çekilerek susturulmaya çalışılıyordu.

Cemiyet, hürriyetin korunması için Makedonya dağlarında çetelerle mücadele eden ve ismini de buradaki mücadelelerinden alan "Avcı Taburları"nı İstanbul'a yerleştirmişti. Üçüncü ve Dördüncü Avcı Taburu Taşkışla'da, İkinci Avcı Taburu da Sarayburnu'ndaydı. Taşkışla'da sadece Avcı Taburları yoktu, sayıları oldukça kalabalık olan Hassa Askerleri de vardı. Başlarındaki subaylarsa, çete takiplerinde geçirdikleri uzun yıllardan sonra geldikleri İstanbul'da, Beyoğlu'ndaki sefahat mekânlarında kendilerini kaybetmişlerdi. Taburlardaki başıbozukluk iç acıtacak vaziyetteydi. Sokaklar yeni yönetimi kabullenmiş görünse de, içten içe büyüyen kaynama, ordu içinde yeni bir muhalif gurubun oluşmasını tetikliyordu.

Yıldız, yeni durumu dikkatle takip ediyor fakat müdahil olmamaya çalışıyordu. Talat, Enver ve Cemal beyler, İstanbul'da pek rahat değillerdi. Yıldız'ın kendilerini hata yapmaya zorladığına inanıyor, bu nedenle, adımlarını atarken çok dikkatli davranıyorlardı. Bu da, ardı sıra birbirini tetikleyen hadiselerin çıkmasına sebep oluyordu. Meşrutî yönetimden istifade etmek isteyen ve yeni görev talebinde bulunan Cemiyet mensupları giderek çoğalırken, bir yandan da erişmek istediği makama gelemeyenlerin toplandığı bir küskünler grubu oluşuyordu.

Korku ve endişe, şiddeti tetikliyordu. Cemiyet, olayların önüne geçmek ve gücünü gösterebilmek için işi, sokak ortasında falaka çekmeye kadar götürdü. Menfaat paylaşımı ve rütbe dağılımları adil olmadığından Cemiyet kendi kendini tüketmeye başlamıştı. Cemiyetin ileri gelenleri sık sık İzmir ve Selanik'te bir araya gelip yeni durumu değerlendiriyorlardı. Levanten kulüplerinde, Mason localarında sabahlara kadar süren tartışmalarda artık iktidara sahip olunması gerektiği, yoksa siyasi alanda daha başarılı olduğu açık olan Abdülhamid karşısında gün gün eriyip yok olunacağı tezi savunuluyordu. Balkanlardaki çetelerden yardım alınmadığı takdirde, İstanbul'da bir Alemdar Ordusu'nun muvaffak olamayacağı artık herkesçe kabul edilir olmuştu.

# II

Zabit Mustafa, sönük geçen cuma selamlığından kışlasına dönüyordu. Eskiden müthiş gulguleli ve ihtişamlı gösterilere sahne olan Yıldız Camii, günü sakin geçirmişti.

Abdülhamid'in yüzündeki üzüntü gözlerden kaçmamıştı. Sultan, Taşkışla'ya girdiğinde, sarıklı cübbeli medrese hocalarının, onar on beşer kişilik gruplar halinde topladıkları askerlere nasihatte bulunduklarını gördü. Bütün koğuşlarda vaziyet aynıydı. Mustafa, askerlerle sohbet eden hocalardan birini köşeye çekti:

– Hoca Efendi, kimin emriyle buraya geldiniz?

– Hassa askerlerine bakan komutanlarımızın emriyle erata dinî nasihatlerde bulunmamız söylendi.

– Buna neden gerek duyuldu anlamadım.

– Vallahi efendim, biz de sadece söyleneni yapıyoruz.

– Ücret ödendi mi sizlere?

– Bilemiyorum. Ama dergâhlara ve medreselere bağışlarda bulunulmuştur.

Mustafa, hocayı bırakıp koğuşlar arasında gezinmeye devam etti. "Paşa geldi!" borusunu duyunca şaşkınlığı daha da arttı.

Erat, çalan her borudan sonra "Padişahım çok yaşa!" diye bağırıyordu. Kışla, gizli bir elle yönetiliyor gibiydi. Toplanan erata rahat ol komutu verildi. İçeri giren zabitler;

– Elimizde Padişah Efendimizin fermanı var, onu okuyacağız, dediler.

Mustafa, fermanı okuyan zabitlere yaklaştı. Sarı teksir kâğıdın üzerindeki tuğrayı kontrol ettikten sonra fermanı getirenleri dikkatlice incelemeye başladı. Adamları tanıması uzun sürmedi. Bahaeddin Şakir, Mithat Şükrü ve Ömer Naci ilk gözüne çarpanlardı. Üzerlerinde zabit kıyafetleri vardı. Mustafa'nın kafası iyice karıştı. Fermanı açan paşa, askerlere göz gezdirirken, diğer zabitler her şeyin hazır olduğunu hareketleriyle belli ediyorlardı. Paşa, elindeki fermanı dikkatle okudu:

– Rumeli'nin Balkan ufuklarında dolaşan kara bulutlar, vatanın mukadderatını tehdit ediyor. Bu kara bulutlar hayra alamet değildir. Siz asker evlatlarım, bu yurdun bekçilerisiniz. Siz olmazsanız, bu vatan müdafaa edilemez. Altı yüz senelik ecdadımız bu yolda kanlarını canlarını vermiştir. Ben irade ediyorum, düşmanla çarpışırken onları daha iyi görebilmek için yeni bir başlık giyeceksiniz. Bunda hiçbir dinî mahzur olmadığına dair şeyhülislamdan fetva da aldım. Ululemre itaat vaciptir.

Okunan, Abdülhamid'in fermanına pek de benzemiyordu. Mustafa, giyilmesi irade edilen yeni başlığı tahminde yanılmadı. Yeni başlık, Enveriye de denen, önü siperli bir başlıktı. Selanikli İttihatçıların asker kılığına girip Taşkışla'da padişah fermanı okuması hiç hayra alamet değildi. Mustafa, kafasını meşgul eden birçok soruyla kışla içinde tek başına yürümeye başladı. Kendisi de yemin etmiş, Kuran'a ve silaha el başmış bir Cemiyet fedaisiydi. Arkadaşlarını buldu. Onlar da olanlara anlam vermekte zorlanıyorlardı. *Acaba Enver Bey'in olup bitenlerden haberi var mı*, diye düşündü. Arkadaşlarından biri; Teşkilatın fedailerinden Kuşçubaşı Eşref, Süleyman Askeri, Yakup Cemil ve birçok kişinin devrimi desteklemek için İran'a gittiğini söylediğinde kafası iyice karıştı.

Fermanın okunmasının ardından kışlada hareketlilik başladı. Yeni şapka, beklenenden fazla tepki almıştı. Fısıltı halinde "bu serpuşu başa geçirmenin insanı gâvur edeceği" sözleri dolaşıyordu. Halife Hazretleri'nin böyle bir gâvurluk alametini kendi askerine yakıştırması da eleştirilerin başka boyutlar kazanmasına sebep oldu. Bazı çavuşlar, köşeye çektikleri eratı saltanat aleyhine kışkırtmaya başladılar. Bazıları da meselenin, Beyoğlu'nun sefahathanelerinde, Tokatlıyan Gazinosu'nda, kendilerini kaybeden komutanların bir oyunu olduğunu dillendiriyordu.

– Din elden gidiyor, başımıza gâvur zabit istemeyiz! Evet istemeyiz... Dindar subay isteriz! Mektepli zabit istemeyiz...

Taşkışla bir anda, bıçakla kesilmiş gibi gruplaşmaya başladı.

Nefes nefese içeri giren bir asker, selam verdikten sonra, heyetin Beyoğlu Kışlası'na da gittiğini ve aynı fermanın orada da okunduğunu söyledi. Zabitler, işlerin içinden çıkılmaz bir hal almasından endişeleniyorlardı. Gelen heyetten Ömer Naci hâlâ Taşkışla'daydı. Mustafa, dikkat çekmeden kalanları takip ediyordu. Ömer Naci ani bir hareketle istikam arabalarından birinin üstüne çıktı ve dikkatleri kendi üzerine çekmek için bağırmaya başladı:

– Heeey... Asker kardeşler! Geliniz, toplanınız. Sizlere diyeceklerim var. Sizler Müslüman değil misiniz? Anamız babamız bizleri dinimiz uğruna buraya göndermedi mi? Şapka giymek ne demek? Din-i mübin-i İslam'ın evlatlarını düpedüz gâvur yapacaklar, ne duruyorsunuz? Bütün ecdadımız bu uğurda kanını canını verdi. Müslümanlık elden gidiyor!

Kalabalık arasında Ömer Naci'yi tasdik edenlerin sayısı artıyordu. Gelen olumlu tepkileri değerlendirmek isteyen Ömer Naci, hürriyet bekçiliği yapmak için Makedonya dağlarından İstanbul'a getirilen Avcı Taburlarına döndü.

– Avcı Taburları, sizlere söylüyorum! Gâvur olmak için mi hürriyeti getirdiniz? Sizin vazifeniz hem hürriyeti hem de dininiz olan İslam'ı muhafaza etmek değil mi? Ne duruyorsunuz? Hep beraber Meclis-i Mebusan'a gidelim, derdimizi anlatalım.

Heyetten sonra gelen fakat asker olmadıkları her hallerinden anlaşılan kişiler, kışlanın içinde geziniyor, konuşmayı destekleyen naralar atıyorlardı. Kışla, zabitlerin denetiminden çıkmış, coşkun bir sele dönüşmüştü. Askerlerden biri, "Halimize sebep, en başta zabitlerimizdir!" diye bağırdı.

– Bunlar mektepte gâvurca okuyup Allah'ı inkâr ediyorlar. Gâvur bunlar! Dinini seven, Allah'ın huzurunda hesap vereceğine inanan bakmasın öyle...

Kışla içinde zabitlere saldırılar başladı. Askerin hareketliliğine mani olmaya çalışan zabitler, ağır hakaretler altında tekme tokat bir hücreye kapatıldı. Başlarında silahlı birkaç asker, nöbetçi olarak bırakıldı. Askerlerin zabitlere bakışı düşmancaydı.

Bulgar, Yunan çetelerinin gelip Ayasofya'yı kilise yapacakları, hilafeti kaldıracakları, milleti gâvur yapacakları, dinlerini terk etmeyenleri yaşatmayacakları gibi sözler ağızlarda dolaşmaya başladı. Artık söylenenlerin akılla mantıkla izah edilecek yanı kalmamıştı. Hareketlilik, sadece kışlalara hâkim değildi. Camilerde toplanan cemaat de verilen vaazlarla geriliyordu. Şeriatın elden gittiğine, milletin gâvur yapılacağına dair vaaz veren bazı hocalar, halkı isyana teşvik ediyordu. Bütün bu hareketlilik, jurnaller aracılığıyla Yıldız'a ulaştırılıyordu. Abdülhamid olayların sükûnetle çözülmesini tavsiye ediyor, nasihat yoluna başvurulmasını istiyordu. Kışlalardan çıkan askerler kendilerine katılan halkla beraber sel haline gelmiş, Beyoğlu'nun ara sokaklarından ve Bankalar Caddesi'nden Galata Köprüsü'ne doğru akıyordu.

Bütün birliklerin önünde bandolar Yavuz Sultan Selim'in, Isfahan makamında yazdığı marşı çalıyorlardı.

"Ey gaziler yol göründü,
Yine garip serime.
Dağlar taşlar dayanmaz,
Benim ah u zarıma.
Dün gece yâr hanesinde,

Yastığım bir taş idi.
Altım toprak, üstüm yaprak,
Yine gönlüm hoş idi."

Arka sıralarda yürüyen, er kıyafeti içindeki bazı İttihatçı za-
bitler, havaya ateş açarak askeri heyecana getirmeye çalışıyor, hal-
kı isyana katılmaya teşvik ediyorlardı. Korkan gözlerle kalabalığa
bakan kişiler, dipçik zoruyla itilip kalabalığa dâhil ediliyordu.
Merakını yenemeyen kişiler de ne olduğunu öğrenmek için kala-
balığa dalıyor ve olayların sonunu görebilmek için onlarla bera-
ber yürüyorlardı. Kalabalık, sokaklarda ilerlerken, zabit kıyafeti
giymiş bazı askerler de, medrese öğrencilerini isyana teşvik etmek
için Fatih medreselerine gittiler. Şekerci Hanı'nın duvarlarında
zabit kıyafeti giymiş isyancıların sesi yankılanıyordu:

– Şeriat elden gidiyor! Şeriat elden gidiyor! Kalkın, padişah
ekmeğiyle beslenen miskinler. Burada kitaplarınızın üzerine ka-
panmış yatıyorsunuz. Kalkın! Kalkın, dininize sahip çıkın. Bu-
gün dininize uzanan elleri kırmazsanız yarın Allah'ın huzurunda
bunun hesabını vereceksiniz.

Sabahın bu saatlerinde temizlik işleriyle olan meşgul öğren-
ciler, yavaş yavaş isyancıların başına toplandılar. İsyancıların,
Rumeli aksanıyla konuşması öğrenciler arasında tartışmaya se-
bep oldu. Bazı öğrenciler, isyancıları Türkçe dahi konuşamayan
Bulgar komitacıları diye suçlarken, onların haklı olabileceğini
söyleyenler de vardı.

– Şeriat elden gidiyor, siz padişahın ekmeğini yiyen miskin
herifler burada yatıyorsunuz.

Biraz da çekinerek isyancılara doğru çıkan birkaç medrese ta-
lebesi;

– Ağalar! Şeriat nereye gidiyor, diye sordu. Bu öyle gidip ge-
len bir şey değildir. Şeriat, kanun demektir. Nitekim kanun ve
namus dairesinde yapılan işlere meşru, kanunsuz işlere gayrimeş-

ru derler. Eğer kanun iyi tatbik edilemiyorsa, patırtı gürültüyle değil, yine kanun yoluyla halledilir.

Zabit kılığındaki isyancılar, aldıkları cevap karşısında ne söyleyeceklerini bilemediler. Talebe kalabalığı arasından Oflu Ahmet Efendi, isyancıların sessiz kalmasından da cesaret alarak;

– Siz şeriattan ne anlarsınız be... Daha Türkçe konuşamıyorsunuz, diye haykırdı.

İsyancılardan biri, Ahmet Efendi'nin yüzüne, iz bırakacak şekilde öyle bir tokat attı ki, Ahmet Efendi olduğu yere yığılıp kaldı.

– Sizi nankör herifler, padişahın ekmeğini yiyorsunuz, bir de bir sürü laf ha? Nankör herifler!

Hanın kapısında duran askerler, koşarak isyancıların yanına geldiler. Süngülerle medrese talebelerine saldırdılar. Süngü zoruyla Şekerci Hanı boşaltıldı. Kalabalıkta kaçabilen talebeler koğuşlara sığındılar. Medrese öğrencileri, başlarında kalkıp inen dipçikler altında köprübaşında bekleyen mahşerî kalabalığa karıştı. Kalabalık içinde beyaz sarıklı hocaların sayısı o kadar fazlaydı ki, Beyoğlu'ndan inen erat bile buna şaşırdı. Kalabalığın arasından, Rumeli aksanıyla konuşan biri bağırdı:

– Hocalar, mollalar da burada. Onlar da şeriatın hükümlerine karşı gelindiğini düşünüyorlar. Canlarımız şeriata kurban olsun! Dinin elden gittiği bugün susmak, dilsiz şeytan olmak demektir. Dilsiz şeytan mı olacaksınız?

Topluluk hep bir ağızdan cevap verdi:

– Hayır!

Kalabalık arasından ince siyah sakallı, aksak yürüyen bir hoca ince sesiyle;

– Şeriat isteriz! Ruhumuz, canımız kurban olsun dinimize... Şeriat isteriz! Durma vakti değildir. Asker kardeşlerim, milletin namusu sizin boynunuzun borcu. Sizi kâfir serpuşu giymeye zorluyorlar. Bunu yapanlardan hesabını sormayacak mısınız, diye sesinin yettiği kadar bağırıyordu.

Alaylı zabitler, evlerinden cebren, süngü zoruyla meydana getirilmişti. Üniformasını sokak arasında, dipçik darbeleri altında giyenler de vardı. Avcı Taburlarından Hamdi Çavuş, tenha bir köşede Binbaşı Remzi'yle konuşuyordu. Hareketlenmeyi görünce askerlerin önüne geçti. Kalabalık, marşlar söyleyerek, sloganlar atarak köprüden geçmeye başladı. Yeni Cami'nin merdivenlerinde toplanmış bir başka grup, askerlerin önüne geçip;

– Şeriat elden gidemez. Biz buna müsaade etmeyiz, diyerek galeyanı arttırmaya çalıştı.

Hamdi Çavuş'un tahrikiyle, tepkiler mektepli subaylara yönelmeye başladı. Alaylı subaylar bir anda işin icracısı konumuna düştüler. Zabitlerin yönlendirmesiyle bando marşlar çalıyor, kalabalık slogan atıyordu. Orta boylu, kısa sakallı, al yanaklı ve üstünde cer hocalarının giydiği kıyafete benzer uzun bir elbise ve başında sarığı olan bir molla atıldı kalabalığın önüne:

– Bizi gâvur etmek isteyen zındıklar yaşadıkça biz var olamayız. Padişahım çok yaşa! Padişahım çok yaşa!

Kalabalık hep bir ağızdan "Padişahım çok yaşa!" diye bağırdı. Derviş Vahdet, koltuğunun altına sıkıştırdığı gazeteleri büyük bir telaşla dağıtmaya çalışıyordu. Birkaç dakika içinde *Volkan* gazetesi tükendi. Hocalarla çavuşlar sürekli konuşuyor, verilen emirler anında yerine getiriliyordu. Kalabalık Meclis-i Mebusan'ın önünde sakinleşmeye başladığı sırada bir ses;

– Vurun! Öldürün! Bizi gâvur yapmak isteyenlerden biri de bu, diye bağırdı.

Kalabalık bir anda parmağın uzandığı adama yöneldi. Kim olduğunu bilmedikleri adam, kapıya yanaşmış kupa arabasının içinde oturan Lazkiye Mebusu Emir Arslan Bey'di.

Kalabalık bir anda kupa arabasına yöneldi. Kalkıp inen hançer ve yumruklar, ardında kan izleri bıraktı. Kalabalıktan ürken atlar, bir ileri bir geri hamle yapıyordu. Emir Arslan Bey'in cansız bedeni koşum atlarının arasına düştü.

– Cezasını buldu Cahit, diye bağırıyordu havaya kalkan elin sahibi.

Ama kupa arabası çekildikten sonra, ölenin Cahit olmadığı anlaşıldı. Kalabalığın uğultusu, pencerede beliren Nazım Paşa'nın gür sesiyle kesildi:

– Evlatlarım, sizleri iğfal etmişler, aldanıyorsunuz. Şeriat esasen mevcuttur. Ne dine ne de şeriata dil uzatılabilir!

Kalabalık arasından bir ses;

– Vurun! Yaşatmayın! Bizi kâfir etmek isteyenlerden biri de budur, diye bağırdı.

Er kıyafeti giymiş bir zabit, Hamdi Çavuş'u yanına çağırdı. Koşar adım yerinden fırlayan çavuş yetişemeden, Birinci Mülazım Şerif Efendi silahını ateşledi. Nazım Paşa pencereye yığıldı.

Hamdi Çavuş sağa sola emirler veriyor, askerleri bir araya toplamaya çalışıyordu. Toplan borusuyla kalabalık Divanyolu'ndan Bab-ı Âli'ye yöneldi. Silah sesleri gittikçe sıklaşıyor, uğultu durmadan yükseliyordu. İstanbul anarşiye teslim olmuştu. Halk evlerine çekilmiş, dükkânların kepenkleri kapatılmıştı. Bir başka kalabalık grup, Beyazıt Meydanı'na doğru ilerliyordu.

Gazi Ethem Paşa, askerin önünde Seraskerlik Dairesi'nin kapısına geldi. Ateşi kes emriyle havaya sıkılan bütün silahlar sustu. Harbiye Nezareti'nden açılan ateş de kısa zamanda kesildi.

– Açın kapıyı! Gelen Serasker Gazi Ethem Paşa'dır.

Mahmut Muhtar Paşa yeni Harbiye Nazırını kapıda karşıladı. Muhtar Paşa'nın Beyazıt Kışlası'nın durumunu öğrenmek isteyen Ethem Paşa'ya verdiği cevap kısa ve net oldu:

– Beyazıt Kışlası, aldığımız habere göre, olaylar başlar başlamaz beyaz bayrak çekmiş ve isyan etmeyeceğini açıklamıştır. Ama Avcı Taburları malum. Kan önü alınmaz hale gelecek diye endişeliyiz. Tedbir nedir efendim?

– Bekleyeceğiz. Olayları daha da büyümeden nasihat yoluyla çözeceğiz. Bu aşamada silahla karşı koymak ecdat yadigârını harabeye çevirmeye sebebiyet verir. Bu isyanının iç yüzü farklı.

Şu an bunu anlayabileceğimiz zaman değil. Nasihat... Nasihat yolunu deneyeceğiz.

Mahmut Muhtar Paşa içinden, *olayların sükûnetle çözülecek yanı mı kaldı*, dedi.

\*\*\*

İttihat ve Terakki'nin ileri gelenleri, isyanı haber alır almaz yeraltına çekilmişlerdi. Talat ve Doktor Nazım Şehzadebaşı'nda, Yağcızade Şefik Bey'in evindeydiler. Talat, ayaklarını ahşap zemine vura vura geziniyor, neler olabileceğini tahmin etmeye çalışıyordu.

– Nazım! Rahmi ve Mithat Şükrü nerede?

– Mithat, Küçük Ayasofya'daki evinde olmalı, Rahmi ise Büyükada'da saklanıyor.

– Ne yapacağız Nazım? Sıkıştık kaldık burada! Olaylardan haberdar olamıyoruz.

– Talat Bey, ben derim ki kıyafet değiştirip dışarı çıkalım.

– Olmaz Nazım. Dışarıda isyan var. Yaşama şansımız yok denecek kadar az.

– Efendim, ben yıllarca Selanik'te, İzmir'de kıyafet değiştirerek gezindim. İdam mahkûmuydum ve Yıldız'ın hafiyeleri peşimdeydi.

Talat ellerini arkasından bağlayarak birkaç tur daha attı. Sıkıntılı olduğu her halinden belliydi.

– Olur mu dersin Nazım?

– Olur efendim, olur. Cer hocası olmak size çok yakışır.

Nazım elini göbeğinin üzerine koyarak söylemişti son sözlerini. Talat Bey'in meşhur göbeğine gönderme yapıyordu. Tebessüm ederek Nazım'ın daha önceden hazırladığı sarık ve cübbeleri giydiler. Nazım'ın bu uyanık hali Talat'ın çok hoşuna gitti.

– Cemiyet'in katib-i umumiye makamı onu gerçekten hak

eden biri tarafından temsil ediliyor.

İltifat karşısında, Nazım'ın sarı, solgun yüzü biraz kızardı.

Sarık ve cübbe içinde yürümek Talat için hiç de kolay değildi. Nazım yıllarca bu kıyafetler içinde gezdiği için Talat'a ipucu veriyordu:

– Nazım, ben Mithat Şükrü'nün yanında kalmak istiyorum. Sen Rahmi'nin yanına git.

Nazım yıllar önce arasının açıldığı Rahmi'yle yaşadıkları sorunları halletmiş, iki arkadaşın dostluğu Meşrutiyet'in ilanıyla yeniden pekişmişti. Sokaklarda gördükleri şeyler ikisini de çok korkutmuştu. Olaylar tahmin ettiklerinden de büyüktü. Korkarak ilerledikleri sokaklarda, durumu nasıl Cemiyet'in lehine çevirebileceklerini düşünüyorlardı. Sokakları saran anarşi, şapkayla başlamış, er kıyafeti giymiş zabitlerce yönlendirilmiş ve Harbiyeli zabitleri hedef almaya başlamıştı.

*** 

Sokaklarda olaylar devam ederken, bir hareketlilik de Asar-ı Tevfik Zırhlısı'nda başladı. Abanalı Osman Çavuş'un ardı sıra yürüyen bir manga asker, zırhlının süvarisi Ali Kabuli Bey'i silah zoruyla teslim aldı. Muhafız Kıtası İmamı Sadık Efendi elleri arkadan sıkıca tutulmuş halde getirildi.

– Hoca Efendi, bu hain, Saray'ı topa tutacaktı, biz mani olduk. Bir dua buyurunuz.

– Evlatlarım, böyle durumlarda ne okunur, ben bilmiyorum.

– Oku Hoca Efendi, oku! Oku bir dua da yola çıkalım.

– Evlatlarım, ben bunun için dua bilmiyorum.

Sabrı taşan Silah Endaz Taburu erleri, Sadık Efendi'ye saldırdılar. Sarığını, cübbesini paramparça ettiler. Yaşlı adam, kalkıp inen yumruklar arasından kaçarak canını zor kurtardı. Asiler başka bir hoca aramaya başladılar. Önlerine ilk çıkan, Birinci Tabur

İmamı Murat Efendi oldu. Sadık Hoca'nın başına geleleri gören Murat Hoca hiç zorluk çıkarmadan ateşli dualar etmeye başladı.

Süvari Binbaşı Ali Kabuli Bey, maiyetindeki erler tarafından derdest edilerek etrafı kafesli bir sebze arabasına kondu. Uzun beyaz bıyıklı, orta boylu ve buğday tenli olan Ali Kabuli Bey, üzerindeki yırtık binbaşı üniforması içinde etrafına korku dolu gözlerle bakıyordu. Kendi emrindeki erlerden gördüğü hakaret kabul edilecek gibi değildi. *Padişah Efendimiz inşallah işin aslını anlar ve beni bu asilerin ellerinden kurtarır*, diye ümit ediyordu. Arabanın önünde, kendisini zırhlıdan çıkarıp sebze arabasına koyan er Rizeli Enis yürüyordu. Divrikli İsmail, erleri galeyana getirmek için bağırıyordu:

– Şeriat isteriz! Padişahımız Efendimize bağlılığımız vardır. Bu asi, Asar-ı Tevfik Zırhlısı süvarisidir. Saray'ı topa tutacaktı.

Sarıklı, cübbeli hoca kılığına girmiş birkaç kişi, ellerindeki Kuran-ı Kerimleri havaya kaldırmış bağırıyorlardı:

– Şeriat isteriz! Bu hainin cezasını Şevketmeab Efendimiz versin. Mektepli zabit istemeyiz, alaylı zabit isteriz!

Halk bandodan yükselen marşların da verdiği ruh haliyle hiç tanımadığı ve suçlu olup olmadığını dahi bilmediği süvariye taşlar fırlatıyor, bazı erler de süngülerinin ucuyla askere rahatsız edici darbeler indiriyorlardı. Kalabalık Yıldız'ın önüne geldiğinde "Padişahım çok yaşa!" naralarını sessizlik takip etti. Mabeyn Dairesi'nin orta penceresi yavaş yavaş aralandı. Siyah elbisesi ve sırtında paltosuyla Padişah belirdi:

- Ne istiyorlar, diye sordu.

Üç er ileri çıktı:

– Selam dur!

Erler, ellerindeki Martini Hanri silahlarla selam durdular.

Erlerden Çarşambalı Neşet, Padişah'ın duyabileceği bir tonda konuşmaya başladı:

– Padişahımız, şeriat istiyoruz. Asar-ı Tevfik Zırhlısı süvarileri şeriatı kaldırmak isteyenlerdendir. Baş taret topuyla Saray-ı Hümayun'u, kıç taret topuyla, Seraskerlik Dairesi'ni topa tutacak, borda toplarıyla da İstanbul'u yakacaktı. Padişah haini, din düşmandır. Yakaladık, huzurunuza getirdik. Ferman Padişahımızındır.

Kalabalık arasından, "İdamını isteriz! Cezasını hemen isteriz!" sözleri Padişah'ın işiteceği şekilde dillendiriliyordu.

Abdülhamid kalabalığı göz ucuyla iyice süzdü. Zabitin tek kurtuluş yolu vardı: Askerlerden uzaklaşmak. Yaverlerine Ali Kabuli Bey'i görmek istediğini söyledi. Sebze arabasından çıkarılan zabit, zoraki adımlarla Padişah'a doğru yürüdü. Yüzünde uğradığı hakaretin üzüntüsü vardı. Utancından Padişah'ın yüzüne bakamıyordu. Abdülhamid, emrindeki erler tarafından ağır hakarete uğramış zabite bakınca devletin başında bulunan felaketin artık kudretinin dışına çıktığını anladı. Ali Kabul Bey selam durarak;

– Asar-ı Tevfik Zırhlısı Hümayunu Süvarisi Ali Kabuli kulları. Şevketmeab Efendimize Allah uzun ömürler ihsan buyursun. Askerlerin şikâyetleri, hakaretleri cahilanedir. İftiradır Padişahım, dedi.

Zabitin sesi kısıldı. Hıçkıra hıçkıra ağlamak istiyordu. Boğazına dizilen kelimelerden sonra sessizliğini korudu. Yüzüne kan çökmüştü, başını öne eğerek utancını gizlemeye çalışıyordu. Abdülhamid, zabitin çaresizliğinden çok etkilendi. Adamın suçsuz olduğu her halinden belliydi. Onu askerlerden uzaklaştırmak için;

– Efendiyi alınız, beraber Seraskerlik Dairesi'ne götürünüz, istintak etsinler, dedi.

Padişah pencereden çekildi, perdeler kapandı. Ali Kabuli Bey, derin bir nefes aldı. Askerler, Padişah'ın zabiti kendilerinden uzaklaştırmak istediğini anladılar. İtirazlar başladı:

– Hiçbir yere gidemez! Cezası burada verilmelidir!

Topluluktan uğultu halinde sesler yükseliyordu:

– Vurun, öldürün... Yaşatmayın din düşmanını... Evet, evet devlet düşmanıdır... Vurun...

Bir anda kalabalık, zabitin üzerine saldırdı. Kollarına girmiş muhafızlar, zabitle aynı akıbete uğramamak için kaçışmaya başladılar. Kalkıp inen yumruklar arasında Rizeli Hasan'ın süngüsü kalktı:

– Evlatlarım yapmayın, sizi kandırmışlar... Evlad ü iyalim var... Günahtır, Müslüman'ım.

Kalkan süngü Ali Kabuli Bey'in sinesine indi:

– Alçak caniler...

Erler arasında kalan Ali Kabuli Bey'in saati, ceketi ve pabuçları kısa sürede yağmalandı. Aşçı erlerden Ünyeli Mehmet, Süvari'nin ellerini bağladı. Ölüm de öfkeli askerlerin elinden kurtarmaya yetmemişti Ali Kabuli Bey'i. Süvari'nin cesedini yerlerde sürükleyerek Yıldız Camii'ne kadar getirip cami bahçesindeki çınara astılar. Geri dönerlerken, korkusundan ateşli dualar eden Murat Efendi'yi de köprübaşında ince sicimin ucunda asılı bıraktılar. Cinnet, gece karanlığındaki bütün şehri kaplamıştı.

# III

İstanbul'un sokaklarında ve kışlalarında ölüm sessizliği vardı. Sessizlik içinde, bir kâbusa hazırlanıyordu sanki şehir. Gürültü patırtı arasında karışan kafalar, sessizliğe gömülen şehirde, külrengi bir korkunun pençesindeydi. Sokaklarda dolaşan fısıltılar, yüreklerdeki korkuyu arttırıyordu. Selanik'teki Üçüncü Ordu'nun İstanbul'a geleceği, Padişah'ı tahttan indireceği, Hassa Ordusu'nu dağıtıp alaylı subayları sürgüne göndereceği söylentileri uzayıp gidiyordu. Saray'da büyük bir telaş vardı. Sultan Hamid, herkesi saran bu telaşın arasında sükûnetle geziyor, lüzumlu olmadıkça konuşmuyordu. Hizmetkârları, önünde diz çöküyor, sadık olduklarını söylüyor, gelen orduya mukabelede bulunulmasını istiyorlardı. Padişah, ilerleyen saatlerde mabeynin ortasındaki büyük pencereden dışarıyı seyretmeye başladı. Nadir Ağa ve Cevher Ağa hiç kıpırdamadan saatlerce arkasında beklediler.

Cuma selamlığında ilk kez tören düzenlenmemişti. Padişah'ın gözlerinde, eski şeamet günleri canlandı. Sona yaklaştığının farkındaydı. Tarihin akışını değiştirecek çok ciddi bir karar vermeliydi. Cemiyet'in fedaileri, olayları el altında yönetirken, ortada olma cesaretini bile gösterememişlerdi. Manastır'da ilk ayaklanma çıktığında olayları sert bir şekilde bastırması için Şemsi Paşa'yı gönderen Padişah, kısa bir süre sonra Paşa'nın ölüm haberini almıştı. Hem de Manastır Postanesi'nin önünde, güpegündüz. Tatar Paşa ise görev yerine dahi ulaşamamıştı. Bu cüret, sonu hayır olmayan olayların habercisiydi. Ama bir Halife tebaasına karşı adaletli olmalıydı. Gelenlerin merhameti olmasa da, gönlü saltanatını korumak için kardeş kanının dökülmesine razı değildi. Mevla'nın huzurunda bunun hesabını veremezdi:

– Ah, Cevher Ağa. Hürriyet kahramanları sağda solda caka satarak gezerlerdi. Ortaya çıkmaya bile cesaret edemediler. Hoca kılığında dışarı çıktılar. Ahmet Rıza'yı bile, saklandığı yerde adamlarım korudu. Benim bu fitnede hiçbir sorumluluğum yok. Kimseye verecek hesabım da yok. Bir padişah, Allah huzurunda ve tarih huzurunda hesap verir.

Pencereye dönüp sessizliğe gömüldü yine. Uzun süren sessizliği Cevher Ağa bozdu:

– Efendim, silahtarlarınızdan Halil Bey huzura kabul edilmek ister.

Abdülhamid evet manasında başını salladı. İçeri giren Halil Bey selam verdi:

– Efendim, maalesef tahkik ettiğimiz mesele vücut bulmuştur. Emriniz üzere, sadık bendeleriniz cuma selamlığına katılan bütün erkânın huzura kabul edilmesini iletmiştir. Bendeleriniz huzura kabul beklerler. Ama öncelikle şunu ifade etmek isterim, gelen orduyu karşılayabilecek gücümüz var.

– Halil Bey, gelen orduya karşı koyacak gücümüz var ama ben kardeşi kardeşin karşısına çıkarmayacağım. Vakit tamamdır.

Halil Bey, Padişah'ın önünde diz çöktü. Gözyaşlarına hâkim olamıyordu:

– Müsaade buyurunuz Padişahım! Uzun yıllar ekmeğinizi yedim. Etim, kemiğim, çocuklarımın eti, kemiği sizin ekmeğinizle oluştu. Üç buçuk serserinin taç ve tahtınıza saldırmasına susarak cevap verirsek, yalnız vicdanımız önünde utanmakla kalmaz, milletimiz önünde de rezil ve haysiyetsiz oluruz!

– Kararım kesindir.

Halil Bey'in gözyaşları Sultan'ı çok etkilemişti. Halil Bey odayı terk ederken, içeri Hassa Ordusu Komutanı Mahmut Muhtar Paşa ve Serasker Rıza Paşa girdi. Abdülhamid iki paşayla vaziyeti görüştü:

– Sadıklarıma da söylemek istediklerim var. İçeri alınız.

İçeri alınan zabitler sıra olup selam durdular. Sultan Hamid'in durgunluğu hepsini şaşırttı.

– Asker evlatlarıma selam ve irademi tebliğ ediniz. Hareket Ordusu namıyla Üçüncü Ordu'dan gelip Ayastefanos'ta karargâh kuran askerler de sizler gibi Türk askerleridir. Dedikodulara inanmasınlar. 31 Mart günü Sultanahmet'te olduğu gibi silah istimaline karışmasınlar.

Paşalara döndü:

– Bu hususta lazım gelen emirler verilmiştir. İğfal ve teşvike kapılmasınlar. Kışlalarında sakin olsunlar. Askerlere şapka giydirmek için okunan ferman sahtedir. Düşmanlarım tarafından tertip olunan maksatlı bir suikasttır. Benim böyle bir fermanım olamaz. Onları aldatmışlar. 31 Mart günü yapılan hadiseden çok müteessirim. Fena maksatlara müstenit gizli kuvvetler tarafından tahrik edilmişlerdir. Müteyakkız olup bu gibi kötü teşvikata aldanmasınlar. Bu bir siyasi suikasttır. Kışlalarında sakin olsunlar.

Padişah paşalara bakarak son sözlerini söyledi:

– İradem bu istikamettedir. Tatbik ola.*

---

\*     Sultan Abdülhamid'in Hatıra Defteri, İsmet Bozdağ, Emre Yayınları, Şubat 2005, İstanbul

# IV

Gece, kendini karanlığın sessizliğine teslim etmişti. Zabitlerin büyük bir kısmı kışla dışındaydı. Yedinci Alay Komutanı Miralay İsmail Hakkı, birinci kattaki Avcı Taburlarıyla istikam bölüklerini göz ucuyla kontrol etti. İçindeki sıkıntı korkuya dönüşüyordu. Padişah'ın iradesini tüm askerlere bildirmişti fakat Avcı Taburları arasındaki fısıltılar, kışlanın en yüksek rütbeli komutanını rahatsız ediyordu. Hassa Askerlerinin kaldığı ikinci kata çıkınca, nöbetçi zabitin odasına geçti. Kahve içmek istediğini söyledi. Komutanın niyeti kahve içmekten ziyade, içinde büyüyen korkuya hâkim olabilmek için biraz sohbet etmekti:

– Askerleri gece boyu kontrol altında tutalım. Ama bunu onları çok da rahatsız etmeden yapalım. Kışlanın durumu malum, düzen kalmadı... Oysa biz askerlere sadece Padişah Efendimize itaat etmek düşer.

– Efendim, ne olacak dersiniz? Yarın... Ben önünü alamayacağımız olayların olmasından korkuyorum.

– Ne olursa olsun... Padişah'ın kesin emri var, kardeş kanı dökülmeyecek.

Miralay İsmail Hakkı, gecenin ilerleyen saatlerinde, odasına çekileceğini söyleyerek ayrıldı. Odasının ışığı hiç sönmedi. Nöbetçi zabit, karanlığı uyandırmaktan korkarmış gibi sessiz bir gezintiye çıktı. Onu askerlerden ziyade endişelendiren, komutanın gece boyunca hiç sönmeyen ışığıydı. Cam kenarından kışlayı gözetlerken, sanki hemen şimdi yoğun bir ateşe maruz kalacaklarmış gibi eli hep tabancasının üstündeydi.

Kapıyı vurmasıyla içeri girmesi bir olan er telaşla konuşmaya başladı:

– Komutanım, Avcılar...

Avcılar kelimesi, nöbetçi zabitin zihninde anlamı olan bütün kavramları birbirine karıştırdı. Korkudan titreyen askerin söylediği diğer kelimeler, büyük bir boşluğun içinde uçuşuyordu.

– Avcılar... Harbiye istikametindeki cephaneliğin kilidini kırmışlar, cephane sandıklarını koğuşlara taşıyorlar.

– Nöbetçiler?

– Hepsini derdest edip gözaltına almışlar.

Nöbetçi zabit ne yapacağını bilemeden telaşlı adımlarla sağa sola yürümeye başladı. Gelişmeleri takip etmek için hızla odadan ayrıldığında Miralay İsmail Hakkı Bey'i buldu. Miralay hiç şüphesi yokmuş gibi, beklediği hareketlilik karşısında bütün gece tasarladığı planı soğukkanlılıkla uygulama emri verdi:

– Hemen Hassa Askerleri harekete geçsin. Avcılar'ı önleyemezsek bir felaketle karşı karşıya kalırız.

Nöbetçi zabit, yeni emri uygulamak için hızla ilerledi.

Hassa Askerleri toplu harekete geçtiklerinde, merdiven başında silahlanmış Avcılar ile karşılaştılar. Geri çekilip beklemekten başka yapacak bir şey kalmamıştı. Hassa Askerleri geri çekilirken, Avcılar da mevzi kazıp çatışmaya hazırlanmaya başladılar.

Nöbetçi zabit, beyaz külahlı ve göğüslerinde çapraz fişek sarılmış kalabalık bir grubun kazdığı siperi ikinci kattaki pencereden seyrediyordu. Hiç bu kadar çaresiz ve korkak hissetmemişti kendini. Haber getiren çavuşları İsmail Hakkı Bey'e gönderdi. Yapacak bir şey kalmamıştı. Zabit, yayları bozuk yatağına uzan-

dı. Kahverengi battaniyeden gelen yün kokusunun verdiği rahat-
sızlık içinde gözlerini uykunun tatlı sarhoşluğuna bıraktı...

Sessizlik ürkütücüydü. En küçük bir hareketlilik bile, kanlan-
mış gözlerinin açılmasına sebep oluyor, sonra tatlı bir sarhoşluk
hissi ile gözleri yavaş yavaş tekrar kapanıyordu. Devletin ne ka-
dar önemli bir dönemeçte olduğunun bilincindeydi. Padişah'ın
"Asker evlatlarıma söyleyin..." sözleri beyninde geziniyordu.
Tahtından vazgeçmiş bir Sultan, üstelik kaçmayı da düşünme-
mişti... Birçok komutanın o gün kışlada bulunmamasının elbet-
te bir anlamı olmalıydı ama kendisinin orada olmasının da bir
anlamı vardı. Abdülhamid kaçmamıştı. Kardeş kanı dökülmesin
diye, gelen ordudan kat kat fazla sayıdaki Hassa Askerine karşı-
lık vermemelerini kesin olarak emretmişti. Belki bu yaşadıkları,
üzerindeki zabit elbisesiyle ifa ettiği son görevdi.

Ağırlaşan göz kapaklarındaki acı gittikçe artıyordu. Karanlık
içinden gelen ince çatırtılar önce onu hiç rahatsız etmedi. Za-
manla zihnindeki sesler rahatsızlık veren uğultulara dönüştü.
Kulakları boşlukta yükselen seslere odaklandı:

– Baskın! Baskın! Baskın!

Yüzünde delirmiş insanlarınkini anımsatan bir ifadeyle ran-
zasından fırladı. Martini tabancasını çekti. Ortalıkta kimseler
yoktu. Ama sesler gittikçe artıyordu. Garip olan, kışlada korku-
nun yol açtığı panik havasından eser olmamasıydı. Sessizlik ve
kararsızlık, içindeki vehimlerle mayalanıyordu. Aklına ilk gelen,
nöbetçilere parçalattığı beyaz çarşafları ağaçlara geçirip sallamak
oldu.

***

Gecenin karanlığı sabahın ilk ışıklarına doğru akarken Hare-
ket Ordusu, yirmi iki koldan şehre giriyordu. İstanbul, ölüm ma-
temi taşıyordu eteklerinde. Girenler de bekleyenler de büyük bir
korku içindeydiler. İnce bir ses, küçük bir çıtırtı, patlayan Martini
Hanri sesiyle bastırılıyor; büyüyen gözbebeklerini taşıyan beden-

ler tir tir titriyordu. Gelenler, karşılık verilirse şehri almalarının mümkün olmadığını biliyorlardı. Toplama bir orduydular. İki tabur asker; Sırp, Bulgar, Rum, Arnavut ve Selanikli Yahudilerden oluşan çeteler, başlarında çete liderleriyle şehrin sokaklarına korku seli gibi akıyordu. Herkesin aklından geçirdiği, planlarını yaptığı "Alemdar Ordusu" bir rüya değil, gerçekti artık.

Resneli Niyazi, dağlarda yanından ayırmadığı geyiğini de İstanbul'a getirmişti. Geyik, Bektaşi hikâyelerinde geçen bir kahraman gibi, Niyazi'nin birliğinin önünde yürüyor, saygı görüyordu. İsmi Rehber-i Hürriyet'ti.

Uzun boylu, ince uzun sarı sakallı, kuru yüzlü ve açık alınlı Sandanski, Enver Bey'in yanında yürüyordu. Boynunda Alman yapımı bir dürbün vardı. İstanbul'a gelirken Makedon ihtilal çetelerinin giydiği kahverengi yün elbisesini; pelerini, gümüş köstekli saati ve Nagant marka tabancası tamamlıyordu. Pelerinin üstünde Manliher tüfeği, elinde de bir mavzer vardı. Ayağında, siyah dolamalı püsküllü beyaz dolak, belinde ise sardığı kuşağa takılı işlemeli bir bıçak ve bombalar. Enver, Vardar Kapısı'ndan dağa çıkarken, elleri titreyerek söktüğü rütbelerini yeniden takmıştı. Yüzü temiz ve bakımlıydı. Sandanski ile büyük bir tezat oluşturarak yan yana yürüyorlardı. İlk birlikler Dolmabahçe'ye doğru ilerlediler. Burada direnişle karşılaşmayınca, yeni emirleri beklemek için mevzilendiler. Yol üzerindeki bütün karakollar teslim olmuştu. Galata Köprüsü'nün başına bir makineli tüfek tertibatı kurdular. Topçu birlikleri, herhangi bir direnme olursa karşılık vermek için stratejik noktalara yerleştirildi.

Sokaklara anarşi hâkimdi. Bütün evlerin pencereleri ve kapıları kapalıydı. İmparatorluğun başkentini korku yönetiyordu. Annelerin yüreği, yavrularının kör bir kurşuna gelme ihtimaline karşı korku içinde atıyordu. Kısa süre önce mektepli zabitleri, insan onurunu hiçe sayarak öldüren başıbozuk çavuşlar ve erler, endişe içinde, başlarına gelecekleri bekliyorlardı. İttihatçı subaylar göğe doğru uzanan bıyıklarının bakımını yapmış, ahşap evlerden açılan pencerelerden uzanan ürkek bakışlara göğüslerini kabartarak karşılık veriyorlardı. Hürriyetin ta kendisiydiler. Sadece şehrin değil, insanların değil, Padişah'ın kaderinin de ellerinde olduğunu düşünüyorlardı. Dağlarda çete takibinde geçirdikleri günler kişiliklerini sertleştirmişti.

Perdelerini korkuyla aralayıp olayları anlamaya çalışan insanlar; en çok da milli kıyafetleri içinde gezinen çeteleri merak ediyorlardı. Yorumlar arasında akıllara en çok yatan, günler öncesinde bir fısıltı halinde gezinen Ayasofya'nın tekrar kilise yapılacağı söylentisiydi. Çeteler yalnız gelmemişlerdi, yanlarında Makedonya dağlarında ömürlerini çete takibinde geçirmiş Osmanlı zabitleri de vardı. Kimsenin olaylar hakkında soru soracak cesareti yoktu. Tek temennileri, hanelerine tecavüzün olmamasıydı. Dışarı çıkmak, ölümü kucaklamak demekti. Kısa süren sessizlik, gürültülü top atışlarıyla bozuluyor, cinnet havası şehrin sokaklarını esir alıyordu.

Taksim Kışlası, topçu birlikleri tarafından topa tutuldu. Bir saat içinde kışlaya ölüm çığlıkları hâkim oldu. Birkaç dakikalık sessizliği, ellerinde beyaz çarşaflarla insanların dışarı kaçması takip etti. Taşkışla ise sükûnet içinde, hiçbir karşılık vermeden bekliyordu. Muhkem duvarların dışında, Enver'in askerleriyle Sandanski'nin çetesi mevzilenmişti. Sabahın erken saatlerinde başlayan çatışmaya kısa bir ara verilmişti. Taşkışla'nın teslim olması bekleniyordu. Avcı Taburları, içeride mevzilendikleri noktalardan karşı ateşle cevap verdiler.

*** 

İlk gün girilemeyen Taşkışla'da ikinci gün çatışmalar yeniden başladı. İsmail Hakkı Bey'in kışlanın içindeki çırpınışlarının artık hiçbir anlamı yoktu. Dışarıdan gelen silah sesleri gittikçe artıyordu. Abdülhamid'in iradesi çiğnenmiş, karşı ateş başlamıştı. Surp Agop Mezarlığı'na kurulan makineli tüfek, Taşkışla'daki direnişi açtığı şiddetli ateşle kırdı. Cansız asker bedenleri üst üste yığılmıştı. İsmail Hakkı Bey'in hıçkırıkları yürek burkuyordu. Nöbet-

çi zabit, ikindi vaktine kadar süren çatışmalara ancak teslim bay-
rağını çekerek son verebileceğini düşünüyordu. Beyaz çarşaflar
kışlanın duvarlarında sallandı. Önce makineli tüfek sustu.

Binbaşı Enver, yıkılan kapıdan kışlaya girdi. Arkasında San-
danski ve korumaları vardı. Onları yerel kıyafetleri içinde Bulgar
çeteler takip etti. Kışladaki askerlerde, korkuyla karışık merak
duygusu hâkimdi. Askerler ve çeteler Taşkışla'yı birkaç dakika
gibi kısa bir zamanda teslim aldılar. Silahlara el koyuldu, karşı-
lık vermek isteyen Avcılar süngülendi. Gözleri önünde askerleri
süngülenen İsmail Hakkı Bey, kalanlar için bir şeyler yapabilirim
ümidiyle ileri atıldı. Enver Bey'e hitaben konuşmaya başladı:

– Evladım, gazanız mübarek olsun. Ne yaptımsa derdimi an-
latamadım. Bu olaya Avcılar sebebiyet verdiler...

Ancak İsmail Hakkı Bey'in çırpınışları karşılık bulmadı. Yaş-
lı bir kumandanın, askerleri karşısında görmesi gereken saygı
da gösterilmedi. Sözleri bitmeden üzerine saldırılan Hakkı Bey,
üç arkadaşıyla birlikte avluda kurşuna dizildi. Komutanlarının
gözleri önünde kurşuna dizilmesi, çaresizlik içinde bakan asker-
lerin tüm direncini kırdı. Koğuşlara kapatılan askerlerin büyük
bir kısmı, küçük gruplar halinde meydana çıkarılıp süngülendi.
Enver'in yüreği taş kesilmişti. Yüzünde yapılan işlerin verdiği sı-
kıntının izleri vardı fakat yapmak zorunda olduğu bir işi yapıyor
gibi kaskatı kesilmiş, tahrip olan sinirlerine hâkim olmaya çalı-
şıyordu. Timsahın kendi yavrularını gözyaşı dökerek yemesine
benzetiyordu yaşananları. Ömrünü Makedonya'nın soğuk dağ-
larında çete takibiyle geçirmiş bir asker için çok da kabullenilir
bir durum değildi bu ama Abdülhamid'in tahttan indirilmesi ge-
rekiyordu. Sağ kalanlar, ağır hakaretlere maruz bırakılarak, ölen
arkadaşlarının cesetlerini el arabalarıyla Surp Agop Mezarlığı'na
taşıdılar. Gözyaşları içinde, ölen arkadaşlarının Müslüman oldu-
ğunu, Ermeni mezarlığına gömülmelerinin yanlış olduğunu an-
latmaya çalıştılar ama başları üzerinde kalkıp inen süngüler bu
haykırışların karanlığa yakılan ağıtlar olarak kaybolup gitmesine
sebep oldu.

Hareket Ordusu üç gün içinde şehre hâkim oldu. Birçok üst düzey komutan halk içinde teşhir edilerek hakarete uğradı, rütbeleri söküldü. Sağ kalan askerler Bekir Ağa Koğuşu'na gönderildi. Yıldız Sarayı yağmalandı. Osmanlı Devleti'nin yüzlerce yıllık birikimi Bulgar çetelerinin ve Cemiyet'in elindeydi. Abdülhamid olanları kaderin bir hükmü olarak gördü ve kabullendi. Kardeş kanı dökülmesini önlemek için karşılık vermemişti ama kendi doğallığı içinde gelişen olaylar kardeşin kanını kardeşe döktürmüştü.

# V

Yıldız Sarayı karanlığa gömülmüştü. Abdülhamid, saraydaki son gecesini, odasını aydınlatan beş altı mumun ışığında geçiriyordu. Dalgın gözlerinden akıp geçen otuz üç yılın bütün hatıraları, şanlı tarihin gölgelerine karışıyordu. Yüzünde bazen ince bir gülümseme, bazen de derin bir endişe beliriyordu. Otuz üç yıldır kendisiyle birlikte gezdirdiği korkuyla yüzleşiyordu. Olaylar artık kontrolünden çıkmıştı. Uzun uzun düşündü. Herhangi bir karar verme şansı yoktu, sadece kaderin hükmüne rıza göstermeliydi. Namazını uzun dualarla tamamladı. İçinin derinliklerinden gelen duygularla uzun süre kavga etti. Müslümanların Halifesiydi... Bunu, verdiği her kararda kendine hatırlatıyordu. "Kardeş kanının dökülmesine razı olmadıysam kaderin hükmüne razı olmalıyım..." Ama düşünceleri ailesinin güvenliğine gelince, baş edemediği bir duygunun tesirine giriyordu. Şehzadeler, kadınefendiler, gözdeler, ikballer, saray ağaları, harem hizmetkârları büyük bir endişe içinde başlarına gelecekleri düşünüyor; felaketlerin ve "hal" hadisesinin yaşanmaması için dua ediyorlardı.

Şehzade Abdürrahim Efendi, Sultan'ın odasına geldiğinde fazla konuşmadılar. Ama Şehzade'nin endişeli davranışları Abdülhamid'in üzüntüsünü kat kat arttırmıştı. Oğluna metanetli olmasını söyleyebilir fakat ona bunu öğretemezdi. "Kaderin hükmü böyleymiş" diyerek rahatlatmayı denedi. Gece yarısına kadar düşünceleriyle barışmaya çalıştı. Halsizlikle yatağına uzandı. Durumu kabullenmekte çok zorlanıyordu ama içini kemiren duygulara hâkim olacak iradeye sahipti. Otuz üç yıl boyunca önüne çıkan her olayda metanetini korumaya çalışmış, ümitsizliğe düştüğü anlarda bile bunu etrafındakilere fazla hissettirmemişti.

Ertesi gün, odasında, geleceği daha önceden haber verilen heyeti beklemeye başladı. Odada Başkâtip Ali Cevat Bey ve Şehzade Abdürrahim Efendi de vardı. Yaklaşan ayak seslerini duyan Sultan, sükûnetini korumaya çalıştı. Heyet içeri girip karşısına dizildi. Abdülhamid heyettekileri teker teker inceledi. Arnavut Esat Toptani Paşa, Ermeni Aram Efendi, Yahudi Emanuel Karasso ve Gürcü Arif Hikmet Paşa.

Gözleri Arif Hikmet Paşa'yla kesişince, Hikmet Paşa'nın yüzü kızardı. Esat Toptani Paşa bir adım öne çıkarak söze başladı:

– Biz Meclis-i Mebusan tarafından geldik. Fetva-yı Şerif var. Millet seni azletti. Ama hayatınız emindir.

Abdülhamid içinden, *zavallı millet, kendisini bekleyen acı sonu bilseydi,* dedi. "Hal" kelimesinin yerine "azl"in kullanılması dikkatinden kaçmadı. Bunun hakaret amacıyla tercih edildiğini düşündü. Ama karşısındakiler padişah dengi insanlar olmadığı için onlarla tartışmaya girmedi. İtirazlarının, heyeti ve karar alan kişileri yüceltmekten başka bir işe yaramayacağını bildiğinden, bir süre sessiz kalmayı yeğledi. Sonra yüzünü Esat Toptani Paşa'dan Arif Hikmet Paşa'ya döndürdü. Heyet içinde hitap edeceği en uygun kişi oydu. Çünkü Hilafet makamına gönderilen heyet bir anlam taşıyordu. "Azl" kelimesi aklını toparlamasını zorlaştırıyordu. Heyet haddi aşmıştı. Arif Hikmet Paşa'ya hitaben sakince konuşmaya başladı:

– Şeriata ve Mebusan Meclisi kararına boyun eğiyorum. Vicdanen müsterihim. Ancak 31 Mart'ta patlak veren olaylarla hiçbir bağım olmadı. Bunun iyice bilinmesini isterim. Milletim sebep olanları arayıp bulmalı, cezalandırmalıdır. Bu olay Osmanlı ülkesine yapılmış büyük bir kötülüktür. Bunu mülküme reva görenlerden Huzuru Rabbülâleminde de şikâyetçiyim. Yalnız bir ricam var: Biraderim Sultan Murat'ın da ikamet ettiği Çırağan Sarayı'nda çoluk çocuğumla hayatımın geri kalanını geçirmek isterim. Bunu temin ediniz. Yarın sabah bahçeden geçer, daireme yerleşirim.

Arif Hikmet Bey, Abdülhamid'in konuşması bitince başını kaldırdı:

– Bu husus, heyetimizin salahiyeti dışındadır. Arzu-yu Şahanenizi meclise arz ederim efendim.

Abdülhamid, gelen heyetin salahiyetsiz olduğunun söylenmesi üzerine yüzünü heyetten çevirdi ve Başkâtip Ali Cevat Bey'e hitaben:

– Takip ediniz ve neticeyi bana bildiriniz, dedi.

Sert bir hareketle içerideki odaya doğru ilerledi. Heyet, büyük bir sessizliğe gömülen salondan yavaşça dışarı çıktı.

# VI

Eşref, Tokatlıyan Gazinosu'ndan içeri girdiğinde keskin koku ve duman gözlerini yaktı. Kızarmış patates ve rakı kokusu ortama kurşun gibi çökmüştü. Sivri topuklarına basmış, yeleklerinin iç ceplerinden köstekli saatlerini sarkıtmış, bıyıklarını işaret parmaklarıyla düzelten kabadayılar, askerî üniformalarıyla oturan zabitlerin yanı başındaydı. Tokatlıyan tam bir renk cümbüşüydü. Yerel kıyafetli Makedon çeteleri, dağlardaki günlerine nispet edercesine şişelerin diplerindeydi. Hacı Sami, Eşref'in kulağına eğilerek, tütün dumanları arasında kalmış birkaç kişiyi işaret etti. Eşref duruşunu değiştirmeden, Hacı Sami'nin işaret ettiği tarafa uzun uzun baktı. Gazinoda sefahat havası hâkimdi. Şehir kendini anarşiye teslim edeli üç gün olmuştu ama taşkın hareketler hâlâ bitmemişti. Sanki bitmesini isteyen de pek yoktu. Gösterilerden sonra neler olacağını kimse bilmiyordu. Eşref'in ayakta, gazinonun ortasında uzun süre durması, dumanlar içinde afyon çeken birkaç kişiyi rahatsız etmişti. Bunu fark eden Eşref, Hacı Sami'ye;

– Görmek istediklerimizi gördük Hacı, çıkabiliriz, dedi.

Eşref, Beyoğlu'nun taşları bozuk daracık sokaklarında yürürken, olanları kavramaya çalışıyordu. İran Devrimi için çıktıkları yolculuktan elleri boş dönmüşlerdi. Bir de Yakup Cemil ve bazı fedailerin taşkın hareketleri, halka karşı pervasız tavırları canını sıkmıştı. Her geçen gün Yakup Cemil'le araları açılıyordu. Bu adamın ne yapacağını önceden kestirmek zordu. Aklına ilk geleni hiç düşünmeden yapıp, sonra da hiç pişmanlık duymuyordu.

Mekteb-i Sultani'nin önüne geldiklerinde, büyük bir kalabalığın liseden çıkıp meydana doğru ilerlediğini gördüler. Kalabalıkla ters istikamette ilerliyorlardı. İnsan seli, bir geyiğin ardı sıra yürüyordu. Etraftakiler, şaşkın bakışlarla geyiği işaret ediyor, fısıltılar dalga dalga yayılıyordu. Çocuklar, ürkek adımlarla geyiğe yaklaşıyor, ona dokunma cesareti gösterenler bir kahraman havasıyla ailelerine doğru koşuyorlardı. Hacı Sami büyük bir şaşkınlık içinde abisinin etrafında dönüyor, olanları anlamaya çalışıyordu. Eşref, kardeşinin şaşkınlığını fark ederek durumu açıklamaya çalıştı:

– Bu mübarek geyik, hürriyetin sembolüdür Hacı. Buraya çok uzaklardan, ta Makedonya dağlarından geldi. Arkasında yürüyen de Hürriyet Kahramanı Niyazi Bey'dir. Niyazi, "Kahraman-ı Hürriyet" olarak dağa çıktığında, bu mübarek hayvan, bir rehber gibi onlara yol gösterir, çetenin önünde her daim yürürmüş. Bilirsin, Balkanlar'da Bektaşilik çok yaygındır. Bu mübarek hayvan da, Bektaşiler de kutsal sayılır.

– Çete kıyafeti giyenler?

– Aaah Hacı! Onlar, bizim arkadaşların yıllarca Makedonya dağlarında peşlerinden koştukları asiler.

– Ama bu nasıl olur abi?

– Hacı, dervişlerden biri, bir gün hocasına bir soru sorar. "Hocam, sizin bu dünyada hiç anlam veremediğiniz bir şey oldu mu?" Hocası fazla düşünmez. Çünkü bu soruyu daha evvel geceler boyu düşünmüş ve cevabını bulmuştur: "Ah evladım, benim bu dünyada hiç anlam veremediğim tek şey, bulduğu her fırsatta Allah'a isyan eden bir kulun, kalbinde O'nun sevgisini taşıyor olduğunu her defasında söylemesidir." Teşkilatın şu anki durumu biraz bu hikâyeyi anımsatıyor. Dışarıdan destek almadan bu işler yapılabilir miydi, o da ayrı bir konu... Öyle şeyler yaşıyoruz ki birbirimize izah ederken bile zorlanıyoruz.

Yanlarında yürürken onları dinleyen tebdili kıyafet içinde bir medrese talebesi söze karıştı:

– Efendi! Bu renk cümbüşü hayra alamet midir? Yağmaladılar bütün İstanbul'u! Yıldız Sarayı'nı, ecdadımızın bütün hatıralarını yağmaladılar. Sahaflara yakın sokaklarda paha biçilmez tablolar, el yazması Kuran-ı Kerimler, kıymetli kitaplar, yazmalar, çiniler, özel eşyalar Yahudi koleksiyoncular için parça toplayan aracılara haraç mezat satılıyor.

Göz işaretiyle Niyazi'yi ve hayatında ilk defa gördüğü garip kıyafetler içinde yürüyen çeteleri göstererek;

– Hamid'e zalim diyorlardı. Bu asiler, devletin namusunu kimlere emanet ettiler, dedi. Zulüm günleri asıl yeni başlıyor efendi. Sokak ortasında sarıklı sakallı insanları dövüyorlar, cepheden cepheye koşmuş komutanlarımızın rütbelerini söküyorlar. Üstelik rütbeleri sökenler de asker. Meydanlarda darağaçları kurulmuş, toplu idamlar yapılıyor. İnsanımız, kendi kendini tüketiyor. Ordumuz bunun için mi yemin etti? Bize getirdikleri hürriyet bu mu?

Tebdili kıyafet içindeki talebe, başındaki fesi eline almış, gözyaşları içinde uzaklaşıyordu. Eşref, Hacı Sami'ye dönerek acı acı söylendi:

– Gidelim kardeşim. Allah biliyor ki benim aklım olanları almıyor. Ben sadece devletime hizmet etmek gayesiyle bu işlere girdim ama görüyorum ki buralarda bize iş kalmamış.

Mekteb-i Sultani'nin yüksek demirli kapısının önünden ayrılırken, içini korkunç bir pişmanlık duygusu kapladı. Bankalar Caddesi'ndeki ihtişamlı binaların gölgesinde yürürlerken, askerlerin sakallı bir medrese talebesini Kamondo Ailesi'nin yaptırdığı döner merdivenlerden tekme tokat aşağı yuvarladığını gördüler. Çığlıklar ve yalvaran bağırışlarla merdivenlerden yuvarlanan adam, caddeye sere serpe uzandı. Hacı Sami adamı kaldırmak için hareketlenince Eşref, kardeşini kolundan tuttu.

– Şimdi değil Hacı. Kaldırmanın ona bir faydası olmaz. Onu bu kızgın grubun elinden alabilmemiz zor.

Adamın ardı sıra Karaköy Meydanı'na indiklerinde gördükleri manzara daha kötüydü. Üçayak şeklinde hazırlanmış darağaçlarında, beyaz elbiseleri ve başlarında fesleriyle üç kişi asılmıştı. Toplanan insanlar, duyduklarını birbirlerine aktarıyorlardı. Asılan kişilerden birinin başı önüne, diğerin arkaya, üçüncüsünün de sol omzuna düşmüştü. Eşref, sert bir mizaca sahip olmasına rağmen gördükleri karşısında kaskatı kesilmişti. Hacı Sami, abisinin omuzlarından tutarak;

– Hadi abi gidelim, dedi.

Kalabalık bir anda sağa sola kaçışmaya başladı. Harbiye talebeleri geçiyordu. Omuzlarında silahları, sert adımlarla Galata Köprüsü'ne doğru ilerliyorlardı. Eşref, kardeşiyle Yıldız Sarayı'na yöneldi. Uzun yoldan gelmiş olmanın yorgunluğu ve bütün bu gördükleri, yıllarca çöllerde verdiği mücadelenin bir yalandan ibaret olduğunu fısıldıyordu kulaklarına.

Yıldız Sarayı'nın halini görmek onu büsbütün sarstı. Koca saray yağmalanmış, ecdattan kalan bütün birikimler ortadan kaybolmuştu. Büyük bir havuz dolusu altın söylentileri ise işin tuzu biberiydi.

Eşref, kardeşi Hacı Sami'yle birlikte Enver'in yanına gitti. İran'da olanları anlatıp çiftliğine çekilmek için izin istedi. Enver, Eşref gibi sadakatinden şüphe duymadığı birini kaybetmek istemiyordu.

– Enver Bey, ben yıllarca istibdadı devirmek için çalıştım. Ancak şimdi İzmir'de ve burada gördüklerim beni hayal kırıklığına uğrattı. En büyük kazancımı sizinle tanışmak olarak görüyorum. Müsaadeniz olursa İzmir'e, ailemin yanına dönmek istiyorum.

– Onları buraya getirseniz Eşref Bey.

– Burada yapacağım şeyler olduğuna kanaat getirseydim öyle yapacaktım.

– Sen bizim için önemlisin Eşref... Gitmesen...

– Yok Enver Bey, yok. Bize burada ihtiyaç kalmamış. Bu saatten sonra Cemiyet'in dostları eksik olmaz.

– Ne işle uğraşacaksın oralarda Eşref Bey?

– At ticareti.

– At ticareti mi?

– Evet. Dağlarda özgür gezebilmenin en iyi yolu böyle bir işle uğraşmak.

– Peki, yolun açık olsun Eşref Bey.

– Sağolun... Hakkınızı helal edin Enver Bey.

– Helal olsun, sen de helal et...

Eşref, Beşiktaş'taki konağa uğrayıp yanına yolculukta lazım olacak bazı eşyalar aldı. Sessiz sedasız İstanbul'dan ayrıldı, İzmir'deki çiftliğine gitti.

\*\*\*

Eşref, kendisini çok yorgun hissediyordu. Abdülhamid'i iktidardan düşürmek için yıllarını vermişti. Çöllerde geçen yıllar, ona yaptıklarının çok da güzel işler olmadığını fısıldıyordu. Hiçbir şey düşünmek istemiyor, hiç konuşmuyordu. İzmir'in dağlarında sisler, dumanlar arasında at sırtında geziler yapıyor, at ticaretiyle uğraşıyordu. İçinde ailesini barındırdığı bu çiftliği, babasına Sultan Hamid hediye etmişti.

Dumanlı dağlardan uzun uzun ovayı seyrettiği günlerde, içinde hep derin bir boşluk vardı. Mevsimler gece ve gündüz hızında geçip giderken, Eşref içindeki seslerle arkadaşlık ediyordu. Gözleri hep yollardaydı. İstanbul'da neler olup bittiğini bilmiyordu. Kat kat kıvrımlı ve dumanlı dağlarda böyle üç yıl geçirdi.

Yağmurlu bir günün akşamı, Hacı Sami acı bir haberle çıkageldi. İtalyanlar Trablusgarp'ı işgal etmişti. Topraklarımız tespih tanesi gibi dağılıyordu. Atını çatlatırcasına dağlara sürdü Eşref. İçi içine sığmıyordu. Bu duyguyla, günlerini yalnız başına dolaşarak geçirmeye başladı.

\*\*\*

Üç yıl, ailesiyle birlikte geçirdiği en uzun zamandı. İçinde yeniden İstanbul'a dönme duygusu uyandı. Bu duygu öylesine büyüdü ki, yağmur altında sam rüzgârlarının sıcaklığını hissediyordu artık. Düşüncesini bir gece yarısı eşine açtı. İnce ruhlu Çerkez kızı, kaderin hükmü karşısında sessiz kalarak sadakatini gösterdi. Eşref, beş yaşındaki oğlu Feridun'u kucağına aldı. İşittiği ilk söz, "Yine mi gidiyorsun baba?" oldu. Bu soruya sessiz kalarak cevap verdi. Onu en son bırakıp gittiğinde Feridun iki yaşındaydı. Oğlu, Eşref'in evden uzakta olduğu günleri hatırlıyor olamazdı. Ama sessiz bir rüya gibi, çiftlikte yaşayanların hayatlarını saran bu korku, oğluna da sirayet etmişti. Eşref, bütün geceyi cam kenarında, ruhuna dinginlik veren yağmuru seyrederek geçirdi.

# BEŞİNCİ DEFTER

## "Trablus, Zavallı Memleket..."

# I

Beyaz boyalı ahşap kapıya eli uzandığı zaman, içinde düğüm düğüm bir heyecanın çözülmekte olduğunu hissetti. Tokmaklardan büyük olanını birkaç kez vurdu. Açılan kapıdan hiçbir zorlukla karşılaşmadan girdi. Büyük, ferah salonda zihnindeki karışıklıklara cevap arayarak gezindi. Merdivenlerden gelen ses tanıdık ve samimiydi:

– Eşref Bey! Hoş geldiniz.

– Hoş bulduk.

Merdivenlerden inen Enver, kollarını açarak Eşref'e doğru yürüdü. Enver normal zamanlarda böyle davranmazdı. Bu hali Eşref'i şaşırttı.

– Eşref Bey! Nasılsınız?

– İyiyim efendim. Sizler nasılsınız? Sağlığınız sıhhatiniz nasıl?

– İyidir Eşref, iyidir. Her şey iyi olmakla birlikte, vatan topraklarının bir bir elimizden çıkması bütün iyiliğimizi gölgelemektedir.

– Berlin'de olduğunuzu duymuştum.

– Yeni geldim. Senin gelmiş olmana da sevindim Eşref. Gerçekten sana çok ihtiyacımız olacak.

– İstanbul'dan ayrılırken, buraya uzun yıllar boyunca tekrar dönmeyeceğimi düşünmüştüm ama Garp Ocakları'ndan Trablus'un başına gelenler beni derinden yaraladı. Her neyse, nasıl bir çare düşünüyorsunuz?

– Çok şey düşünüyorum Eşref Bey, çok şey... Ama neyi nasıl düşüneceğimi tam olarak bilemiyorum. Yol boyu, yapmamız gerekenleri planladım ama üzerinde çok çalışmamız lazım.

– Durumumuz tam olarak nedir efendim?

– Gel hele Eşref Bey, birer bardak çay içelim, sonra uzun uzun konuşuruz. Yapacak çok iş var.

Birlikte bahçeye çıktılar. Yapraklarını dökmüş ağaçların kuru bedenleri, sert ve soğuk esen rüzgârın kamçı gibi savruluşlarına direniyordu. Boğaz, her zamanki sessiz akışıyla kıyısında durup kendisini izleyenlerin yüzüne yalnızlığını vuruyordu. Bu sonbahar, ikisine de yaşlı İmparatorluğun durumunu hatırlattı.

Eşref'in aklı çok karışıktı, Enver'in ne düşündüğünü merak ediyordu.

– Eşref, İtalya Eylül'ün sonlarında, Trablusgarp ve Bingazi'yi işgal ettikten sonra, bu işgale rıza gösterilmesi için Bab-ı Âli'ye ültimatom verdi. Deniz kuvvetlerimizin halini söylemeye gerek yok ama yine de ültimatom hükümet tarafından reddedildi. Hükümet bu yükü kaldıracak durumda olmadığından istifa etti. Yeni hükümeti Said Paşa kurdu. Birkaç gün sonra Derne'nin topa tutulduğu haberleri geldi. Hükümetin yapabileceği fazla bir şey yoktu aslında. Her zamanki gibi sert bir dille işgal kınandı.

– Yani?

– Kaderin tecellisine bir anlamda boyun eğildi. Daha kötü haberler alıyoruz Eşref. Balkanlardaki karışıklıklar iyice körükleniyor. Bir taraf işgal edilirken, dikkatler bir başka tarafa çekiliyor. Yemen'den İmam Yahya'nın İtalyanlarla anlaştığı haberlerini alıyoruz. Balkanlara mı, Yemen'e mi, yüzümüzü hangi tarafa döneceğimizi bilemiyoruz.

– İmam Yahya ha! Havran da Dürzîler ayaklandı ha!

Eşref, yüzünde beliren utancı Enver Paşa'dan saklamak için Boğaz'ın sularına döndü. Ellerini arkadan bağlayarak birkaç adım attı. *Kaderin ne garip cilveleri var. Yıllar önce o toprakları adım adım gezdim. Havran'daki Dürzîler de dâhil olmak üzere bütün Arap topraklarının Abdülhamid'e karşı ayaklanmasını istedim*, diye düşündüm.

– Eşref Bey daldınız.

– Önemli bir şey yok efendim. Geçmiş günleri hatırladım.

– Geçmiş, günahları ve sevaplarıyla mazinin derinliklerinde kaldı Eşref Bey. Ahmet İzzet Paşa, İmam Yahya ile bir anlaşma imzaladı ama Zeydiler yakında büyük bir ayaklanmanın küllerini üfleyecekler. Ah Eşref Bey, toprak kayıplarını Sultan Hamid'in izlediği yanlış politikalara bağlıyorduk ama üç yıldır biz de kayıplara mani olamıyoruz. İngiltere, Mısır üzerindeki nüfuzunu öylesine kullanıyor ki, İtalyanlara Mısır'ın tarafsız kalacağı garantisini verebiliyor. Mısır bizim toprağımız Eşref Bey. Aklın alıyor mu? Bizim toprağımızın bizim savaşımızda tarafsız kalacağı garantisini veriyor İtalyanlara. Garp Ocakları'nı sahipsiz bırakamayız Eşref Bey, devlet gidemiyorsa biz gideceğiz oraya...

Duydukları Eşref'i hiç şaşırtmadı. Garp Ocakları'na gönüllü gidileceğini önseziyle anlamıştı zaten. Enver Bey susunca, bir süre ikisi de konuşmadan Boğaz'ın serin sularına karşı çaylarını yudumladılar.

Günün ilerleyen saatlerini beraber geçirdiler. Nuruosmaniye Şeref Sokak'ta heyecan, aklın önündeydi. Desteği alınabilecek herkes sırayla gezildi. Akşam Enver Bey'in evinde yapılacak toplantıda hareketin teferruatı görüşülecekti. Enver, arkadaşlarından ayrıldı, Eşref'le beraber Harbiye Mektebi'ne gitti. Eşref, boş bir odada bekleyen beş zabit adayını görünce şaşkınlığını gidermesi için Enver'in yüzüne baktı.

– Eşref Bey, vatansever bu beş arkadaşımız, bir yanlış anlama neticesinde arkadaşlarıyla anlaşmazlığa düşmüşler. Ben sizden evvel kendileriyle görüştüm ve onlara bizimle gelmelerini teklif ettim. Kararlarını bize bildirecekler.

Enver, zabit adayları hakkındaki durumu Eşref'e anlatırken bir üstüyle konuşuyor gibiydi. Bu durum Eşref'in dikkatinden kaçmadı.

Gençler arasından Gazzeli Cemal ayağa kalkıp selam verdikten sonra;

– Arkadaşlarımızla emirlerinize hazırız komutanım, dedi.

Genç zabit adayının ciddiyeti Eşref'in tebessüme sevk etti.

Zabit adayları, arkadaşları tarafından çok hırpalanmıştı. Eşref sebebini çok merak etse de sormadı.

Aynı akşam, Enver'in Beşiktaş'taki evinde toplandılar. Enver masayı daha önceden hazırlamış, kipert paftalarını yaymıştı. Saatlerce masa başında hareketin planlarını yaptı. Masanın etrafına toplanmış bir elin parmakları kadar genç zabit, "Cihan Seraskeri"nin ağzından çıkacak cümleleri bekliyordu. Enver, arkadaşlarının yüzüne tek tek baktı. Mustafa Kemal heyecanlıydı fakat yüzünde duygularıyla zıtlık oluşturan bir sükûnet vardı. Onun mavi gözlerinden yayılan ışık, Enver'in içinde derin bir ürperti meydana getirirdi. Mustafa Kemal, çok güvenmekle birlikte, her zaman Enver'e mesafeli dururdu.

Mustafa Kemal'in yanında Fuat Bulca oturuyordu. Eşref'in yanında ise Süleyman Askeri vardı. İkisi de sadık ve güven veren isimlerdi. Eşref, Yakup Cemil ile göz göze geldiklerinde tebessüm etti. Bütün fedailer arasında kimse Yakup Cemil'e dalaşmaz, kimse onunla ters düşmezdi.

Enver, etrafına toplanan zabitlere hitaben söze başladı:

– Aziz arkadaşlarım, zor bir karar verdik ve büyük fedakârlık gerektiren bir işe talip olduk. Bu kararın arkasında hiçbir makam ve şahsî menfaat duygusu yatmamaktadır. Devletin vaziyeti, malumunuz olduğu üzere, hiç iç acıcı değil. Bugün Eşref Bey'le pek çok yer gezdik. Umumi nabzı almaya çalıştık. Harbiye Nazırı Mahmut Şevket Paşa ile görüştük. Konuşmalardan özetle şunu anladım ki gidişimize ses çıkarılmayacak fakat kimse de bizi tanımayacak.

Eşref, tebessüm ederek söze karıştı:

– Yani tanımlanmamış asiler olacağız.

Bir an, ağzından çıkan cümleler boğazına düğümlendi. Yakup Cemil'in gözlerine dikilen bakışları, sen zaten asi değil miydin, der gibiydi. *Hayat ne garip*, diye geçirdi içinden. *Dün devlete asi idim, bugün gerçek bir vatanseverin bile kalkışamadığı bir işi yapmaya çalışıyorum.* Enver'in akıcı konuşması kulaklarında kaybolmuştu. "Değil mi Eşref Bey!" sözüyle uyandı.

– Evet efendim, ifade buyurduğunuz gibi...

Eşref'in bu dalgın hali, masanın etrafındakilerin gözünden kaçmadı. Enver kısa bir sessizlikten sonra konuşmasına devam etti:

– Harbiye Nezareti, İtalya ile resmi bir harbe girilmesini devletin sonunu getirecek bir hareket olarak algılamaktadır. İnsaflı olarak düşünüldüğünde, bu tespitin doğruluğuna şüphe yoktur. Ama biz Garp Ocakları'ndan bir parçamızın düşmana öylesine teslim edilmesine de razı değiliz. Vicdanen, bu işin ağırlığını yüreğimizde taşıyamayız. Biz şerefli bir devletin şerefli ordusunun mensuplarıyız. Asi olarak anılmayı da göze alarak Trablusgarp'a geçecek ve direnişi başlatacağız. Ben neticeyi bilerek işin başında şunu da söylemek isterim ki gelmek istemeyenler bir sebep üretmek zorunda değildir.

Son cümleden sonra biraz duraksadı. Masanın etrafında oturanların yüz ifadelerine baktı. Hiçbir yüzde en ufak bir endişe ve tereddüt yoktu.

– Muhterem arkadaşlarım, hareket gayet gizli tutulacak. Önümdeki kipert paftası üzerinde bazı planlar yaptım. Fakat harekete asıl şeklini beraber vereceğiz. Mustafa Kemal Bey ve Eşref

Bey daha önce görev icabı bu topraklarda bulundular. Hareket planını hazırlarken onların fikirleri bize rehber olacaktır.

Mustafa Kemal, önündeki haritaya eğilerek konuşmaya başladı:

– Muhterem arkadaşlarım, birkaç gündür meselenin hal çaresini düşünüyorum.

Eliyle harita üzerinde duran Trablus sahillerini göstererek devam etti:

– Trablus sahillerini bizzat gördüm, iyi bilirim. İtalyan donanmasının iç bölgelere hemen sızabileceğini düşünmüyorum. Hatta şunu da rahatlıkla ifade edebilirim ki donanmanın top atış menzillerinden öteye geçeceğini sanmıyorum. Fakat bütün bunlar, biz acele edip yerli halkı örgütler ve direnişi başlatırsak geçerlidir. Vakit kaybedilmeden harekete geçmeyi ve örgütlenmeyi şart görüyorum. İtalyanları sahil şeridine ancak böyle kilitleyebiliriz.

Masanın etrafında oturan bütün erkân-ı harpler Mustafa Kemal'in sözlerini başlarıyla tasdik ediyorlardı. Enver, Eşref'in de konuşmasını işaret etti. Eşref, saatlerce üzerinde çalıştığı haritayı işaret ederek, parmaklarını haritanın üzerinde gezdirdi. Daha önce Enver'le uzun uzun konuştukları planı kısaca arkadaşlarına anlatmaya başladı. Parmakları Mısır'ın üzerinde durdu.

– En temel dayanak noktamız Mısır... Mısır dış siyaset olarak İngiliz tesirindedir. Trablus'a geçişimiz Mısır'ın takınacağı tavra bağlı. Biz burayı zorladıkça, İngilizler geçişimize engel olmaya çalışacaklardır. Mısır'da, mahalli idarelerde eski dostlarımız var. Onların yardımına başvuracağız. Herhangi bir gözaltı durumu vuku bulursa, elimizden geleni yapacağız. Buradaki dostlarımız, bize yardımlarını alenen yapmayacaklardır. Hakaretlere ve işkencelere uğrama ihtimalimiz büyüktür. Arapların haletiruhiyesini iyi bilirim. Harekette bir ışık görürlerse, netice, tahminlerimizin ötesinde bile olabilir. Geçişimiz hemen haber alınmasa dahi, İngiliz ajanlarının bu bölgedeki etkinliği yüksektir. Çoğunluğu esnaf olan İngiliz subaylarının oluşturduğu bu örgütlenme, yerel halkla irtibat kurarken, onlara cazip şeyler teklif ediyor. Böylelikle halkın desteğini rahatlıkla satın alabiliyorlar. Direniş için lazım olacak her şeyi ilk hareketimizde yanımızda götürmeliyiz. Çünkü sonra, bunun pek mümkün olacağını sanmıyorum. Mısır, İngilizlerin sıkıştırmaları neticesinde bize karşı tutumunu belirlemeden evvel, biz malzeme sorunumuzu halletmeliyiz.

Enver ayağa kalktı:

– Arkadaşlar, bu gece bu masanın etrafında oturan zevat, tebrike şayandır. Allah hepimizin yardımcısı olsun. Müsaade ederseniz, ben herkesin fikrini almak ve bu fikirlerden ortak bir neticeye varmak isterim. Hareketimiz her ne kadar benim kontrolümde olsa da, emri vaki ile sizleri sevk etmek istemem. Bu gönüllü bir harekettir. Hepimiz aynı şeyi düşünemezsek başarılı olma şansımız yoktur.

Enver'in konuşmasını müteakip havaya kalkan eller onu tasdik ediyor gibiydi. Akşam yemeğinde de sohbete devam edildi. Enver, herkesin fikrini söylemesini özellikle istiyordu. Tam birliktelik sağlanamazsa hareketin başarılı olacağına inanmıyordu. Konuşmalar boyunca herkesi fikirlerini açıkça söylemesi için teşvik etti.

Enver ortadan kaybolması üzerine çıkabilecek söylentiler için küçük bir plan hazırlamıştı:

– Benim ortadan kaybolmam çeşitli söylentilere sebep olabilir. *Tanin* gazetesi birkaç gün sonra, Karadeniz havalisinde kurulacak yeni birlikleri tetkik etmek için ziyarette bulunacağımı yazacak.

Sonra Ömer Fevzi Mardin Bey'e dönerek devam etti:

– Ömer Fevzi Bey, daha önceki görüşmemizde sizinle sevkıyat hakkında konuşmuştuk.

– Sevkıyatla ilgili sorunlar yaşayacağımızı tahmin edebiliyorum ama bunlar hallolmayacak meseleler değil. Mısır'da hatırımızın geçeceği dostlarımız var. Eşref Bey de o muhiti çok iyi bilirler.

Dostlarımızın yardımıyla malzeme teminini gerçekleştireceğiz, bedevilerin yardımıyla da sevkıyatı parça parça gerçekleştireceğiz. Yerel halkın yardımları inşallah beklentilerimizin ötesinde olur da işimiz kolaylaşır.

– Eee Mustafa Kemal Bey, siz Fuat Bey'le kendi durumunuzu düşündünüz mü?

– Ticaret o topraklarda en geçerli iştir. Halı ticaretiyle uğraşmayı düşünmüştük.

– Süleyman Bey?

– Efendim, ben sarığımı ve cübbemi hazırladım.

– Doksan dokuzluk tespihin?

Bu söz üzerine tebessüm eden Süleyman Askeri:

– Cübbemin cebinde efendim. Sarı bir kuka...

İlerleyen saatlerde hareket planı netleşti. İki grup halinde yola çıkılacaktı. Ali Fethi önderliğindeki grupta Eşref Bey de vardı. İkinci grup, Enver Bey'in önderliğinde geçiş yapacaktı.

# II

Siyah bir atın üzerinde, arkasında ince bir toz bulutu bırakarak ilerliyordu Eşref. Denizden yükselen dağlar, iki kola ayrılmış, derin bir vadiyi kucaklar gibi sarmıştı. Eşref, dürbünüyle vadinin iki yakasında konumlanmış şehri seyrediyordu. Liman tarafında, sahilden iki yüz metre yüksekte bulunan vadinin yamaçlarına asılmış gibi duran beyaz evler, yoğunluğunu yer yer bodur çalılıklara terk eden bir ormanın içine saklanmıştı. Şehrin ikinci mahallesi gibi duran kısmı ise, daha doğuda Zephiron Harabeleri'nin hemen yanı başına kurulmuştu.

Eşref, elindeki dürbünle sahile yakın demirlemiş İtalyan donanmasını takip etmeye çalışıyordu. Dürbün eski ve kırık olduğundan gemileri çok da iyi seçemiyordu. Şehri besleyen su kaynağı, denizden itibaren üç kilometrelik mesafeden görülebiliyordu. Vadinin yamaçlarına gidildiğinde su kaynağı meçhule doğru uzanıyordu. Eşref, kaynağın kıvrımlarını elindeki haritadan takip ediyordu. Su kaynağı, İtalyanların en kolay tuzağa düşürüleceği yerlerden biriydi. Eşref'in atı saatlerce koştuğu için, sanki buhar olup uçacakmış gibiydi.

Sessizlik ardı ardına gelen top sesleriyle bozuldu. Eşref, hayvanın huysuzluklarından net olarak takip edemediği gemileri şimdi hiç göremiyordu. Top atışları o kadar yoğundu ki vücuduna her an bir şarapnel parçası isabet edebilirdi. Ormanlık alana düşen toplar, arkasında siyah dumanlar bırakıyor, bazı noktalarda yangın başlıyordu. Eşref arkasından yetişen atlıya korku dolu gözlerle baktı.

– Ya Eşref Bey! Başa* geldi! Başa geldi!

Beyazlar içine mumya gibi sarıp sarmalanmış siyahî adamın ağzından çıkan sözler, Eşref'in korkuyla açılmış gözlerinden yanaklarına tane tane yaşların süzülmesine sebep oldu.

– Başa geldi.

– Allah'a şükürler olsun.

Eşref, arkasından kendine yetişmeye çalışan bedeviyi beklemeden, atını kıldan çadırını kurduğu Avakir karargâhına doğru sürdü. Geldiğinde Enver ve arkadaşlarını yerde bağdaş kurmuş otururken buldu. Hepsine sarıldı. Şaşkınlıktan ne yapacağını bilmiyordu. Arkadaşlarının yakalandığına dair haberler almıştı. Gruptan eksik olanlar vardı. Mustafa Kemal, gözlerindeki rahatsızlıktan dolayı İskenderiye'de kalmıştı.

Enver sordu:

– Eşref Bey, uzun yoldan gelen misafirlerine ikram edecek bir şeylerin yok mu?

Eşref üzerindeki şaşkınlığı bir anda atarak;

– Olmaz mı efendim. Size garip gelecek ama "Devlet-i Eşrefiye'nin Hazine-i Hassa Nazırı'ndan" ikramlarımız var, dedi.

Kıl çadırın girişinde, sağ tarafta duran sandıktan Hacı Bekir lokumu, fındık ve çölde bulunması çok da kolay olmayan sigara kartonları çıkardı, kaplar içinde arkadaşlarına ikram etti.

Süleyman Askeri birlikte geldiği arkadaşının yanında getirdiği şeylerden habersizdi. Şaşkınlığını gizlemeyerek;

* Paşa

–Ya Eşref Bey, sen adamı en çok çöllerde şaşırtırsın, dedi. Yol boyu beraberdik, bunları nerede sakladın? Boşuna Uçan Şeyh dememişler sana.

Kendine en büyük rakip saydığı Süleyman Askeri'den işittiği iltifatlarla keyfi iyice yerine gelen Eşref gülerek:

– Devlet-i Eşrefiye'nin Hazine-i Hassa Nazırı'ndan, Süleyman Bey, dedi.

Ama kimse bu nazırın kim olduğunu bilmiyordu.

Yoldan gelenler istirahata çekildi. Enver Bey istirahat etmek yerine, Eşref ve Süleyman Askeri ile at gezisine çıkmayı tercih etti. Yüksekçe bir tepenin başında oturdular.

Enver:

– Arkadaşlar, bu gayrinizamî bir harekettir. Arkadaşlarımız kahraman erkân-ı harplerden oluşmaktadır. Düzenli birlikler oluşturmak biraz zaman alabilir. Şeyh Sünusi vatansever bir adamdır, devletimize bağlıdır. Geldiğimi haber almıştır, yakında burada olur. Onun da yardımlarıyla öncelikle insanlarda hızlı baskınlar yapabileceğimize, direnişi başlattığımıza dair kanaat oluşturacak birlikler tertip etmeliyiz. Sizler ikiniz de hem gayrinizamî harbin ne olduğunu hem de etkilerini bilirsiniz. Teşkilatçılığınızdan da hiç şüphem yok. Öncelikle bedevilerden hızlı hareket kabiliyetine sahip gruplar oluşturmalıyız.

– Enver Bey, biz Süleyman Askeri ile beraber siz gelmeden çalışmalara başladık.

Süleyman Askeri:

– Enver Bey, şu anda kullanabileceğimiz sekiz yüz ila dokuz yüz arası çöl savaşçısı var. İlk grup Avakir kabilesinden oluşturulabilir. İlk hareket, ümitlerimizi de arttıracaktır.

Eşref:

– Çöl savaşçıları çok küçük ücretler karşılığında büyük yararlılık gösterebilirler. Hareket başladığında çölün derinlerinden akın akın insan gelmesini istiyorsak, bu işi hemen başlatmalıyız, diyerek Süleyman Askeri'nin önerisini destekledi.

Enver:

– İnşallah Eşref Bey, inşallah... Siz çöl savaşçılarıyla ilgilenin. Baskınlarda elde edeceğimiz her silah için para ödülü verirsek teşvik edici olur.

Eşref:

– Ben İskenderiye'deki dostlarımızdan pek çok film camı tedarik ettim. Eğer iyi baskınlar yapıp fotoğrafları Avrupa'nın prestijli gazetelerine gönderebilirsek, ki bunu yapacak dostlarımız var, dikkatleri üzerimize çekeriz. Libya, Tunus ve Hindistan'daki Müslümanlar hareketimize destek verebilir. Ama öncelikle hızlı baskınları başlatmalıyız.

Süleyman Askeri:

– Eşref Bey'e katılıyorum. Gayrinizamî harpte moral üstünlüğü yakalamak bazen iyi bir donanmaya sahip olmaktan daha önemlidir. İtalyan subaylarının aylar öncesinden sivil kıyafetlerle ticaret erbabı gibi çölün derinliklerinde gezindiklerini ve işgale zemin hazırladıklarını biliyoruz. Propaganda, bu savaşta belirleyici rolü oynayacaktır. Efendim, biz Eşref Bey'le çöl savaşçılarının organizasyonunu da düşündük. Uygun görülürse...

Enver:

– Devam edin Süleyman Bey. Sizin uygun gördüğünüze kabulümüz olur.

Süleyman Askeri:

– Efendim, on ila yirmi kişi arası küçük gruplara bir çadır ve başlarına da bir onbaşı veya çavuş vereceğiz. Aşiretlerin kavgasını önlemek için, Şeyh'in önerdiği kişi uygunsa onu sorumlu olarak atayacağız. Her çadırda temizlik ve yemek işlerine bakacak bir kadın olacak. Her beş çadırdan bir şeyh mesul olacak. Yaklaşık üç şeyhin sorumlu olduğu alan ise bir subay arkadaşımız tarafından denetlenecek.

Enver anlatılanları dikkatlice dinlerken uzamış sakalını gayriihtiyarî hareketlerle sıvazlıyordu:

– Eğer bir aşiret şeyhi kalabalık bir grupla iştirak ederse?

– Sanırım iki tercümanla birlikte subay arkadaşlar kumanda etmeliler. Aslında ben bütün teferruatların ve ihtimallerin hesabını yaptım. Ama öncelikle bir hareket göstermeliyiz. Bir ışık... İnsanların gelmesi için iyi planlanmış bir baskın.

Eşref'in gülen yüzü Enver'in dikkatini çekti:

– Eşref Bey, siz çöl savaşçılarının Uçan Şeyhisiniz. İnşallah sürprizleriniz Hacı Bekir lokumu ile sınırlı kalmaz.

– Kalmaz efendim. Çöl şaşırtıcı bir yerdir.

– Bedevilerin mallarına, hayvanlarına el koymayı yasaklayalım. Yüksek fiyatlar verir, gönüllerini hoş tutarsak daha sonraki dönemde sevkıyat işlerimizde de bir aksama olmaz.

– Enver Bey, çölde geçirdiğim uzun yıllarda bedeviler hakkında şunu öğrendim: Bu insanların dostlukları ne kadar samimi ise düşmanlıkları da o kadar serttir. Burada yapacağımız en büyük hata, şeyhleri ve çöl savaşçılarını memnun etmemek olur.

Konuşma devam ederken üzerlerinden geçen bir tayyarenin sesiyle hızla saklanacak yer aradılar.

Eşref:

– Tayyareler, sık sık havadan halkın işgali tanıması için bastırılmış kâğıtlar dağıtıyor. Bedeviler, daha önce hiç tayyare görmediklerinden demirden yapılmış bir kuşun cehennemden kaçtığını düşünüyorlar. Bunlardan bir tane düşürüp onları ikna edemezsek, bu korku dalga dalga yayılacak.

– İnşallah, Eşref Bey inşallah...

– Efendim, sizlerin yakalandığı haberi geldi bize.

– Evet, Salih Harb'i bilirsin. Onun tarafından yakalanıp gözaltına alındık.

– Onu biliyoruz.

– Gözaltına aldıktan hemen sonra kaçmamıza izin verdiler, biz de kaçtık.

Eşref uzamış sakalını elleriyle sıvazladı:

– Enver Bey, Salih Harb söz verdiği gibi eşya ve adamlarımızı geçirmede bize yardım eder mi?

– Bunu zaman gösterecek Eşref Bey. Ben birlikleri ve komuta edecek zabit arkadaşları aklımdan belirledim. Arkadaşlarla senin çadırda bir görüşme yaparak plana son şeklini verelim.

– Olur efendim. Biz müsaadenizle işleri yoluna koymaya çalışalım, siz de yorgunsunuz istirahat ediniz.

# III

14 Ocak 1912
*Garp Ocaklarından Berka Kıyıları*

Sakin bir gündü. Deniz tarafından dağ yamaçlarını araştıran istihbarat elemanları kıyıda hazır bekleyen 4. Piyade Alayına bağlı iki tabura hareket serbestisi için bilgi ulaştırmıştı. Albay Konçino Rivoli, General Briccola'dan gelecek hareket emrini bekliyordu. Çok kolay olacağına inandığı işini pek önemsediği söylenemezdi. Yeni görevi Berka kıyılarından olabildiğince açılmak, yeni mevkiler ele geçirip ikmal ve sıhhiye malzemelerini kıyıya nakletmekti. 63. Alay Müfrezesi, ondan sonra Giuiliana Burnu'na çıkartma yapacak olan iki bataryanın yerleri değiştirilirken ateş gücüyle piyadeyi destekleyecekti. Fakat gelen istihbarat, kıyı şeridinden tepelere hatta tepelerin arkasına kadar hiçbir birliğin mevcudiyetinin tespit edilemediği şeklindeydi.

Kıyıdan esen sert rüzgâr, Rivoli'nin pelerinini dalgalandırıyordu. Vakit, ikindiye yaklaşmıştı, güneş sıcaklığını gittikçe kaybediyordu. Rivoli, yanındaki genç subayın gerginliğini tecrübesizliğine veriyordu. Elindeki dürbünle tepeleri inceden inceye tarıyordu. Sessizlik, tepelerden gelen birkaç el silah atışıyla bozuldu. Rivoli, yerleri tespit edilen atış alanlarına bataryalardan ateş edilmesini emretti. Yanındaki genç subay, bu silah atışlarının bataryaların yerinin tespit edilmesi için bir oyun olma ihtimalini hatırlatınca sinirlense de duygularını dışa vurmamaya çalıştı. Bunun sadece çöl savaşçılarının anlamsız hareketlerinden biri olduğunu söylemekle yetindi. Genç bir subayın kendisine akıl vermesinden hoşlanmamıştı. Bataryalar korkunç bir hızla seslerin geldiği mevkilere ateş açtılar. Sesler kısa zamanda kesildi. Rivoli yanındaki genç subaya kendinden emin bir tavırla;

– Gördün mü genç meslektaşım, birkaç çapulcudan başka bir şey değilmiş. Bu arada bataryalarımızın atış maharetlerini tekrar görmüş olduk, dedi.

Daha sonra, kroki üzerinde işaretlenmiş mevkileri genç meslektaşlarına tekrar göstererek bu bölgelere yapılacak sevkıyatın başlamasını emretti. İhtiyat kuvvetlerini kullanarak, herhangi bir saldırıya anında karşılık verebileceklerine inanıyordu.

Sevkıyat bütün hızıyla devam ediyordu. Yorulan askerlere rahatlamaları için sırt çantalarını çıkarmaları söylendi. Böylelikle sevkıyatın hızlanacağı düşünülüyordu. General Ameglio ve Yarbay Gantitano'nun emrindeki 4. ve 63. Piyade alaylarına cephe taarruzuna hazır olmaları emredildi.

*\*\**

Berka kıyılarını tepelerden seyreden Eşref'in yanında Süleyman Askeri, Kısıklı Cemil, Müşir Deli Fuat Paşa'nın oğlu Halid ve Mamaka Mustafa bulunuyordu. Eşref, taarruz planını birlikte hazırladığı Süleyman Askeri ile uzun süre sohbet ettikten sonra, Avakir kabilesi şeyhlerini yanına çağırttı. Baskında elde edilecek silahlar ve bunlar için yapılacak ödemeler hakkında konuştu ve baskın planını son kez tekrarladı. Hiçbir arkadaşının anlamadığı bir lisanla, planı şeyhlere uzun uzun anlattı:

– Ele geçirilen her tüfek için altmış gümüş kuruş, makineli tüfek için bir lira, sağ ele geçirilecek her esir için de beş lira vereceğim.

Ardından akıllarda şüphe kalmaması için hatırlatmakta fayda gördüğü bir hususu açıkladı:

– İçinizde esirlere neden beş lira verdiğimi merak edenler vardır. Siz sormadan ben söyleyeyim. Onlardan alacağımız esirleri, vereceğimiz esirlere karşı takasta kullanacağız. Eğer esir vermezsek elimiz daha çok güçlenir. Esirimiz bir subay olursa kıymeti daha fazla olur.

Şeyhler çok sade insanlardı. Bir şeyi açıkça anlattığınız zaman hiç itiraz etmeden dinler, duydukları şey akıllarına yatarsa hemen uygulamaya geçerlerdi. Eşref bu insanları çok iyi tanıdığından, onlara yaptığı açıklamaları oldukça kısa ve sade tutmaya özen gösteriyordu. Şeyhler çöl savaşçılarının başına dağılırken birbirleriyle helalleştiler. Eşref, arkadaşlarıyla tekrar görüştü. Onlara yakınından ayrılmamalarını tembihledi, çünkü birçoğu yerel dili bilmiyordu. Bedeviler, gece karanlığını beklemek için mevzilere yattılar. Eşref, çok da iyi görmeyen dürbünüyle sahildeki sevkıyatı seyrediyor, yarım saatte bir taciz ateşi açtırıyordu. Taciz ateşleri çok küçük çaplı olduğundan, İtalyanların bunları önemsiz bir direniş olarak algılamasını istiyordu.

Güneş ışıkları Berka kıyılarından çekilirken Eşref, Mamaka Mustafa ve Halid'den mevzileri tekrar kontrol etmelerini istedi. Kendisi de Avakir kabilesi ve arkadaşlarıyla pusuya yattığı yerde havanın iyice kararmasını bekliyordu. Karanlıkla beraber, dağlardan sahile doğru serin bir rüzgâr esmeye başladı. İtalyan birlikleri gece karanlığının da verdiği endişeyle işleri biraz daha hızlandırdılar. Sevkıyat bitmek üzereydi. Eşref dikkatlice sürünerek kıyıya yaklaşma emri verdi.

Avakir kabilesi yarı orman, yarı çalı yığınları arasında sürünerek kıyıya yanaşıyordu. İtalyan birlikleri, ellerindeki gelişmiş dürbünlerle yamaçları gözetledikleri halde bir şey göremiyorlardı. Rivoli, deri eldivenlerini çıkarıp pelerininin yanında, özel olarak diktirdiği cebe yerleştirdi. Yamaçlardan gelen rüzgârın uğultusu, gece karanlığıyla birlikte yüreklerine korku üfürüyordu. 4. ve 63. Alaylar sahilden dağın yamacına doğru saldırıya hazır vaziyet aldılar. Ancak büyük bir saldırı beklentisi olmadığından, İtalyan askerlerinin üstünde rehavet havası hâkimdi. Komutanları da, mevzi alma lüzumu hissetmeden ortalıkta rahatlıkla dolaşıyordu.

Dağların yamaçlarından sahile doğru yavaş yavaş akan çöl savaşçıları, çalıların arkasında zemine yapışık bir düzen aldılar. Çok sessiz ve temkinliydiler. Eşref ve Süleyman Askeri'den gelen işaretler, yardımcılar vasıtasıyla arkadaki gruplara iletiliyordu. Sahil şeridine iyice yaklaştıkları zaman Eşref, savaşçılara daha geniş bir alana yanaşık düzen dağılmalarını söyledi. Sahilden gelebilecek top ve makineli silah atışlarında hedefi büyütmek istiyordu. Mamaka Mustafa sürünerek Eşref'in yanına geldi:

– Eşref Bey, karşı yamaçlar da dâhil herkes hazır.

– Mamaka, senden bir ricam olacak. Müşir Deli Fuat Paşa vatansever bir komutandır. Vatan topraklarının tehlikede olması onu da derinden sarstı. Oğlunu biraz da bana olan itimadından buralara gönderdi, yani bana emanet etti. Halid heyecanlı bir genç, onu yakınında tut, ona sahip ol. Paşa, Halid'i verirken ona hiçbir ayrıcalık yapmamamı emretti ama benim gönlüm Paşa'nın bu yaşta evlat acısı çekmesine taraf değil.

– Anladım Eşref Bey.

Mamaka çok duygulanmıştı. Tam yanından ayrılacakken tekrar dönüp Eşref'in ellerinden öptü:

– Eşref Bey, ömrüm yettikçe seni babam gibi bileceğim ve gittiğin her yere seninle geleceğim.

– Sağol Mamaka. Benim de zaten senin gibi bir vatan evladına ömrüm boyunca ihtiyacım olacak. Ama bugün önemli olan vatan topraklarıdır.

Eşref'in yanından ayrılan Mamaka Mustafa sürünerek yerine geçti. Halid'i silahını kontrol ederken gördü. Ona Eşref Bey'in yanından yeni geldiğini ve onun kendisine çok güvendiğini söyledikten sonra;

– Eşref Bey'in emridir. Seninle ben aynı bölgeden hücum edeceğiz. Önceliği çöl savaşçılarına bırakacağız. Birbirimizi iyi takip edip yardımcı olacağız, dedi.

– Tamam Mamaka, Eşref Bey ne söylerse odur.

Sonra başlarını diğer çöl savaşçıları gibi toprağın üzerine koydular. Avakir kabilesi toprakla bütünleşmiş halde savaşa hazırdı. Zaman ilerledikçe sessizlik ve karanlık her yanı sarıyordu. Avakir kabilesinin yapacağı baskından, Enver Bey de dâhil olmak üzere karargâhtaki kimsenin haberi yoktu. Başarısız olmaları, büyük bir hayal kırıklığı yaratabilirdi.

Sessizliği silah sesleri bozdu. Bir anda artan silah sesleri, yamacı kaplamış çöl savaşçıları arasında büyük bir panik meydana getirdi. Eşref, yanında götürdüğü tercümanlar aracılığıyla şeyhlere, konumlarını muhafaza etmelerini ve ne olursa olsun kendisinden emir gelmedikçe hareket etmemelerini söyledi. Panik kısa zamanda önlendi. Mamaka Mustafa yeni durumu Eşref'e iletti. Sırtlara kadar sızan 4. Piyade Alayı, Türk Bayrağı'nın dikili olduğu tepeyi ele geçirip yerine alay sancağını asıyordu.

Eşref'in korkulu gözleri bir an tebessüm etti. Süleyman Askeri'yle planı değiştirdiler. 4. Alay sancağı sırta dikilince, General Ameglio'nun emriyle "hurra" sesleri ve yirmi bir pare top atışı duyuldu. İtalyanlar zaferin tadını çıkarıyorlardı. O sırada Eşref'in hücum emriyle yerinden fırlayan Avakir kabilesi ateşe başladı. Savaş çığlıkları "Allah Allah!" seslerine karıştı. İtalyanlar hazırlıksız yakalandıkları saldırı karşısında paniklediler. Askerler silah başına koşmak yerine, sahilden denize doğru kaçmaya başladılar. Feryatlar... Ölüm çığlıkları... Barut kokusu...

Eşref sahile yeni inmişti ki haber getiren bir bedevi, üst rütbeli iki subayın sancak dikmek için tepeye hücum anında ağır yaralandığını bildirdi. Sahil şeridi kısa zamanda ele geçirildi. İki ateş arasında kalan 4. Piyade Alayı, çaresizlik içinde, ağır kayıplar vererek sahile inmeye çalışıyordu. Gece karanlığı, Eşref'in işini kolaylaştırmıştı. Sahilde büyük bir cephanelik ele geçirilmişti.

Çarpışmanın ilk anlardaki hararetı düşse de, küçük çaplı çatışmalar devam etti. Eşref, gemilerin atış menzilinde olduğunu biliyordu ama 4. Alayın büyük bir kısmının dağların eteklerinde

olması işini kolaylaştırıyordu. Bütün malzemeyi birkaç saat için-
de güvenli bir bölgeye sevk etmeyi başardı.

***

Eşref, sahilde dolaşırken siyah bir örtünün kumlara gömülü
olduğunu fark etti. Bu bir pelerindi. Bir çift eldiven ve iyi bir dür-
bün de yanında duruyordu. Pelerini omuzlarına attı, dürbünü de
boynuna taktı. Sevkıyat yapan bedevilerden biri karanlıkta parla-
yan dişleriyle Eşref Bey'e bakıyordu:

– Ya Bey, o omzunuza attığınız cübbenin ve boynunuza astı-
ğınız dürbünün de bir fiyatı var mı?

Çöl insanlarının içten şakalarından çok hoşlanırdı Eşref. Be-
deviye hemen verecek bir cevap bulamadı. Biraz düşündükten
sonra;

– Başa'ya sorarız. Fiyatını o belirler, dedi.

Bedevi aldığı cevaptan memnun, adam yerine konulmanın
mutluluğuyla koca mermi sandığını sırtladı:

– Başa bilir. Hem de en iyisini, diyerek ve tebessüm ederek
gitti.

Eşref, Halid'i bulunca çok sevindi. Ama Mamaka Mustafa or-
talarda yoktu. Halid hafif yaralıydı:

– Eşref Bey, ben yaralandığımda Mamaka beni sırtladı, ateş
hattının gerisine çekti. Yerimde kalmamı söyleyip sahile doğru
hücum etti. Çatışmalar durduktan sonra onu çok aradım ama
bulamadım.

Halid'in üzgün hali Eşref'i de endişelendirdi:

– Halid, sen benimle gel. Mamaka başının çaresine bakar. Bu-
radan hemen ayrılmalıyız.

Avakir kabilesi, 4. Alayın sancağını indirip, yerine tekbirler
getirerek Türk Bayrağı'nı astı. Alay sancağını Eşref Bey'e getir-
diler. Karargâha döndüklerinde tüm arkadaşlar teker teker ku-

caklaştı. Binbeşyüz tüfek, beş makineli tüfek, yüzlerce sandık mermi...

Enver, Eşref'e sarılmadan karşısında selam durdu. Eşref, anlam veremediği bu davranışın sebebini, omuzlarını gösteren Süleyman Askeri sayesinde anladı. Sırtında taşıdığı pelerinde albay rütbesi vardı. Böylelikle Enver de dâhil herkesten daha rütbeli oluyordu. Mustafa Kemal'le kucaklaşırken sitem işitti:

– Eşref, kardeşim, baskın yapmaya gidiyorsun haberimiz yok. Silah seslerini duyduğumuzda baskına uğradık zannettik.

Karargâh bayram yerine dönmüştü. Kutlamalar için yeteri kadar Hacı Bekir lokumu da kalmamıştı. Bütün bu sevinçli hava içinde Eşref'in aklını meşgul eden tek şey, Mamaka Mustafa'nın ortalarda olmayışıydı. Karargâhta endişeyle beklerlerken, sahil tarafından uzun boylu birinin, sırtında başka birini taşıyarak geldiğini gördüler. Gelen Mamaka Mustafa idi. Eşref koşarak arkadaşını karşıladı. Mustafa omzunda taşıdığı yaralı İtalyan subayını yere bıraktı:

– Eşref Bey! Esir olmayan savaş olur mu?

Tebessüm eden Eşref'e sarıldı. Sonra, iplerinden bağlayarak boynuna astığı bir çift botu uzattı:

– Bu da gaza hediyem... Kendi botlarımı da yeniledim.

Eşref, Mamaka Mustafa'yı gördüğüne, elde ettikleri zaferden daha çok sevindi.

*\*\**

Mustafa'nın Eşref Bey'e kavuştuğu saatlerde, İtalyan zırhlısında, esir alınan bir çöl savaşçısı sorgulanmaktaydı. Yapılan uzun işkenceler sonunda kanlar içinde kalan savaşçı, daha fazla susmanın anlamsız olduğunu düşünüyordu. Tercüman aracılığıyla İtalyan generalin huzurunda bir albay tarafından tartaklanan bedeviye son kez soruldu:

– Direnişi kim yönetiyor?

– Trablus'a yeni gelen Türk subaylar.

– Başlarında kim var?

– Başa.

– Başa kim?

– Enver Başa.

– Pekâlâ, dün geceki baskını yapan da Enver Paşa mıydı?

– Değildi.

– Kimdi o gecenin karanlığında heyula gibi ortaya çıkan adam?

– Vallahi o Uçan Şeyh'tir.

– İsmi yok mu bu şeyhin?

– Eşref.

– Arap mı?

– Yok... Osmanlı zabiti.

Çöl savaşçısı, ağır hakaretlere ve darbelere maruz kalarak, geminin alt katlarında mahkûmlar için kullanılan dar bir hücreye kapatıldı. General, subaylarına dönerek:

– Sanırım bu Eşref denilen adam bize bu gece almamız gereken dersi verdi. Bundan sonra daha tavizsiz ve sert olmalıyız, dedi.

***

Avakir zaferi üzerinden iki gün geçmişti. Eşref, ilk baskından elde ettiği silahlarları yeni gelen gönüllülere dağıttı. Talim alanında, adamlara silah kullanma ve baskın planlarının uygulamasını anlatırken, iki askerin arasında bir kadının kendisine doğru yaklaştığını gördü. Gelenlerden, Mülazım Muzaffer Bey'i tanıdı. Kadın İtalyan üniforması giymişti. Mülazım Muzaffer selam verdi:

– Komutanım, hanımefendi gazeteci. Mustafa Kemal, Berka kıyılarındaki birliklerimizi göstermeniz için size gönderdi.

Kadın bir adım öne çıkarak, Eşref'i hayretler içinde bırakan bir akıcılıkta Arapça konuşmaya başladı:

– Madam Kolaro. *Journal de Nil* gazetesi muhabiriyim. Derne cephesini Mustafa Kemal nezaretinde gezdim. Berka kıyılarındaki cephenizi de gezmek istiyorum.

Eşref, kısa bir şaşkınlıktan sonra Mülazım Muzaffer'e baktı:

– Enver Bey'in izni var mı?

Mülazım Muzaffer, evet manasında kafasını salladı.

– Madam Kolaro, sizi gezdirmekten büyük bir zevk duyarım. Sizden bir tek ricam olacak; sadece bizlere karşı bir önyargınız varsa, buradaki işiniz için onu bir kenara koymanız. Bu arada, kendimi tanıtmayı unuttum. Ben Kuşçubaşızade Eşref.

– Eşref Bey, siz Türkler çok centilmen insanlarsınız. Osmanlı subaylarının nezaketini, dünyanın birçok yerinde göremezsiniz. Buraya gazetemin cebriyle değil kendi arzumla geldim. İçimde hiçbir korku yok. Bir misafir olarak da gördüğüm ilgiden memnunum. Bu iptidaî şartlarda, Mustafa Kemal bana Türk lokumu bile ikram etti. İtiraf etmem gerekirse bu kadar güzelini daha önce hiç yememiştim.

– Bedevi kuvvetler, çölün derinliklerinden gelen ve ülkelerini savunmak isteyen vatansever insanlar her gün yeni bir zafer kazanıyorlar. İhtiyaçlarımızın büyük bir kısmını İtalyanlardan sağlıyoruz. Deniz tarafı İtalyanların elinde olduğu için, tek çaremiz Mısır üzerinden sevkıyat yapmak.

– Eşref Bey, anladığım kadarıyla İtalyanları sahil şeridine kilitlemiş bulunuyorsunuz. Büyük bir sürpriz yaşanmaz ve İtalyanlar müdafaa hatlarınızı yıkamazlarsa bu harp çok uzun sürer.

Eşref, Kolaro'nun ancak bir erkân-ı harp tarafından yapılabilecek yorumuna hayran kalmıştı:

– Madam, yorumunuz gerçekten mükemmel. İnşallah bu mevzuu gazetenizde de aynı netlikte ifade edersiniz.

– Hiç şüpheniz olmasın Eşref Bey.

Madam Kolaro, üç gün boyunca Eşref'le mevzileri gezdi. Fotoğraflar çekti, çekilmiş fotoğraf camlarının bir kısmını iade etmek koşuluyla aldı.

Madam Kolaro gittikten sonra, Yakup Cemil konuşmak istediğini söyleyerek Eşref'in çadırına geldi. Gözlerinden ateş fışkırıyordu:

– Eşref, ben bu Bandırmalı Şükrü'nün ajan olduğunu düşünüyorum.

– Aman Yakup Cemil...

– Dur, sözümü kesme. Biz ikimiz de aynı milletin mensubuyuz. Ben hiçbir dönemde senin desteğini görmedim. Bana diğer arkadaşlara gösterdiğin gibi yakınlık göstermiyorsun ama senden ilk defa bir konuda bana yardımcı olmanı istiyorum. Ben her şeyi affederim ama ajanları affetmem. İhanetin kokusunu alıyorum.

– Yakup Cemil, Şükrü'nün ajan olduğunu düşünüyorsun ama elinde hiçbir sağlıklı kanıt yok.

– Bunca yıllık zabitim. Ben adamın yüzüne bakar anlarım. Bu adam hain. Harp okulunda hiçbir siyasi görüşe mensup değildi. Meşrutiyet'in ilanından sonra birden ortadan kayboldu. Şimdi burada, bir anda karşımıza çıkmış, vatansever numaraları yapıyor.

– Cemil, kardeşim, bak kaç oldu bunu konuşuyoruz. Enver Bey de bu düşüncelerinden rahatsızlık duyuyor.

– Bak Eşref, ben Enver'i severim ama bilmediğin şeyler var.

Sesini biraz daha alçaltarak Eşref'in yanına sokuldu. Korktuğu her halinden belli oluyordu. Eşref, Yakup Cemil'in bu kadar korktuğuna ilk defa şahit oluyordu.

– Bu adam benden Mustafa Kemal'i öldürmemi istedi. Belki inanmazsın diye ortağımın ismini de söyleyeyim: Hüsrev Sami.

– Eee?

– Kabul etmedik.

– Yakup Cemil, sana bu huylarından dolayı yakınlık duymuyorum. Nasıl inanmamı beklersin buna!

Yakup Cemil'in geniş yüzünü bir anda kan sardı. Hali Eşref'i korkuttu. Hızla ayağa kalkan Yakup Cemil;

– Ben hainlere tahammül edemem Eşref! Bu vurdumduymazlığınızın sonu nereye varacak, diye isyan etti.

Daha sonra hızla çadırı terk etti. Eşref, onu hiç sevmezdi. Söylediklerinin hiçbirine inanmadı. Mustafa Kemal ve Enver arasında kıyasıya bir rekabet vardı ama sonu ölüme gidecek bir çekişme değildi bu. İkisi de tam bir lider olduklarından, ikinci adam olmaya tahammülleri yok diye düşündü. Aynı duyguları kendisi de Süleyman Askeri için hissediyordu. Ama hiçbir zaman onun ölmesini aklından geçirmemişti. Şimdi Süleyman'ın eline diken batsa, acısını kendisinin hissedeceğini biliyordu. İçini bir sıkıntı kapladı.

Yakup Cemil ise öfkeyle kendi çadırına gidip yatağına uzandı. Bir sigara yaktı, meseleyi nasıl çözeceğini düşündü. Gece karanlığı, sahilden üç yüz metre yükseklikteki çadırların üzerini örtmeye başlayınca kalktı, silahını temizledi. İyice karanlık çökünce, gaz lambasıyla çadırından çıktı. Ay ışığında yürürken sigarasının ateşi parlıyordu. Nöbetçilerin dur ihtarına, "Ben Yakup Cemil, görevliyim" diyerek karşılık verdi. Bandırmalı'nın çadırının kapısına gelince hiç tereddüt etmeden içeri girdi. Silahını çekti ve adamın alnına dayadı:

– Kalk ulan, vatan haini!

Alnına dayanmış namlunun korkusuyla fırlayan Bandırmalı Şükrü'nün beyaz gözbebekleri, korkudan kocaman açılmıştı. Zenci olduğu için, lambanın ışığında yüzü çok da fark edilmiyordu. Kekeleyerek;

– Ne haini Yakup Cemil, diye sordu.

Yakup Cemil, silahının kabzasını öfkeyle Şükrü'nün kafasına indirdi. Şükrü'nün alnından boşalan kan, yüzünü kapladı. Korkudan titriyordu. Yakup Cemil'i Harp okulundan tanıyordu.

Göz ucuyla silahına baktı. Uzanabilmesi mümkün değildi. Yakup Cemil, Şükrü'nün, gözleriyle silahını aradığını görünce hiç düşünmeden tetiğe bastı. Kan, çadırın her yanına sıçradı. Gecenin sessizliğinde patlayan silahla birlikte çadırlardaki askerler ayağa fırladı. Birkaç dakika içinde Enver Bey de olay yerine geldi. Eşref ve Süleyman Askeri yan yana duruyordu. Kanlar içinde yatan Şükrü'yü görünce Enver'in yüzü karardı:

– Ne halt ettin sen yine Yakup Cemil, diyerek adamın üzerine yürüdü. Süleyman Askeri kolundan tutmasa, Yakup Cemil'i boğazlamak için üzerine atlayacaktı.

– Bu adam hain Enver Bey... Hainleri sevmem bilirsin.

– Bak hele! Artık sen mi karar veriyorsun burada Yaakup Ceeemil?

Yakup Cemil, işittiği azardan dolayı başını eğmiş, fısıldar gibi haklı olduğunu anlatan cümleler kurmaya çalışıyordu. Enver, ani bir hareketle kolunu Süleyman Askeri'den kurtararak Yakup Cemil'in yakasına yapıştı:

– Ulan sorumsuz adam! Burada zabitan birbirini kırıyor diye şayia mı çıksın istiyorsun! Bu güzel işin içine ikilik sokmak değil de nedir?

– Ama Enver... Ağır konuşuyorsun. Sizin vurdumduymazlığınızdan bıktım. Bu hainin hakkı bir kurşundu, ben de sıktım. İki tane sıksam, kurşunun biri israf olacaktı.

Enver sert bir şekilde geri döndü. Askerlerin dağılmasını emrederek yürümeye başladı. Süleyman Askeri de onun yanı sıra yürüyordu.

– Süleyman, bu adamı gözüm görmesin! Münasip bir zamanda kendisine söyle. Yol için tedariklerini görün, önünü bırakın. Bu, yakında kafasına eserse hain diye bizi de vurur be...

– Peki efendim.

Enver'in çadırdan ayrılmasından sonra Eşref'in yüzüne dik dik bakan Yakup Cemil, yere tükürerek çadırdan çıktı. Kendi çadırına geldiğinde sinirden vücudu titriyordu. Elbiseleriyle yatağa uzandı. Bir sigara yaktı. Bir haini temizlediği için mutlu, Enver'den herkesin içinde ağır hakaretler işittiği için öfkeliydi. Sabahın ilk ışıklarıyla çadıra gelenler Yakup Cemil'i yerinde bulamadılar. Herkes onun kendisine bir şeyler yaptığını düşünürken, Enver büyük bir soğukkanlılıkla konuşuyordu:

– Sanırım gitmiş. Zaten kalması da iyi olmazdı.

# IV

Eşref, beyaz bir örtüye sarılmış, çıplak ayaklarına tahta bir sandalet geçirmiş, şehrin karanlık sokaklarında ilerliyordu. Arkasında yürüyen Cemil ve Halid de aynı kıyafetler içindeydiler. Ellerindeki fenerin oluşturduğu gölgeler uzayıp kısalıyordu. Bazen de şark masallarında anlatılan hayalî canavarların gölge vücutlarını giyiyordu.

Eşref, Arapça bir şeyler anlatıyor, diğer ikisi de dinliyordu. Konuşmamaları gerektiği için başlarını sallayarak Eşref'i onaylıyorlardı. Cer hocası kılığındaki Süleyman Askeri, hemen arkasından gelen üç müridiyle beraber, Eşref'i otuz adım geriden takip ediyordu. Sırtına bir hamal semeri geçirmiş olan Mamaka Mustafa, içinde ne olduğunu bilmediği koca bir torbayı Eşref'in ardı sıra taşıyordu.

Dükkânlarını kapatan esnaf, hareketlilik halindeydi. İtalyan subaylara ait bazı dükkânlar, kapılarını kapatmış olmalarına rağmen, mum ışığında ziyaretçi ağırlamaya devam ediyordu. Karanlık sokakta, sadece Eşref'in sesi duyuluyordu.

Geniş bir meydanı geçip köşeyi dönünce, Mamaka Mustafa gruptan ayrıldı. Kendisini bekleyen iki kişiyle beraber dar bir sokağa daldı. Eşref ve Halid harabe görüntüsü veren bir eve girdiler. Süleyman Askeri, Şeyh Sünusi'nin daha önce ayarladığı geniş bahçeli bir tekkeye yöneldi.

Yirmi dakika kadar süren sessizlik, nereden geldiği belli olmayan silah atışlarıyla bozuldu. İtalyan subayların daha etkili olduğu mahallelere yapılan taciz atışları, gecenin geç saatlerinde daha da hızlandı.

Süleyman Askeri tekkede, bu tarz taciz atışlarının İtalyanlara güvensizlik vereceğini, böylece onların şehirden uzak durmalarını sağlayacağını anlatıyor ve atışların her gece tekrar edilmesini istiyordu. Daha önce tespit edilen İtalyan dükkânlarına saldırılar düzenleniyor, İtalyanlara para karşılığı bilgi taşıyanlar, evleri önünde açılan taciz ateşleriyle korkutuluyordu. Şeyhlerin de yardımıyla, mahallelerdeki örgütlenmeler çok iyi organize ediliyordu. Direnişçiler, birkaç günlüğüne başka mahallelerdeki akrabalarının yanına giderek, hareketliliği oralara da taşıyorlardı. Bazen sokak aralarında karşılıklı silah atışları başlıyor ve saatlerce sürüyordu. Halk karanlıkla birlikte evlerinin camını ve kapısını kilitliyor, ne olursa olsun dışarı çıkmıyordu.

Mahallelerdeki çatışmalarda istenen sonuçlar kısa zamanda alınmıştı. Fedai Zabitan Zabitleri yerli halktan aldıkları desteği iyi değerlendirerek, İtalyan birliklerinde başgösteren kargaşayı körüklüyorlardı. Sabahın ilk ışıklarıyla, gece boyu devam eden nümayiş ve istihbarat toplama işi sona erdiğinde, Eşref çadırının kapısında duran şezlongda gözlerini uykuya teslim ediyordu. Mamaka Mustafa, bir gölge gibi, Eşref'in üç adım ötesindeki ağacın gölgesinde istirahata çekiliyordu. Süleyman Askeri ise kıl çadırın içinde daha önceden Eşref'in istirahatı için getirttiği karyolaya şalvarı ve yakasız gömleğiyle uzanıyordu.

\*\*\*

Enver, Avakir kabilesinin yürüttüğü baskında elde edilen başarıdan sonra arkadaşlarıyla yaptığı toplantıda, kurduğu ordugâhların yeni komutanlarını belirledi. Direniş, büyük bir moral üstünlüğüyle başladı. Sekiz yüz olan savaşçı sayısı, Tunus'tan, Fas'tan ve diğer yakın Müslüman bölgelerden gelen gönüllülerle her geçen gün katlanıyordu. Yeni ordugâhlar Trablus, Humus, Mesrata, Bingazi, Tobruk ve Derne'de idi. Merkez, Derne olarak belirlendi. Enver, Derne'de kalmakta karar kıldı. Yardımcılığına kardeşi Nuri Bey'i, Derne komutanlığına da Mustafa Kemal'i getirdi. Eşref, bedevi kuvvetlerin sevk ve idaresini üstlenmişti. Çerkez Raşit de Derne cephesindeydi. Enver Bey, Ayn-el Mansur bölgesinde, eski padişah otağlarını andıran çadırını kurdu.

Yerel halktan da direnişe destek alınmaya başlanmıştı. Akın akın gelen savaşçılar, Eşref'in kontrolünden geçtikten sonra, Derne'de kurulan askerî eğitim merkezine gönderiliyorlardı. Burada gördükleri kısa süreli talimlerden sonra, en uygun ordugâha sevk ediliyorlardı. Ordugâhlara yeni atanan komutanlar, birliklerini düzene sokmak ve savaşa hazır tutmak için gece gündüz demeden çalışıyorlardı. Silah kullanmada oldukça maharetli ve cesur çöl insanları, nizamî hareketlerde çok başarılı değillerdi.

Enver, bir fişek imalathanesi ve bir de şeyh çocuklarının okutulması için okul kurdu. Sünusi Şeyhi, bütün müritlerini cepheye sevk etmişti, en başta da kendisi çatışmalara katılıyordu. Şeyh, yerel halk üzerinde çok tesirli olduğundan, malzeme ikmal sorunu tamamıyla halledildi.

Eşref, Berka baskınında ele geçirdiği fotoğraf makinesiyle çektiği baskınlara ve toplanan ganimetlere ait fotoğrafları, yeni kurdukları *Cihat* gazetesinde yayınlıyor; bazı fotoğraf camlarını da dostları aracılığıyla Avrupa gazetelerine gönderiyordu.

Bir yandan da yerel halk arasında Enver Paşa'nın kayıp olan On İkinci İmam Muhammed Mehdi olduğu ve İslam devletlerinde direnişi başlatmak için buraya geldiği söylentisini ustaca yayıyordu. Böylece halka, mücadelelerinin ilahî bir direniş olduğunu fısıldıyordu. Bu söylentiler dilden dile dolaşmaya başladı. Enver, halk arasında gezintiye çıktığında, anlam veremediği sevgi gösterileriyle karşılaşıyordu. Bir gün Eşref'e bunun sebebini sorduğunda, aldığı cevap karşısında yüzü kıpkırmızı oldu.

– Eşref bu nasıl iştir? Bu insanlar bu kanaate nerden vardı? Hem ben paşa değilim ama herkes bana "Başa" diyor.

– Enver Bey, çölde hayat bizim bildiğimizden çok farklıdır. Çöl insanı inanarak yaşar. Umut ederek yaşar. Çölde çok sade konuşup meramını kısa cümlelerle anlatırsan anlaşılır olursun. Bu insanlar sizin Mehdi olduğunuza inanıyor ve sizinle savaşmayı ibadet kabul ediyorlarsa bırakın öyle olsun. Siz "Ben Mehdi değilim" deseniz dahi, aslında Mehdi olduğunuzu ima etmiş olacaksınız.

– Neden?

– Mehdi, zaten Mehdi olduğunu söylemeyecek, gizleyecektir.

Hafif bir kum fırtınası başlamıştı. Eşref, konuşurken ağzını elleriyle kapatıyordu. Sakalları toz toprak içinde kalmıştı. Uçuşan kumlar yüzünden gözlerini açmakta zorlanıyordu. Çadırına yönelmişken birden Enver'e döndü.

– Ha, az daha unutuyordum. İzniniz olursa, akşama çadırınızı ziyaret etmek isterim. Bir başsağlığı işimiz var da.

– Kimin başsağlığı?

– Haberiniz yok mu Enver Bey?

Enver'in yüzündeki ifade bir anda değişti:

– Bir şey mi oldu Eşref Bey?

– Ah efendim, sabah arkadaşların getirdiği bir ilan var da...

Eşref, cebinden çıkardığı teksir kâğıdına sarılı ilanı Enver Bey'e uzattı. Enver, Arapça basılan ilandan hiçbir şey anlamadı. Okuması için kâğıdı Eşref'e geri verdi.

– Enver Bey, bu ilanda sizin bir çatışmada öldürüldüğünüz yazıyor.

– Ne yani, ben şimdi şahadet mertebesine mi ulaştım?

– İlana göre öyle efendim.

– Allah nasip ede Eşref Bey, Allah nasip ede...

Eşref tebessüm ediyordu. Enver Bey'den izin isteyip ayrıldıktan sonra Belde adını verdiği kıl çadırına yöneldi. "Devlet-i

Eşrefiye'nin Hazine-i Hassa Nazırı'ndan" yeni siparişleri gelmişti. Amacı birkaç Hacı Bekir lokumu atıştırmaktı. Çadırın önüne geldiğinde, büyük bir kalabalığın toplanmış, kendisini beklemekte olduğunu gördü.

Kalabalık hep bir ağızdan:

– Selase kuruş ya Bek! Selase kuruş ya Şeyh-it Tuyur! İkram ya Eşref Bek, diyordu.*

– Allah Allah... Kimdir sizi böyle ayaklandıran? Nedir bu iş, anlamadım ki...

Kapıya kadar kalabalıktan zor ilerledi. Çadırın kapısını açan Mustafa Kemal:

– Eşref Beyefendi, bunlar ne istiyor, diye sordu.

– Efendim, anlamadım ki... Birileri akıllarına girmiş, iki kuruşluk günlüklerinin üç kuruş yapılmasını istiyorlar.

– Ama hak ediyorlar Eşref Bey.

– Haklısınız ama imkânlar da sınırlı.

Eşref çöl savaşçılarının moralinin bozulmaması için üç kuruşu vermeyi kabul etti. Onlardan da yeni bir baskına hazır olmalarını istedi. Bedeviler, "Şeyh-it Tuyur" naraları arasında dağıldıktan sonra Eşref, kıl çadırda misafirlerine çay ikram etti.

Mustafa Kemal:

– Eşref Bey, bilirsiniz cephe komutanlarının kendi bölgelerinde taarruz etme yetkileri var.

– Gözlerinizin içi gülüyor. Aklınızdan bir şeyler geçiyor anlaşılan.

– Eşref Bey, şimdilik aramızda kalsın, büyük bir hareket üzerinde çalışıyorum. Ancak asker sayım yetersiz. Sizin kuvvetlerinize de ihtiyacım var.

– Efendim, sizin emrinizde olmak benim için büyük bir şereftir.

---

\* Üç kuruş isteriz ya Bey. Üç kuruş isteriz ya Uçan Şeyh. İkram sahibi Eşref Bey.

– Estağfurullah efendim. Avakir kabilesinin zammını bir yerlerden çıkarmak lazım, değil mi?

Mustafa Kemal son cümlesini tebessüm ederek söylemişti. Eşref cevap verdi:

– Efendim, siz iyi bir erkân-ı harp olmanın yanında, çöl kurallarını öğrenmede de çok maharetlisiniz.

Plan Eşref'in hoşuna gitti. Çadırdaki konuşmanın ardından, her gün yenileri gelen gönüllülerle görüşme yapmak için ayrıldı. Gönüllüler, altışarlı gruplar halinde bağdaş kurmuş, etrafı isli karavanalara kaşık sallıyorlardı. Uzun yoldan gelmenin yorgunluğu hepsinin yüzünden okunuyordu. Eşref, yemekten sonra gönüllüleri inceleyecek, içlerinden uygun olanları seçecekti.

Gönüllüler arasında gezinirken, iri cüsseli iki zencinin yan yana oturduğunu fark etti. Bu adamlar, diğer askerlerin yanında bir çift yüksek kule gibi duruyordu. Yemek yiyen askerlerin kaçamak bakışları bu iki zencinin üzerindeydi. Yanlarına gittiğinde ikisi de ayağa kalktı. Eşref, gözlerine inanamıyordu. Hayatı boyunca bu kadar iri insanlar görmemişti:

– Hoş geldiniz.

– Şükran ya Bek!

– İsimleriniz nedir?

– Musa.

– Abdullah.

Musa, Abdullah'tan biraz daha uzun boylu ve görkemliydi. Eşref ikisini de çadırına davet etti:

– Nereden geliyorsunuz?

– Sudan'dan ya Bek. Buradaki direnişi duydum. Mısır Hidivi'nin yanında çalışıyordum. Bıraktım. Bir işe yararım diye buraya geldim.

– Hoş geldin Musa Ağa. Sana bundan sonra böyle hitap edeceğim. Ben Eşref.

– Adınızı biliyorum ya Şeyh-it Tuyur!

Eşref'in tebessüm eden yüzüne, Musa da tebessümle karşılık verdi. Eşref, adama, anlam veremediği bir yakınlık hissetmişti.

– Musa, bundan böyle emir erim olarak görev yapacaksın, bir adım dahi olsa benden ayrı olmayacaksın.

– Şeref duyarım ya Bek.

Eşref, yeni gönüllülerle birlikte Enver'in çadırına gitti. Çadırın kapısında Eşref'i ve arkasında yürüyen iki zenciyi gören Enver, gözleriyle *bu da ne*, der gibi işaret etti. Eşref, Abdullah'ı da Enver'in yanına emir eri olarak verdi.

Eşref de iri yapılı bir insan olduğu halde, Musa onu gölgeleyecek bir görüntüye sahipti. Bu kocaman zenci, insanı ilk anda korkutuyordu. Eşref'le gittiği her yerde saygı görüyor, dev cüssesiyle ilgi odağı oluyordu. Eşref, peşi sıra gezen bu adamın çok sessiz, lüzumu olmadıkça konuşmayan ve işlerini itinayla yapan biri olmasından dolayı gayet memnundu.

\*\*\*

Enver, Mustafa Kemal'le son görüşmesinde taarruz planının bitmiş olduğunu duyunca çok sevinmişti. Mustafa Kemal eliyle karşı taraftaki harabeleri gösterirken bir yandan da planını anlatıyordu:

– Eşref Bey, bilir misin, bu harabeler ta Kartacalılar zamanından kalmadır.

– Ben şu an, harabelerin tarihinden ziyade konumuyla ilgileniyorum. Bu harabeleri elinde bulunduran kuvvet, karşı tarafın yoğun ateşine rahatlıkla karşı koyabilir.

– Eşref Bey, ben zaten stratejik konumundan dolayı burayı seçtim.

Bu sırada tepeden harabeleri dürbünle izleyen komutanlar, içerideki hareketliği not ediyorlardı.

– Eşref Bey, senin kuvvetlerin sağ ve sol cenahımızı emniyet altında tutsun. Fuat benim yanımda olacak. Gerektiğinde emri altındaki bir grup savaşçıyla ihtiyaç olan yerlere yetişecek. Fuat, son bir kontrol yap. Her şey hazırsa hücum emri verebiliriz.

Fuat, askerin hazır olduğunu iletti. Hücum emriyle harabelere doğru piyade akını başladı. Eşref, Avakir kabilesi ile pusuya yatmış, hazır bekliyordu.

Harabelere yaklaşan kuvvet, çok şiddetli bir karşı ateşe maruz kaldı. Mustafa Kemal, Fuat'a siper alıp düşman ateşine karşı koyma emrini verirken, kendisi de yanında bulunan yüz civarındaki süvariyle hücuma kalktı.

Eşref, uzaktan dürbünle takip ettiği Mustafa Kemal'in süvari hücumuna kalktığını görünce Avakir kabilesine hücum emri verdi. Süvari hücumu büyük bir risk taşıyordu. Fuat, sağ ve sol koldan taarruza başlayan Eşref'in kuvvetlerini görünce, siperlerde yatan askerlerine hücum emri verdi. Aklı Mustafa Kemal'deydi. Atlı birlikler harabelere girince, göğüs göğse süngü mücadelesi başladı. Büyük bir toz bulutu harabelerin üstünü kapladı. Avakir kabilesinin kulakları yırtan çığlıkları insanın yüreğine korku salıyordu. Fuat çevik hareketlerle oradan oraya koşturuyor, Mustafa Kemal'i arıyordu. Onun ölmüş olmasından endişe ediyordu. Kabilenin harabelere girmesi, İtalyan direnişini kırdı. Sünusiler zafer çığlıkları atıyordu.

Fuat, harabelerin merkezindeki büyük avluya geldiğinde, gök gürültüsünü andıran bir ses duyuldu. İki İtalyan tayyaresi, Türk birliklerinin üzerine bomba bırakmak için alçak uçuş yapıyordu. İtalyan tayyareleri yüzünden paniğe kapılan bedevi kuvvetleri dağılmaya başladı. Sünusiler, tayyarelerin cehennemden gelen, uçan demir kuşlar olduğuna inanıyorlardı. Eşref, korkan bedevileri sakinleştirip yeniden topladıktan sonra Mamaka Mustafa ve Kısıklı Cemil önderliğinde oluşturduğu kollarla, kenarlara açılmaya çalışan İtalyan kuvvetlerine müdahale etti. Kendisi de adamlarıyla beraber, italyanların sol kolunu tahrip etmek için ilerledi.

Herkes elinden gelen gayreti gösteriyordu. Arap Musa, büyük bir cesaretle taarruz ediyor, Eşref'i gelebilecek tüm tehlikelerden korumaya çalışıyordu. Silahının dipçiğiyle vurduğu İtalyan askerleri bir daha yerlerinden kalkamıyordu.

Fuat, sonunda avlunun ortasında duran Mustafa Kemal'i gördü. Mustafa Kemal ayakta sağa sola emirler yağdırıyor; askerin manevi kuvvetini arttırıcı konuşmalar yapıyordu. Tozdan tanınamaz hale gelmişti. Fuat hızla komutanının yanına koştu. Ayakta durmakta zorlanan Mustafa Kemal'in sağ elinde kılıcı vardı. Sol elindeki beyaz mendille sağ gözünü tutuyordu. Mavi gözünden akan kan, üniformasının dizlerine kadar sızmıştı.

– Efendim, yaralandınız mı?

– Gözüm Fuat... Eşref Bey yetişti mi?

– Eşref Bey sağ ve sol cenahta düşmanla göğüs göğüse çarpışıyor.

– Kanatlarda bir sorun yok. Merkez de hemen hemen hallolmak üzere Fuat. Sen merkezi devral.

Sünusilerin çığlıklarını duyunca yüzünde bir tebessüm belirdi. *Eşref yakınlarda olmalı*, diye geçirdi içinden.

Yaralı askerler sütun diplerine ve duvar yıkıntılarına sığınmak için sürünerek ilerlemeye çalışırken, yaralı atların acı kişnemeleri, insanların içindeki korku ve vahşeti kamçılıyordu. İnip kalkan süngüler, acı çığlıklar... Hayat, ölümün kıyısında can çekişiyordu.

Toz bulutu, görüş mesafesini birkaç metreye indirmişti. Eşref, hızla siyah atının üzerinden indi, bir sütunun kenarında duran Mustafa Kemal'e yaklaştı:

– Efendim, kollardan hücum tehlikesi kalmadı. Görebildiğim kadarıyla merkez de kontrol altına alınmış.

Konuşması bittiğinde Mustafa Kemal'in sağ gözünden akan kanı fark etti:

– Yaralanmışsınız.

– Önemli bir şey değil Eşref Bey. Sanırım sütunlardan birinden sıçrayan kireç isabet etti.

Eşref mendili kaldırdığında, Mustafa Kemal'in etrafı şişmiş, kanlı gözüyle karşılaştı. Bu gözü kurtarmanın zor olduğunu düşünse de, çok önemli bir şeyin olmadığını mırıldanmakla yetindi.

Fuat, Mustafa Kemal'le birlikte Eşref'in kıl çadırına gitti. Sünusiler ganimetleri toplamakta oldukça maharetliydiler. Enver, kıl çadırda Mustafa Kemal'i ziyaret edip baskın için tebrik etti. Her zaman mesafeli durduğu ve konuşurken çok dikkatli davrandığı Mustafa Kemal'e, gözündeki yaradan dolayı ayrı bir yakınlık ve alaka gösterdi. Bu durum, Eşref gibi her şeyi dikkatlice izleyen birinin gözünden kaçmadı. O günü siyah kaplı defterine teferruatlarıyla not ederken bunu da yazdı.

Kıl çadıra taşınan bir karyola, temiz çarşaflarla hazırlandı. Doktor Hakkı Bey, asit borikle yarayı iyice temizledikten sonra, hastaya istirahat tavsiye etti. Doktor ve Eşref dışarı çıktılar. Enver, çadırın dışında onları bekliyordu.

– Enver Bey, asit borikle yarayı temizledim. Ama gözün durumu iyi değil. Tam teşekküllü bir hastanede tedavi olmazsa gözü kaybederiz.

Enver, Doktor Hakkı Bey'in sözleri üzerine paniklledi:

– Aman Eşref Bey, bütün imkânları seferber edelim. Ne lazımsa yapalım. Hatta Avrupa'ya iyi bir hastaneye gönderelim.

– Efendim, ben gönüllüler arasından bir sıhhiyeye günlük pansumanını yaptırıp hastayı kendi çadırımda ağırlarım. Ayrıca göz mütehassısı Münir Bey'i de getireceğim. Hakkı Bey'le beraber hastanın durumunu tekrar incelesinler. Bu arada ben de, dostlarımdan Profesör Fox'un şu an nerede olduğunu öğrenmeye çalışayım.

Sonara çadırın kapısında kendilerini dinleyen Fuat'a dönerek:

– Siz müteessir olmayınız Fuat kardeşim, dedi. Elimden gelenler ne ise fazlasını yapacağım.

Eşref bu konuşmalardan sonra çadırına gitti. Hiçbir şey olmamış gibi Mustafa Kemal'le sohbet ederek hastaya moral vermeye çalıştı.

– Eşref Bey, bir şey dikkatinizi çekti mi?

– Sanki geleceğimizi biliyorlardı, değil mi?

– Evet. Taarruza verdikleri cevap çok sertti.

– Efendim, süvari hücumuna kalktığınızda sağ kurtulma ihtimaliniz bana çok düşük göründü.

– Ne yapayım Eşref Bey, askerin önünde gitmez, ona manevi kuvvet vermezseniz başarı elde etmek çok zordur.

Çadırdan içeri naif yüzlü, ince sakallı, esmer bir delikanlı olan Süleyman Askeri girdi. Kollarını açarak Mustafa Kemal'e doğru yürüdü:

– Efendim, geçmiş olsun haber alır almaz hemen geldim.

– Bir şey yok kardeşim, hafif bir yara...

– Aman efendim, Allah korumuş. Geçmiş olsun.

Süleyman Askeri, Eşref ve Fuat'a da sarılıp hal hatır sorduktan sonra yer minderine oturdu. Eşref, baskından beri aklında olan bir hususu arkadaşlarıyla paylaşmak istedi.

– Bir ara tayyareler alçak uçuş yaparken benim kuvvetler paniğe kapılarak kaçışmaya başladılar. Bunlar tayyareleri cehennemden gelen, ağızlarından ölüm kusan demir kuşlar olarak görüyorlar.

Çölü, Eşref gibi yakından tanıyan Süleyman Askeri atıldı:

– Eşref, artık bir tane uçan kuş avlama vakti gelmiş. Onları demir kuşu yakından göstermediğimiz sürece inandıklarından vazgeçiremeyiz.

– Haklısın Süleyman. Bu mevzuu öncelikli olarak ele almalıyız. Yoksa Sünusiler az daha hücumun ortasında çil yavrusu gibi dağılıyorlardı.

Çadırın açılan örtüsünden içeri iri cüssesiyle Musa girdi. Eşref Arapça sordu:

– Ne oldu Musa Ağa?

– Efendim Şeyh Sünusi Hazretleri geldi. Sizi ziyaret etmek istiyorlar.

Eşref hemen ayağa fırladı. Şeyhi çadırın dışında büyük bir saygıyla karşıladı ve içeri davet etti. Eşref, Arapların ileri gelenlerine her zaman çok saygı gösterirdi. İçeri giren Şeyh, Mustafa Kemal'e geçmiş olsun dileklerini ilettikten sonra, Süleyman Askeri'nin yanına yere oturdu. Eşref iltifatlı sözlerle Şeyhe ikramda bulundu.

Şeyh Sünusi:

– Efendim, kabul buyururlarsa Mustafa Kemal Bey'e bugünün hatırası olması için yerel halkın giydiği bir kıyafet hediye etmek istiyoruz. Kabul ederlerse bizleri çok sevindirirler.

Mustafa Kemal yatağından biraz doğruldu:

– Efendim, kabul etmek ne demek. Zevk olur benim için. Hatta bu ince davranışınıza binaen hediyenizi ömrüm oldukça saklayacağım.

Şeyh çadırda fazla kalmadı. Diğer cephe komutanlarının hepsi gelerek Mustafa Kemal'e geçmiş olsun dileklerini sundular. Saldırıda toplanan ganimet, askerî eğitim sahasına yığıldı. Eşref daha önce de yaptığı gibi herkese hak ettiği payı dağıttı.

Suriyeli göz mütehassısı Münir Bey de, Mustafa Kemal'in durumu hakkında Hakkı Bey'le aynı görüşte idi. Eşref çadırındaki masada yazdığı mektupları Fuat'a verdi. Mektuplardan biri Viyana Sefiri Reşit Paşa'ya, diğeri ise Profesör Wilhelm Fox'a gönderilecekti. Mektuplarla iki yüz altını verirken Fuat'ın ellerini tuttu ve:

– Bu da Devlet-i Eşrefiye'nin Hazine-i Hassa Nazırı'ndan, dedi.

Mustafa Kemal, Eşref'in kolundan tutarak:

– Eşref Beyefendi bu nazırın kim olduğunu hâlâ söylemeyecek misin, diye sordu.

Mustafa Kemal'in kulağına eğilen Eşref:

– Gazi Ahmet Muhtar Paşa'nın vekilharcı Abdüllatif Ağa, dedi. Ama sizin yol harcınız Mısırlı Prens Ömer Tosun Paşa'dan.

Mustafa Kemal, Eşref'e neden Uçan Şeyh dendiğini daha iyi anlıyordu. Gözünün verdiği acının yansıdığı yüzünde hafif bir tebessüm belirdi.

– Her şey için çok teşekkür ederim Eşref Bey.

# V

– Arkadaşlar, toplantıyı açıyorum. Öncelikle şunu ifade etmeliyim ki, buraya geldiğimiz günden beri, olaylar Allah'ın inayetiyle tahminlerimizin de ötesinde müspet gelişti. Bütün arkadaşlarımız büyük gayretlerle çalışmaktalar. Üzücü olan şey, Mustafa Kemal ve Fuat beylerin bundan sonra aramızda olmamaları. Süleyman Askeri Bey, cephelerin oluşmasında olağanüstü teşkilatçılığını kullandı. Birliklerimizin teşekkülünde faydalı oldu. Tüm arkadaşlarımız alışkın oldukları savaş sanatından farklılık arz eden çete harbine çabuk uyum sağladılar. Eşref Bey, baskınlarda büyük yararlılık gösterdi. Ömer Fevzi Bey malzeme nakliyelerinde, Kemal Bey (Kara Kemal) geçişlerimizi kolaylaştıran pasaportların temininde gayret sarf etti. Efendim, burada gösterilen gayretler saymakla bitmez. Sizleri buraya çağırmamın çok özel bir sebebi var. Öncelikle, bugüne kadar verdiğimiz mücadele hakkında fikirlerimizi paylaşalım sonra da ortak kararlar alalım.

Enver, Nuri Bey'e dönerek:

– Hadi anlat bakalım, dedi.

– Arkadaşlar, biz Derne cephesinde yeni bir birlik oluşturduk. Fazla büyük değil. Keskin nişancılardan oluşan bu grup, malumunuz üzere yüzlerce İtalyan askeri vurdu. Bu işin faydası, sadece düşmanımızın asker zayiatına uğraması değil. Karşı tarafın verdiği kayıplar, onları moral açısından da çökertmekte. Ben bu birliğin güçlendirilmesi için Eşref Bey'den, yeni gelenlerden keskin nişancı kabiliyetine sahip savaşçıları bize göndermesini istiyorum.

Cephe komutanları öneriye sıcak baktıklarını ifade ettiler. Eşref:

– Nuri Bey, ricanız bizim için emirdir. Fakat size bu iyiliği, demir kuşlardan birini vurma sözü karşılığında yapabiliriz.

Nuri Bey, cephe komutanlarının tebessümleri arasında Eşref'in istediği sözü verdi.

Enver Bey sözü aldı:

– Arkadaşlar, buraya ilk geldiğimizde sekiz yüz kişi civarında bir savaşçı grubumuz vardı. Ama Şeyh Sünusi'nin yardımlarıyla kolayca teşkilatlandık. Şeyh Tunusi ve Ömer Muhtar da haklı davamıza müritleriyle iştirak ettiler. Çölün derinliklerinden, Yemen'den, Sudan'dan, daha ismini sayamayacağımız yerlerden gelen gönüllülerle davamız güçlendi. Tahminen seksen bin civarında, bu davaya gönül veren insan var. Baskınlarda elde edilen ganimetler, malzeme ihtiyacımızı karşılamaya yeterli. Ben sizlerden daha farklı bir şey bekliyorum. Her cephe komutanının birkaç baskın planlamasını ve bir anda çöl fırtınası gibi akınların başlamasını istiyorum. İtalyanlar sahil şeridinde kilitlendi. Hareket edemeyen İtalyanlara takviye kuvvetlerin geldiği yolunda istihbarat alıyoruz. Eşref ve Mustafa Kemal beylerle en son görüşmemizde, İtalyanların Kasr-ı Harun'a yapılan baskını önceden haber aldıklarını öğrendik. Yerel halkın tavrı bizden yana; ama burada yüzleri menfaate dönük bazı esnafın ve altın karşılığı konuşan bedevilerin olduğunu unutmayın. İçimizdeki İtalyan ajanlarının sayısı da oldukça fazla... Hareket planları çok gizli tutulmalı. Bir heyet oluşturarak şeyhlerle de görüşmeliyiz. Onların hareketimize destek vermeleri çok önemli. Gazetemiz (*Cihat*) çok iyi çalışmakta. Avrupalı gazeteciler hareketimize ilgi göstermeye başladılar. Eşref Bey'in şu fotoğraf çekme işi, tahminlerimizin ötesinde netice verdi. Büyük bir akın fırtınası oluşturursak İtalyanları masaya çekebiliriz.

Eşref:

– Enver Bey, fotoğraf camlarıyla ilgili bir sorun yok. Avrupa'daki dostlarımız aracılığıyla önemli gazetelere resim ve haber ulaştırabiliyoruz.

– Arkadaşlar, ben şeyhlere gönderilecek heyet için Cemil, Eşref ve Süleyman beyleri öneriyorum. Bu arkadaşlarımızın şeyhler nezdinde itibarları yüksek. Ayrıca onların âdetlerini çok daha iyi bildiklerinden sözlerinin daha tesirli olacağına inanıyorum.

Cephe komutanları başlarını sallayarak önerilen heyeti kabul ettiklerini ifade ettiler.

– Enver Bey, ben arkadaşlar için Hacı Bekir lokumu ve sigara getirmiştim, müsaadeniz olursa ikram edelim. Şeyhlere de hediye olarak birer paket götürmemiz iyi olur. Bedeviler için en iyi hediye ise baskınlarda elde edilecek ganimetlerden biraz daha fazla pay almaktır.

– Efendim, onu heyetinizin salahiyetine bırakıyoruz. Bir de, esir aldığımız subaylar meselesi var. Arkadaşlarımız zor şartlar altında yaşamaya alışıklar. Bu hususta kimsenin bir şikâyeti yok. Ama esir subayların istek ve ihtiyaçlarını karşılamakta zorlanıyoruz. Bu konuda ne gibi tavsiyeleriniz olur?

Çadırın içini sessizlik kapladı. Komutanlar kendi kendilerine çözüm önerileri düşünürken Süleyman Askeri:

– Efendim, önerimi yanlış yorumlamamanızı temenni ederek arz edeyim. Masrafları çok olan esirleri, bir daha bize karşı silah kullanmamaları sözünü alarak salıverelim. Malumunuz üzere, İtalyanlar tayyarelerden attıkları bildirilerde bizden vahşi hayvan sürüleri olarak bahsetmekteler. Böylece, medeni dünyaya(!) bir mesaj vermiş oluruz.

Süleyman Askeri'nin önerisini ilk destekleyen Aziz Ali oldu.

– Bu yöntemi iyi bir propaganda aracı olarak kullanabiliriz. Hem masraflardan kurtuluruz hem de işin insani boyutunu öne çıkararak, kamuoyunda sadece memleketimizin topraklarını savunduğumuz yönünde bir intiba oluşturabiliriz. Ben öneriyi makul buluyor, iyi kullandığımız takdirde faydamıza netice vereceğini düşünüyorum. Süleyman Askeri Bey, gayrinizamî harp hususunda uzmandır. Önerisinin iyi netice vereceğini düşünüyorum.

Kumandanlar arasında fısıltı halinde gerçekleşen görüş alışverişi neticesinde herkes müspet yönde karar bildirdi. Merasim düzenlenmesi ve esir subaylardan silahlarını bırakacaklarına dair söz alınması görevini Eşref'e verdiler.

Enver toplantının bittiğini söyleyince subaylar yavaş yavaş dağılmaya başladılar. Şeyhleri ziyaret edecek olan heyet, diğer subaylar dağıldıktan sonra çadırdan ayrıldı. Enver, çadırdan çıkarken Eşref'in kolundan tuttu:

– Eşref Bey, sizden bir ricam olacak. Yüzbaşı Cemil'i, Nuri Bey'le çalışması için sizden isteyeceğiz.

Cemil, Eşref'in yaptığı işlerde hep ön planda olan bir kahramandı. Eşref biraz düşündükten sonra "Cemil'e sorun, kabul ederse tamam..." demekle yetindi.

Heyet, hazırlanan hediyelerle şeyhleri ziyarete gitti ve onlara durumu anlattı. Bütün şeyhler adına heyete hitaben sözü alan Şeyh Sünusi;

– Ya Eşref Bey, Türk zabitleri bizim başımızda olursa gözümüzü kırpmadan ölüme gideriz. Burası bizim vatanımız, onu savunmak bizim aynı zamanda dinî bir vazifemizdir, diyerek heyetin istediği cevabı vermiş oldu.

Heyet istediği güvenceyi aldıktan sonra şeyhlerin yanından ayrıldı. O günden sonra bütün ordugâhlarda gizli bir planlama başladı. Eşref ve Süleyman Askeri, at üstünde yol alarak bütün sahili günlerce incelediler. Taarruz edilebilecek bütün noktaları ve su kaynaklarını tespit ettiler. Musa, Cemil, Mamaka Mustafa ve Halid, Eşref'in yanında bulunuyor, bilgi toplama işinde ona yardımcı oluyorlardı. Tüm planlar hazırdı. Eşref yine at sırtında geçen bir günün yorgunluğunu üzerinden atmak için şezlonguna uzanmıştı ki Mamaka Mustafa koşarak yanına geldi.

– Müjde komutanım, müjde! Aklımıza dahi gelmeyecek bir hadise oldu.

– Ne oldu Mamaka? İtalyan donanması sahili mi terk etti yoksa?

– E, o kadar da uzun boylu değil komutanım. Sadık Bey, propaganda uçuşu yapan bir tayyareyi mevzilendiği tepeden tüfekle vurmayı başardı.

– Tayyare düştü mü?

– Evet.

– Bizim kontrol alanımıza mı?

– Evet.

– Musa Ağa! Musa Ağa!

Eşref'in sesini işiten Musa koşarak geldi:

– Buyur ya Hazreti Bek.

– Musa, bütün çöl savaşçılarını topla ve düşürülen tayyarenin olduğu yere gel.

– Tayyare mi düştü?

– Çabuk ol Musa.

Eşref hızla tayyarenin düştüğü yere gitti. Sünusiler gruplar halinde tayyarenin başına geldiler. Eşref onlara tayyarenin demir bir kuş olmadığını ve cehennemden gelmediğini anlattı. Onun insan yapımı bir savaş silahı olduğunu ve bir insan tarafından kullanıldığını açıkladı. Tayyareyi düşüren Sadık'a sarıldı:

– Allah senden razı olsun Sadık. Bu hizmetin minnetle anılmaya değer.

Eşref heyecanla tayyareler hakkında bilgi verirken Musa elinde bir tomar teksir kâğıdıyla geldi. Kâğıtların bazılarında Eşref'in ilk zabitlik günlerinde çektirdiği bir fotoğraf vardı. Altında ise

Eşref'in ismi ve onu teslim edene bin altın ödül verileceğine dair bir yazı. Eşref kâğıdı görünce kahkahalar atmaktan kendini alamadı. Resimdeki Eşref, şimdiki halinden o kadar farklıydı ki kâğıdı gören kimse tanıyamadı.

Eşref, Musa'nın sırtında gezdirdiği fotoğraf makinesiyle tayyarenin fotoğraflarını çekti. Keyfi yerine gelmişti. Musa'yla tüm cephe komutanlarının hatıra fotoğraflarını çekti, esirlerin bırakılma merasimini görüntüledi.

*** 

Eşref'in fotoğraf işleriyle meşgul olduğu bir gün, Enver Bey yanında bir Fransız gazeteciyle cepheleri geziyordu. Ziyaretçinin geleceğinden haberdar olan cephe komutanları bölgelerini muntazaman düzenlemişlerdi.

Enver, Musa Ağa'yı bularak Eşref'in nerede olduğunu sordu. Bu sırada Eşref, Enver Bey'in hiç de tahmin etmediği bir kıyafet içinde çıkageldi. Enver, gelenin Eşref Bey olup olmadığı hususunda uzun bir tereddüt geçirdi. Fransız gazeteci gözlerine inanmakta zorluk çekiyordu. Musa Ağa, sessizce tebessüm etmekteydi. Eşref başında kolonyal bir şapka, sırtında ince bir yün kazak, altında diz kapaklarına kadar inen bir şort, ayağında yün çoraplar ve tenis sandaletleriyle bir bisikletin üzerinde Enver'e ve onun Fransız misafirine bakıyordu.

– Eşref Bey, bu ne hal?

– Efendim, bu aletin kullanımı çok kolaydır ve kendisi de çok konforludur. Mesafeler arasında gidip gelmek oldukça kolay oluyor.

Enver anlamakta zorluk yaşadığı bu durum hakkında fazla konuşmadı. Misafirini tercüman aracılığıyla Eşref'e tanıştırdı. Fransız gazeteci:

– Efendim, buradaki durumu tahminlerimden farklı buldum. Bir şey öğrenmek istiyorum, siz İtalya ile savaşıyor musunuz yoksa onunla müttefik misiniz?

Eşref, sorunun içindeki ince eleştiriyi önce anlayamadı ama cevabını da geciktirmedi:

– Efendim, İtalya bizim evimize haber vermeden gelen ve istenmeyen bir misafirdir. Misafirimizin eşyalarını ortaklaşa kullanıyoruz.

Fransız gazeteci Eşref'in çadırında ağırlanırken, ikramlar arasında sadece Hacı Bekir lokumu yoktu. Fransız gazeteciye kolay kolay bulamayacağı baskın fotoğrafları ve baskınla ilgili teferruatların anlatıldığı bir zarf da verildi. Süleyman Askeri, gazetede yazması şartıyla esirler hakkında uzun bir mülakat verdi. Subaylar, gazetecinin yanında morallerinin iyi olduğunu göstermek üzere emir almışlardı. Gazeteci gördüklerinden memnun kalarak çadırdan ayrılıyordu. Çadırın kapısında duran şezlong dikkatini çekti:

– Sanırım bu da davetsiz misafirinize ait olmalı.

Eşref muzip bir cevapla Fransız gazeteciyi kahkahalara boğdu:

– Baskınlardan sonra şezlong keyfi tarifsiz bir rahatlık veriyor. Keşke daha uzun kalma şansınız olsaydı da sizi de bu keyiften mahrum bırakmasaydık.

\*\*\*

Fransız gazetecinin ayrılmasından birkaç gün sonra, art arda baskınlar başladı. İtalyanlar bir sahile çıkartma yapmadan Türk birliklerinin baskınına uğruyor, her baskında asker zayiatının yanında silah ve malzeme kaybına da uğruyorlardı. Türk birlikleri, günlerce süren baskınlar neticesinde İtalyanlara büyük kayıplar verdirmenin yanında, kendi birliklerini güçlendirecek malzeme de elde etmişlerdi. İtalyanlar, saldırılara cevap veremeyecek duruma düşünce, aracılar vasıtasıyla ateşkes istemeye başladılar. Eşref, Seydi Abdullah mevkiinde Avakir mücahitleri ile yeni bir baskını daha başarıyla tamamladıktan sonra Enver'in çadırına gitti. Bütün cephe komutanlarını orada görünce endişelendi.

Enver Bey;

– Gel Eşref Bey, otur. Ne zamandır korktuğumuz şey başımıza geldi, deyip elindeki telgraf metnini Eşref'e uzattı.

*"Düşman ordumuzu mahvetti ve Çatalca'daki son müdafaa hattımıza kadar ilerledi."*

Enver'in titreyen sesi Eşref'i derinden sarstı. Olduğu yere çöktü. Çadırın içinde büyük bir sessizlik hâkimdi. Eşref'ten şeyhlerin toplanması için birkaç adam göndermesini istediler. Çadırın dışına çıkan Eşref, orada bekleyen Mamaka Mustafa ve Arap Musa'yı şeyhleri davet etmeleri için gönderdi. Çadıra tekrar girdiğinde Enver konuşmasına devam ediyordu:

– İstanbul'dan uzun zamandır kaygı verici haberler gelmekte. Yeni imzalanan anlaşmalar, Trablusgarp'ın durumunu iyice belirsizleştiriyor. Maalesef İmparatorluğun kalbine saldırılar başladı. İstanbul işgal altında kalabilir. Ne acıdır ki büyük muvaffakiyetler elde ettiğimiz şu günlerde buradan ayrılmak zorundayız.

Bütün erkân-ı harplerin başları önlerindeydi. Uzun süren sessizliği hararetli tartışmalar takip etti. Bu kadar zaferden sonra kimse ordugâhları terk etmek istemiyordu. Bir saat sonra çadırdan içeri giren Arap Musa:

– Ya Bek, şeyh hazretleri geldi. Ne emredersiniz, diye sordu.

Bütün komutanlar ayağa kalkarak şeyhleri içeriye davet ettiler. Çadırın içi o kadar doluydu ki şeyhlerle zabitler diz dizeydiler.

Enver Bey:

– Aziz kardeşlerimiz, hepiniz hoş geldiniz. Biz de arkadaşlarla saatlerdir çok müşkül bir konu üzerinde istişare etmekteyiz. Sizlere durumu izah etmek hiç kolay olmayacak.

Şeyh Sünusi söz aldı:

– Enver Bey, siz bizi derleyip toparladınız, bir araya getirdiniz. Allah sizlerden razı olsun. İzahı zor olan hiçbir şey yoktur.

Ben buradaki halden şunu anlıyorum ki sizler vefalı insanlarsınız. Bizi bir hastalık olan dağınıklık illetinden kurtardınız. Lütfen çekinmeyiniz, söyleyiniz.

– Efendim, düşman İstanbul önlerine ilerliyor. İmparatorluğun kalbine yürüyor. Bu kadar zafer elde ettikten sonra...

Şeyh Sünusi ayağa kalkıp Enver Bey'in yanına gitti, tam karşısında durdu. Dizleri üzerine çökerek;

– Gidiniz efendim, dedi. Devlet-i Âli'nin kalbine düşman yürüyorsa sizin buralarda durmanız uygun değildir. Yalnız bizi tekrar dağınıklığa terk etmemek için bir iki arkadaşınızı burada bırakınız.

– Şeyhim, arkadaşlarla yaptığımız istişare neticesinde bazı kararlar aldık. İsterseniz onları size bildirelim, sizin de rızanızı alalım. Bazı arkadaşları burada bırakacağız. Aziz Ali Bey'e direnişi finanse edecek altınları emanet ettik. Raşit Bey de burada kalacak. Bu arkadaşlara İstanbul'dan destek göndereceğiz. Eğer buna muvaffak olamazsak, burada en fazla nüfuzu barındırdığınız için sizin önderliğinizde bütün Garp Ocaklarını kapsayan Afrika Devletler Grubu kurulacak. Şartlar olgunlaştığı zaman tekrar Devlet-i Âli'ye iltihak edeceksiniz. Mustafa Kemal'i ve Eşref Bey'in kardeşi Selim Sami'yi, direnişi örgütlemek için tekrar buraya göndermeye çalışacağız. Mustafa Kemal'in yakın arkadaşı olan Şehzade Fuat Efendi'yi de bağımsızlık için buraya göndermeyi deneyeceğiz. Tabiî hadiseler bize bunların ne kadarını yapma şansı verir bilemiyoruz. Ama şimdilik Eşref Bey, Süleyman Askeri ve Cemil ordugâhları yeniden tanzim için burada kalacaklardır.

Sonra Eşref ve Süleyman Askeri'ye döndü:

– Elinizi çabuk tutun, birkaç aya kalmaz sizleri çağıracağım. Allah hepimizin yardımcısı olsun.

Çadırın içinden "âmin" sesleri yükseldi. Enver Bey şeyhlerin hepsinin rızasını sordu. Aldığı cevaplar olumluydu. Çadırdan çıktıklarında Enver, Şeyh Sünusi'nin elini tutarak;

– Şeyh hazretleri en kabiliyetli adamlarımı götürmek zorundayım, dedi. Afrika'da kalan bu son topraklar için size güveniyoruz. Bu iş artık sizin omuzlarınızda.

– Paşa, müsterih olunuz. Bir ihanet vuku bulmazsa biz vazifemizi en iyi şekilde yapacağız. Allah ümmeti ayrılıktan gayrılıktan korusun.

– Âmin.

Enver zafere bir adım kala ordusunu terk etmek zorunda kalıyordu. Devlet ateşler içindeydi. Oradan ayrılırken sıkıntısı yüzünden okunuyordu. Enver'in ayrılmasıyla birlikte çalışmalar tekrar hız kazandı. Eşref, Süleyman Askeri'yle ordugâhların yeniden düzenlenmesi için gece gündüz uğraşıyordu. Enver'in ve diğer subayların eksikliği derinden hissediliyordu. Çölün ortasında yetim kalmış çocuklar gibiydiler. İtalyanların yürüttüğü, direnişin durduğu propagandasını kırmak için gündüzleri koşturup duruyor, geceleri de baskın düzenliyorlardı.

Musa'nın sadece savaşırken değil, küçük birliklerin eğitiminde ve baskınları yönetmede gösterdiği üstün maharet Eşref'in en büyük kazançlarından biriydi. Mamaka Mustafa, Raşid ve Halid de yanındaydı. Çöl geceleri Eşref'i eski günlere, Arap İhtilal Cemiyeti'nin çölde korku estirdiği zamanlara götürüyordu. Hatırlamaktan hoşlanmadığı o günler, diyet ister gibi hep gözlerinin önüne dikiliyordu. Yaptığı her baskını, o günah dolu günlere kefaret sayıyordu.

Süleyman Askeri ise her zamanki gibi sakin ve ince ruhunun sükûnetini yaşıyordu. Geçmişinde, Eşref'inkiler gibi anımsadıkça üzüleceği kötü hatıralar yoktu ama Eşref'teki kabiliyet ve becerinin de kendisinde olmadığını biliyordu. İkisi de gayrinizamî harp hususunda en iyilerdendi. Süleyman Askeri, işleri daha çok nizamî bir ordunun organizasyonu şeklinde ele alırdı. Eşref ise birliklerini, çabuk organize olabilen, aynı hızla görev bölgesine dağılan ve tek bir emirle tekrar toplanabilen, sert ve ani baskınlar yapabilme kabiliyetine sahip bir örgüt şeklinde organize ederdi.

Eşref'in, Süleyman'dan farklı yönlerinden biri de, çöl insanlarının konuştuğu bütün aksanları mükemmel telaffuz edebilmesi ve böylece bedeviler üzerinde, onları büyüleyen bir tesir bırakmasıydı. İkisinin en çok birleştikleri nokta, mükemmel teşkilatçılıklarıydı. İki arkadaş Eşref'in kıl çadırında sık sık bir araya geliyor, yapılan işleri ve baskınları değerlendiriyorlardı. Son günlerde değerlendirdikleri konulardan biri de, İstanbul'dan gelen haberlerdi. Enver Bey'den gelen son haberler iç açıcı değildi.

– Süleyman, Balkan topraklarının elimizden çıktığı söyleniyor. İki yıl önce bizim arkadaşları iktidardan düşüren Halaskar-ı Zabitan'ın atadığı kabine ise anlaşmadan başka bir yol olmadığını her yerde dile getirmeye başlamış.

– Ah Eşref kardeşim, ordu içindeki siyaset beni çok endişelendiriyor. Eskiden alaylı-mektepli kavgası vardı. Sonra İttihatçılarla Adem-i merkeziyetçilerin kavgası başladı. Şimdi de Halaskar-ı Zabitan ile bizimkiler arasında mücadele var. Tarih bütün bu karmaşayı nasıl değerlendirecek bilinmez ama ordunun içindeki siyaset bizim sonumuz olacak. Enver Bey'in aklında sanırım Halaskar-ı Zabitan'dan kurtulmaya yarayacak bir plan vardı.

– Gitmeden önce Enver'le bu mevzuda biraz konuşmuştuk. Balkanlar avucumuzun içinden kayıp gitti. Ordumuz büyük mağlubiyetler aldı. Yollar, kaybettiğimiz topraklardan İstanbul'a göçen muhacirlerle doldu. Abdülhamid'i tahttan indirmek için İstanbul'a yürüyen orduda kimler vardı, bir hatırlasana. Beyoğlu'nda çalım satarak yürüyen çeteleri hatırla. Şimdi kanımızı akıtan Bulgar, Yunan, Arnavut çeteleri yok muydu İstanbul'un sokaklarında? Yıldız Sarayı'nı yağmalatmadık mı biz onlara?

Eşref'in söylediklerinin gerçekliği konusunda hiç şüphe yoktu ama bu sözleri onun ağzından duymak şaşırtıcıydı. Kendisi bile dudaklarından dökülüveren sözlere hayret etmişti:

– Siyaset mesleğinin işte böyle garip cilveleri var kardeşim. Biz politikacı olmadığımız için bunları kolay kolay anlayamayız.

Çadırın kapısından içeri giren Musa, Aziz Ali Bey'in gönderdiği telgraf'ı Eşref'e uzattı. Telgrafı derin düşünceler içinde okuyan Eşref başını kaldırdı:

– Gidiyoruz. Birliklerimiz Çatalca önlerine kadar gerilemiş. Olası bir Bulgar taarruzuna karşı koyacak durumda değilmişiz.

– Gidiş işini nasıl yapacağız Eşref Bey?

– Geldiğimiz gibi yine Sellum üzerinden geçerek kaçak yollardan geri döneceğiz.

Eşref tüm arkadaşlarını çadıra çağırdı:

– Halid, sen öncelikle aileni görmeye gideceksin. Ben İzmir üzerinden geleceğim. Oğlumun yüzünü bile hatırlamıyorum... Hacı Sami'yi de alıp öyle geleceğim. Orada Hacı Sami'ye çok ihtiyacımız olacak. Süleyman Askeri Bey'le İstanbul'da buluşacağız.

Eşref Bey'in yüzüne bakan Musa:

– Ya Hazreti Bek, ben ne olacağım, diye sordu.

– Sen de geliyorsun Musa. İstanbul'a geçen grupla beraber gideceksin. Ben seni orada bulurum.

Bir süredir İstanbul'a doğru bir yolculuk beklentisinde olduklarından hazırlıklar önceden yapılmıştı. Ertesi gün Sellum üzerinden yolculuk başladı. Trablus artık birkaç subay ve şeyhin gayretine terk edilmişti. Avakir kabilesi, Eşref'i gözyaşları içinde uğurluyordu.

– Ya Bek, Allah'a ısmarladık. Allah yansur Âli Osman! Allah yansur Âli Osman!

Bedeviler hep bir ağızdan aynı duayı tekrarlıyordu: "Allah yansur Âli Osman."*

---

* Allah, Osmanlı'yı korusun

# ALTINCI DEFTER

## Alahaısmarladık Rumeli

# I

1912
*Balkanlar*

Kara bulutlar ovanın üzerini kaplamıştı. Kaderine hükmeden ilahî kudretin varlığına sığınan insanlar, yakınlarının kollarına girmiş; birbirlerini sürükleyerek arkalarına bile bakmadan ilerliyorlardı. Koyaklarda, kanlar içindeki vücutlarıyla, çamura batmış bir parça ekmeği nefes almadan yiyen insanlar, yabancı gazetecilerin ilgi gösterdiği karelerdendi. Gazeteciler görevlerini yaparken, insanın içini acıtan bu manzaralardan fazlasıyla rahatsızlık duyuyorlardı. Birçoğu kendi gazetelerinde çıkan "Türkler Bulgarları katlediyor" haberlerinin asılsız olduğunu bildirseler de, gönderdikleri metinler gazetelerde olduğu gibi yayınlanmıyordu.

Büyük bir çaresizlikle İstanbul'a doğru ilerleyen kafileleri takip edenler, yine eski kapı komşularıydı. Çocuklukları beraber geçmiş insanlar kısa bir zaman içinde değişmiş, en yakınlarını gözlerini kırpmadan öldürür hale gelmişlerdi. Düşen, dermanı kesilen yakınlarını, onları sırtlayıp taşıyacak takatleri olmadığı için gözyaşları içinde arkalarında bırakanlar, kafilelerinden koparak yalnızlığa mahkûm olmamak için bütün güçlerini kullanıyorlardı.

Fransız gazeteci Garcia, birlikte yol aldığı gazeteci arkadaşıyla, atını, yol kenarında ağlayan kız çocuğuna doğru sürdü. Çocuk, korkudan büyümüş göz bebekleriyle, kendisine doğru gelen bu iki yabancıya baktı. Fransız gazeteci, balçık denizinden aldığı çocuğu atına bindirdi. Kurtulduğuna sevinen kız, çamurlu kollarıyla gözyaşlarını siliyordu. Zayıf bedeni korkudan titriyordu. Gazeteci, çocuğu rahatlatmak için başını okşadı. Belli belirsiz bir aksanla Türkçe sordu:

– Adın nedir senin yavrum?

– Ayşe.

– Ne kadar güzel bir isim... Anlamını biliyor musun?

Omuzlarını yukarı çeken çocuk;

– Bilmiyorum, dedi.

– Neden yalnızsın? Ailen yok mu senin?

– Var...

– Peki, neden onların yanında değilsin?

– Arabanın arkasına saklamışlardı beni ama arabadan düştüm.

– Olur mu öyle şey, düştüğünü fark etmediler mi?

– Bilmiyorum.

Garcia küçük çocukla ilgili muhtemel senaryoları düşünerek saatlerce yol aldı. Yol arkadaşı da tek kelime konuşmuyordu. Kilatya köyü civarında bekleyen bir kafileyi görünce oldukları yerde durdular. Kafiledekiler, kaybolan çocuk için geri dönüp dönmeme hususunda tartışıyorlardı. Yüzlerinde ölümün soğuk rengini taşıyan bu insanlar, geri dönüp beklemenin ölümle eş olduğunu düşünerek, kafileden yalnızca bir kişinin dönüp çocuğu aramasına karar verdiler. Geri dönüp çocuğu arayacak kişi için arabadan alınan koşum atı, zayıflıktan olduğu yere yığılacak gibi duruyordu.

Durumu bulundukları tepeden seyreden Garcia ve arkadaşı, ,vurulma endişesi taşıdıkları için önce kafileye yaklaşmakta tereddüt ettiler. Ancak çocuğun aşağıdakilerden birkaç kişiyi tanıdığını söylemesi üzerine tepeden aşağı yavaş yavaş inmeye başladılar. Ata binen genç, tam yola çıkmıştı ki uzun pelerinleriyle iki atlının yaklaşmakta olduğunu gördü. Hemen geri dönerek arabanın arkasında unuttuğu av tüfeğini aldı. Gelenlerin bu aralar sık sık rastladıkları yabancı gazetecilerden olduğunu bildiği halde, tedbirli davranması gerektiğini düşünüyordu.

Gencin silahını alıp doldurduğunu gören kafilede, ölüm korkusunun verdiği bir kaynaşma başladı. Kadınların çığlıkları vadiyi kapladı. Gazetecilerin yüreklerine korku salan çığlıklar kesilince, elinde silah olan genç, atlılara yaklaştı. Garcia'nın kucağında oturan küçük kızı görünce, dizlerinin üzerine çöküp hıçkırıklarla ağlamaya başladı. Arabaların ve taşların arkasına gizlenmiş insanlar yavaş yavaş saklandıkları yerlerden çıktılar. Büyükçe bir kayanın arkasından çıkan genç bir kadın, çığlıklar içinde koşarak Garcia'nın kucağındaki çocuğu aldı. Kadının kalbi çocuğunu kucaklarken şark masallarında anlatıldığı gibi, "can kuşu ten kafesinden fırlayacakmışçasına" atıyordu. Sararmış yüzü ve dolu dolu olmuş gözleriyle yabancılara bakarken, yüzünde patlayan flaş ışığıyla kendine gelebildi.

Elindeki silahı bırakan genç adam da kızına sarılmış, gözyaşları içinde gazetecilere teşekkür ediyordu. Kafile vakit kaybetmeden hareket ettiğinde, Ayşe kucaktan kucağa geziniyordu. Bir bakıma, günün kahramanı olmanın tadını çıkarıyordu.

Kızını kurtaran gazetecinin konuşması, Ayşe'nin babasının dikkatini çekmişti:

– Efendim, siz çok güzel Türkçe konuşuyorsunuz.

– Haa... Evet... Ben Trablusgarp'ta uzun yıllar Türklerle kaldım. Sizin askerleriniz o günlerde İtalyanlarla savaşıyordu.

Adamın, yüzüne şaşkın şaşkın baktığını gören gazeteci, bir süre sessiz kaldıktan sonra hayretle sordu:

– İtalyanlarla savaştığınızdan haberiniz yok mu?

– Efendim, biz yıllardır kardeş gibi yaşadığımız insanlarla boğaz boğaza kavga etmekteyiz. Bırakın Trablus'u, üç köy uzaktan haberimizin olması imkânsız.

Kafilenin içinde ilerleyen bir genç kız, Garcia'nın dikkatini çekti. Yüzü marizli gibiydi. Başıyla işaret ederek;

– Çok mu hasta, diye sordu.

– İçimizde hasta olmayan tek bir kişi bile yok ama onun derdi çok başka.

Adam ne olduğunu merak eden gazetecilerin sormasına fırsat vermeden kızın hikâyesini anlatmaya başladı:

– Benim kız kardeşimdir. Adı Leyla. Yıllar önce Lisoli köyünden Mesih'in dinine iman etmiş bir gence gönül verdi. O zamanlar, kırk millet bir arada oturur, aynı sofrada yemek yerdik. Büyüklerimiz bu evliliğe itiraz ettiyse de sonra "Hepimiz Âdem evladıyız" diyerek kabul ettiler. Biz yıllarca bir arada sulh içinde yaşadık. Sonra ne olduysa oldu, bir ayrılık gayrılık başladı. Aynı sofrada ekmek yiyen kırk millet, birbirinin boğazına sarıldı. Bizim enişte de meğer puştun başıymış. Çetecilerin önde gideni yani... Bir gece köyü basıp yapacaklarını yaptılar. Kız kardeşimi elleri bağlı olarak kapımıza atıp gittiler. Bir çocuğu vardı. Onu da Mesih'in amentüsü üzere yetiştirmek için alıkoydular. Kardeşim her şeyi kabullenip unutmaya çalıştı ama çocuğunu unutamadı. Derdinden yüzünden yaralar çıktı. Fazla da yaşamaz...

Hüzünlü hikâye gazetecileri derinden etkilemişti. Gece bastırmadan, kaderine doğru yürüyen kafileden ayrıldılar.

– Ben Trablus'ta da Türkleri takip ettim. Bu insanlarla bir yıldan fazla birlikte yaşadım. Türk ordusu azizim, kolay kolay bu hale gelecek bir ordu değildir.

– Ama bu hale gelmelerinin bir açıklaması olmalı.

– Var beyefendi var... Dedim ya, Türkleri Trablus'tan bilirim. Savaş meydanında baş edilmesi kolay bir millet değildir. Ama artık Türk ordusu diye bir şey kalmadı. Şu sefalet içindeki insanlar buna delalet etmiyor mu? Orduya, tüm hücrelerine kadar siyaset bulaştı. Daha doğru ifadeyle, ordu artık siyaset yapmaya başladı.

– Haklısınız beyefendi... Eskiden ordu komutanları liyakatli oldukları için atanır ve vazifelerini yerine getirmek için çalışırlardı. Şimdi İttihatçılar ayrı atama, Halaskar ayrı atama yapıyor. Başa gelen, diğerinin yetişmiş subaylarını susturuyor. Bu millet siyaseti kışlalarına soktuysa, bu bozgun kolay kolay bitmez. Hele ayak sesleri artık daha çok duyulmaya başlanan umumî harp bu insanları bu vaziyette yakalarsa...

– Tespitlerinizde haklısınız. Türkler bugün ne yaşıyorlarsa başlarındaki "kurtarıcılar" yüzünden. Kendilerini onlardan kurtaramadıkları sürece bunları daha çok yaşayacaklar.

*\*\**

Uzun pelerinli ve fötr şapkalı gazeteciler, kafilelerle birlikte yolculuk yapıyor, fotoğraflar çekiyor, insanlara bozgun hakkında ne düşündüklerini soruyorlardı. Ama sahip oldukları hiçbir imkân gasp edilmiyordu.

Çocuk ve kadın yolcular taşıyan, balçığa batmış bir arabanın, küçük bir su birikintisindeki çırpınışı dikkatlerini çekti. Fotoğraf makinesinin aldığı görüntüler, içlerindeki büyük boşluğu hüzünle dolduruyordu. Donan zaman karesinden, tel tel çaresizlik dökülüyordu. İnsanlar kafileler halinde, cinnet geçirmiş gibi hep aynı yöne akıyorlardı. Mavzer silahlarını çapraz kuşanmış insanların yanında, atacak tek bir mermi bile yoktu. Ovada duyulan tek ses, ekmek isteyen aç insanların çığlıklarıydı. Kimi kadınların bacakları dizlerine kadar açıktı, kiminin ise üzerini örtecek elbisesi bile yoktu. Önlerinde yürüyen küçük kağnıların ardı sıra, kucaklarında çocuklarıyla ilerliyorlardı. Çoğunun ayakları çıplaktı. Ayağında çarık olanların durumu da çıplak olanlardan farklı değildi. Binlerce kadın, göz bebeklerinde büyüttükleri korku ve midelerine krampar sokan açlığın sersemliği içinde yürüyordu. Yol kenarları, ölmüş veya ölmek üzere olan, inleyen insanlarla doluydu. Trakya Ovası, İstanbul'a doğru insan seli olup akarken, yollarda yalnız yürüyen kadınların erkekleri, bambaşka yerlerde, her gün bir yenisi kaybedilen cephelerden geri çekilmekteydi.

Kaybedilen her cephede, yüzlerce ölü asker arasında aksakallı komutanlar düşmana esir düşüyor, kalanlarsa meçhul bir geleceğe yürüyorlardı. Yiyecek ekmek bulamayan insanlar, telgraf hatları kopuk olduğundan ne yardım isteyebiliyor ne de gelişmeleri haber alabiliyorlardı.

Türkler gibi Bulgarlar da, ovayı balçık havuzuna çeviren çamurla ve sert soğukla mücadele ediyordu. Çamur deryasında konaklayan Türk birlikleri, açlığın ve hastalıkların pençesindeydi. Mahmut Muhtar Paşa ekmek tedarik edememiş, onun yerine bolca mermi tedarikinde bulunmuştu. Yüzlerde büyük bir hüzün ve ıstırap vardı. Kimsenin ailesinden haberi yoktu. Herkes kendi canının derdine düşmüştü. Umutlar, ovanın çamurları arasında yitip gitmişti.

Gece boyunca devam eden çatışmalar, sabaha doğru yerini derin bir suskunluğa bıraktı. Telsiz hatlarından yoksun birlikler, olan biteni hiç öğrenemiyordu. Gecenin karanlığında herkes, yattığı yerden sabaha çıkmayı ümit ediyordu ki Bulgar mevzilerinde bir hareketlilik başladı. Zabitler, büyük bir çaresizlik içinde, askeri hatlarında tutmaya çalışıyordu. Bulgar birliklerinin onlarca metre ötedeki kıpırdanışlarının sesi duyuluyor ama kimse ne olduğunu anlamıyordu. Bir anda yanan asetilenli projeksiyonlar, mevzilenmiş askerler arasında büyük bir korku ve panik yarattı. Yoğun ışık, askerlerin gözlerini açıp etrafı görmelerini engelliyordu.

Türk siperleri tamamen düşmanın görüş alanı içerisindeydi artık. Binlerce obüs,* askerlerin üzerinde uçuşuyordu. Askerlerdeki panik, cinnet havasına dönüşmüştü. Rast gele sıkılan kurşunlar, havada uçuşan kuş sürülerini anımsatıyordu. Onlarca Mehmet-

---

* Yüksekten ve alçaktan mermi atabilen kısa namlulu top.

çik birkaç saniye içinde birbiri üzerine düşmüştü. Geri çekilmeye çalışan askerler, sırtlarından giren mermilerle oldukları yere yığılıyordu. Telsiz hatlarının olmaması, birlikleri büyük bir karmaşanın içine sürüklemişti. Geri çekilirken kendi askerlerini öldüren komutanlar, çaresizlik içinde sağa sola koşturuyordu. Birliklerdeki koordinasyon tamamen kaybedilmişti. Topçu birlikleri bataryalarını terk etmiş, takatsiz adımlarla geri çekiliyordu. Bütün ovayı kaplayan çamur, yalnızca Türkleri değil Bulgarları da vurmuştu. Ele geçirilen mevzilerde zafer sarhoşluğuyla kutlama yapmaya başlayan Bulgarlar, ricat halinde olan Türklerin peşinden gitmeyi bıraktılar. Geri çekilen Türklerin ovayı geçemeyeceğini bilen Bulgar komutanlar takibi lüzumlu görmemişlerdi.

*\*\**

Direniş hatlarının dağılmadığı tek yer Edirne'ydi. Şükrü Paşa, askerin maneviyatını yüksek tutmak için bütün mevzileri geziyor, mümkün olduğunca askerleriyle birlikte vakit geçirmeye çalışıyordu. Selimiye'nin minarelerinden ezanlar okunuyor, tekbir ve salâvatlar getiriliyordu. Cami kenarında konuşlanmış birliklerden seçilen güzel sesli askerler sırayla Kur'an okuyordu. Şükrü Paşa bir yandan şehri savunurken, bir yandan da bölgeyi saran hastalık ve açlıkla mücadele etmeye çalışıyordu. Etrafındakilerden, sulh şartlarını kabullenmesi hususunda tavsiyeler almaya başlamıştı. Mehmet Talat nefer kıyafetiyle Edirne'ye gelmiş, Şükrü Paşa'yı şehri teslim etmesi için ikna etmeye çalışıyordu.

Mehmet Talat'a göre, Edirne'nin savunulması mümkün değildi. Verilecek kayıplara yazık olacağını söylüyor ve sulh şartlarının görüşülmesinde ısrar ediyordu. Aksakallı Şükrü Paşa, Edirne sokaklarında hastalıktan ve açlıktan ölen insanları gördükçe içinden İttihatçılara ve Halaskar zabitlerine lanetler yağdırıyordu.

Şehrin sokaklarında gördüklerinden sonra, Mehmet Talat'a esaslı bir ders verme kararı aldı. Edirne'nin düşmesi, şu anda iktidarda olan Halaskar hükümetini zor durumda bırakacak, İttihatçılar da bunu bahane ederek kendilerine iktidar yolunu açacaktı. Mehmet Talat'ın konuşmalarının halk üzerindeki tesiri kötüydü. Çıkabilecek bir ikilik, yenilgiyi kaçınılmaz kılabilirdi.

Şükrü Paşa, odasına çıktığında açlıktan ve uykusuzluktan bayılmak üzereydi. Mehmet Talat'ın konuşmak için geldiğini söyleyen yavere, misafirin içeri alınmasını emretti. Odada yalnız kaldıklarında sükûnetle Mehmet Talat'ı dinledi. Aynı cümleleri defalardır duyduğu halde, misafirinin sözünü hiç kesmedi. Mehmet Talat'ın konuşması bittince, masasından kalkıp misafirinin yanına kadar geldi. Elinde tuttuğu kılıca dayanarak, yüksek sesle konuşmaya başladı:

– Seni hemen yarın, Edirne'nin ortasında idam ettirmemi istemiyorsan, bugünden tezi yok, çek git buradan Talat Bey oğlum. Sen ki sabık dâhiliye nazırısın. Sen ki Edirne'ye vatanseverlik göstermek için er rütbesiyle gelmişsin. Ve sen ki bana yardımcı olmak yerine orduyu ifsat ediyor, askere dövüşmemesini telkine çalışıyorsun. Çek git buradan! İttihat ve Terakki'yi yeniden iktidara getirmek için başka yerlerde çalış. Unutuyorsun ki ben politikacı değil, askerim. Ama sen ve arkadaşların, elimizde kalan şu son serhat şehrini de politika uğruna kaybettirmek istiyorsunuz. Sizin kazanmak istediğiniz nedir?

Beyaz sakallı Paşa konuştukça kararıyor, hiç ses çıkarmadan dinleyen Mehmet Talat'ın içindeki kinse önü alınmaz bir hal alıyordu. Şükrü Paşa, söylediklerini yapabilecek kudretteydi. Üstelik tehditlerle sindirebilecek biri de değildi. Paşa, eteklerindeki taşları dökmemin verdiği rahatlıkla, karşısında hiç ses çıkarmadan oturan adama son sözlerini söylemekten de geri durmadı:

– Selimiye ki Rumeli'de cetlerimizin mührüdür. Sen bu mabedi dinamitleyip berhava etmemi istiyorsun. Gözünü vatan ve ordu sevdası değil, politika bürümüş. İktidar için orduya bile acımıyorsun. Sana Edirne Kumandanı Şükrü Paşa olarak emrediyorum. Hemen şimdi Edirne'yi terk edecek ve İstanbul'a gideceksin.

Nefer kıyafetleri içinde hazır ol vaziyetinde duran Mehmet Talat, hiçbir şey söylemeden geri dönüp odadan çıktı. Yüzündeki ifade, insanı korkuya sevk edecek kadar keskindi. Şükrü Paşa, yaverini çağırıp kesin emrini verdi:

– Mehmet Talat hemen Edirne dışına çıkarılacak. Direnirse kurşuna dizilecek.

İttihat ve Terakki'yle bütün ipleri atmıştı artık. Politikayı Edirne'nin dışına çıkartmıştı. Şimdi şehri daha rahat savunabileceğine inanıyordu.

# II

Meserret Oteli'nden aşağı doğru yılan gibi kıvrılan Bab-ı Âli
yokuşundan inen uzun kaldırımda, pardösülü iki kişi sert adım-
larla ilerliyordu. Prusyalı subaylar gibi, bıyıklarının uçları yukarı
kalkıktı. Bellerindeki Nagant marka silahlar, her adım atışların-
da havalanıp bacaklarına değiyordu. Yüzlerindeki donukluk ve
bakışlarındaki sertlik, karşılaştıkları insanları korkuya düşürü-
yordu. Önlerine çıkan herkes, önce kenara çekiliyor; geçtiklerini
hissettikleri an da, ürkek bakışlarla onları takip ediyordu. Bütün
gözler, ökçelerinden ritmik ses çıkan iki kişideydi. Korku ve me-
rak uyandıran pardösülü adamlar, yokuşu yarılamışlardı ki sert
bir hareketle sola dönerek İkbal Kıraathanesi'ne girdiler. Kıraat-
hanenin kapısı açılır açılmaz, içeride oturmakta olan esnaf ve ha-
mallardan birkaçı dışarı çıktılar. Gözleriyle arkadaşlarını arayan
iki kişi, onları bir köşede nargile içerken buldu. Göz göze geldik-
lerinde, sağda olan, elini belindeki silahın üzerine koydu, sonra
her ikisi de geri dönüp dışarı çıktılar. Bu, daha önce kararlaştır-
dıkları bir paroladı, *hazır olun* anlamı taşıyordu. Nargile içen
grubun gözle görülebilen ortak özelliği, hepsinin kalın bıyıkları-
nı yukarı doğru kaldırmış olması ve bellerinde ateşlemeye hazır

silahlar taşımalarıydı. Gruptan iki kişi kalkıp, hamalların terk ettiği cam kenarındaki taburelere oturdu ve yokuşu gözlemeye başladı. Yokuştan aşağı inen iki kişi, etraftaki bütün kıraathaneleri, terzihaneleri, attarları teker teker gezdi. Meserret Oteli'nin yanındaki Merkez'e döndüklerinde Enver Bey'e, bütün köşelerde zabitlerin sivil kıyafetler içinde hazır beklediğini söylediler.

Enver Bey çok heyecanlıydı. Nagant marka silahına mermilerini büyük bir özenle yerleştiren Yakup Cemil'i gördü, elini adamın omzuna koyarak;

– Yakup Cemil, geri döndüğümüzde o kurşunlar eksiksiz yerinde olsun. Trablusgarp'ta olanların tekrar etmesini istemiyorum, dedi.

Yakup Cemil, *evet* manasında kafasını sallarken içinden, *hükümet darbesi yapmaya gidiyoruz, Enver kansız olsun diyor*, diye geçirdi. Yakup Cemil'in bakışlarından çok da tatmin olmayan Enver, İttihat ve Terakki Genel Merkezi'nden çıktı, yolun karşısındaki Sevkıyat Levazım Dairesi'ne geçti. Silahşorları, onu bir gölge gibi arkadan takip ediyorlardı.

– Mümtaz, bu karmaşada en önemli şeylerden birini unuttuk. Sadaret'e yürüyerek gitmeyeceğim herhalde...

– Haklısınız efendim, bunu nasıl da akıl edemedik!

İçeriden koşarak gelen levazım sevkıyat sorumlusu Ali Sait Bey;

– Efendim hoş geldiniz. İstirahat buyurmak isterseniz hazırlık yaptırayım, dedi.

– Yok Ali Sait, fazla kalmayacağız. Senden bir ricamız olacak. Bize bir at lazım.

Bu garip istek karşısında ne yapacağını bilemeyen Ali Sait, *belki yanlış anlamışımdır* diye sorma lüzumu hissetti:

– At mı?

Enver hiç teklemeden cevap verdi:

– Evet Ali Sait, bir at lazım, beyaz olursa iyi olur.

Ali Sait'in görevlendirdiği askerler, kısa sürede beyaz bir at getirdiler. Atın ayakta duracak dermanı yoktu. Eyerini ve koşumlarını da hemen oracıkta tedarik ettiler. Enver atın haline güldü:

– Kadrolu mu bu Ali Sait?

Yüzü kızaran Ali Sait;

– Efendim, zaman kısa olunca, dedi mahcup bir edayla. Keşke daha önce haber verseydiniz.

– Ziyanı yok Ali Sait.

Bab-ı Âli yokuşundan koşarak gelen sivil kıyafetli zabit, askerî elbiseler içinde olduğunu sanarak selam durdu:

– Efendim, arkadaşlar adamlarını dikkat çekmemesi için ara sokaklara yerleştirdiler. Yokuşa açılan ara sokakların tamamı küçük gruplarla doldu. Ne yapmamızı emredersiniz?

– Ömer Naci yerini aldı mı?

– Ömer Naci nutka başlamak için haber bekliyor, yanında da Ömer Seyfettin var.

– Başlasın.

Asker selam verip ayrılmak üzereyken Enver Bey yeni talimatını verdi:

– Ateşli konuşmalar yapsın... Halkın heyecanlı olması lazım.

– Emredersiniz komutanım.

Enver:

– Arkadaşlar, sanırım her şey tamam. Ömer Naci Bey, Çatalca önlerinde, elinde silah savaşmaya hazır bir ordumuzun olduğunu ve hükümetin Edirne'yi düşmana bırakmak istediğini anlatarak halkı galeyana getirecektir. Arkadaşların bir kısmı, dikkat çekmeden içeri girsin. Sizler de benimle yürüyormuş hissi uyandırmadan aralıklı yürüyün. Yakınımda Mümtaz, Mustafa Necip, Yakup Cemil, Hakkı (Sapancalı Hakkı) ve Ahmet Hilmi olsun. Silahlarınızı fazla göstermeyin ve kuşku uyandıracak hareketlerden uzak durun. Halkın nümayişi ile ilgimiz yok. Her şey tabiî seyrinde akıyormuş gibi olacak. İçeri ziyarete gidiyormuş gibi gireceğiz. Hepinizden rica ediyorum, silahlarınıza davranmayınız. Sükûneti muhafaza edelim. Bizim yersiz çıkışlarımız, galeyanda olan halkı önü alınamaz taşkınlıklara sevk edebilir.

Mümtaz:

– Efendim, muhafızların ve Bab-ı Âli Kıta-i Muntazırası'nın silahlı nefer ve zabitanının ateşine maruz kalırsak ne yapacağız?

– Mümkün olduğu kadar dikkat çekmeden içeri girmeye çalışacağız. Arkadaşlar içeride koridor başlarını tutacaklardır. Sizin vazifeniz Sadrazam ve Harbiye Nazırı'nı görmeme mani olunursa müdahale etmektir.

Enver'in gerginliği tüm gruba sirayet etmişti. Mümtaz, sorduğu sorunun cevabını alamamıştı. Enver, bir aksilik olmamasını ümit ettiği için kötü düşüncelere kapı açmak istemiyordu. Yakup Cemil'in, en küçük bir karşı koymada hemen silahına davranıp önü alınamaz bir karmaşaya yol açmasından endişeleniyordu:

– Eğer Bab-ı Âli'yi koruyan muhafızlar karşı koyarsa, dışarıdaki halk da dâhil olmak üzere duruma hâkim olmamız çok zor.

Mümtaz çekinerek sorusunu yineledi:

– Efendim, ya önce onlar bize ateş ederse?

Enver gerginliğin verdiği bir ses tonuyla konuştu:

– Canım Mümtaz Bey. Bu sualinizin manasını anlayamıyorum. Hepiniz tecrübeli ve aklı başında insanlarsınız. Gaye, kansız ve kinsiz bir memleket hizmeti yapmaktır. Bab-ı Âli'yi koruyan nefer ve zabitanın komutanı dün gece ziyaret edildi. Bir aksilik olmazsa karşı koyma da olmayacak. Biraz önce söylediğim gibi, karşı koyarlarsa yapacağımız fazla bir şey yok. Siz sorun çıkarmadıkça onlardan bir sorun çıkmayacak. Siz işinizin icapları neyse onu yerine getiriniz. Bab-ı Âli'ye topluca girecek değilsiniz ya...

Enver sinirli adımlarla Sevkıyat Levazım Dairesi kapısında iki erin tuttuğu beyaz ata binmek üzere yürüdü.

Biraz sonra, beyaz atına binmiş, Napolyon gibi başı dik iler-
lemeye başlamıştı. Arkadaşları koşar adım yanına gelip yürüme-
ye koyuldular. Yokuştan aşağı doğru yavaş yavaş ilerliyorlardı.
Ömer Naci, Nafia Nezareti'nin merdivenlerinde, halkı galeyana
getirmek için hançeresini yırtarcasına bağırıyordu. Yanında ta-
kım elbiseli, ince yüzlü bir genç duruyordu. Ömer Naci'nin sus-
tuğu anlarda yanındaki genç, Ömer Seyfettin söze başlıyordu.
Enver Bey'in yokuştan görünmesi üzerine, Ömer Naci parmağı
ile işaret ederek;

– İşte Kahraman-ı Hürriyet Enver Bey, dedi. İşte Edirne'yi ye-
niden fethedecek kahraman Enver Bey.

Kopan alkış tufanını iyi değerlendirip sözlerine devam etti:

– Kahraman-ı Hürriyet, Bab-ı Seraskeri Dairesine yürüyor.
Edirne bir Müslüman memleketidir. Sinan'ın göğü delen mina-
releri ile Selimiyesi gâvurun ayakları altında mı çiğnensin? Buna
gönlünüz razı olur mu? Vatandaşlar! Hükümet, Edirne'nin tes-
lim kararını vermiştir. Bu karara baş kaldıran Kahraman-ı Hürri-
yet, Bab-ı Âli'ye yürüyor. Haydi! Siz de ona katılın.

Toplanan grup, Enver Bey'e dönerek;

– Yaşasın vatan, yaşasın millet naraları atmaya başladı.

İnsanlar Enver Bey'e sevgi gösterilerinde bulunurken, o da,
topluluğun fazla kalabalık olmamasından hoşnutsuzca sağ eliy-
le grubu selamladı. Merdivenlerin başında, adım atmaya takati
olmayan atından inip, atı arkası sıra yürüyen nefere teslim etti.
Fedailer sokak başlarından kalabalığı gözlüyorlardı. Harekete
karşı biraz temkinli duruyor hissi uyandırıyorlardı. Üzerindeki
gerginliğe rağmen kararlılığını gösteren Enver, sakin adımlarla
merdivenden çıktı. İki fedai kapıları kapadı. Hakkı, merdiven
girişinde biraz oyalanınca, koridoru dönen arkadaşları görüş ala-
nından çıktı. Ani bir hareketle belinden silahını çekip koşmaya
başladı. Loş koridorlarda hoş bir koku yayılıyordu. Enver ve fe-
daileri merdivenlerden çıkarken, Hakkı büyük bir panikle onları
arıyordu. Onu elinde silahıyla gören muhafız Efe Celal;

– Dur! Nereye gidiyorsun, diye bağırdı.

Hakkı, tavanları yüksek koridorun köşesinden kendisine doğru gelmekte olan muhafızı görüp ani bir kararla geri döndü. Muhafızın elinde silah olmadığını fark edince, tekrar geri dönüp silahını Efe Celal'e doğrulttu:

– Yaklaşma, vururum.

Efe Celal, iri cüssesiyle olduğu yerde kaldı. Kısa bir bakışmadan sonra, silahşorun kendisini vuracağına kanaat getirince ani bir manevrayla yandaki odaya girdi. Hakkı, çevik bir hareketle kapının önüne geldi. Kapıyı tam kapatamayan Efe Celal'in üzerine iki el ateş etti. Silah sesi, boş koridorlarda kalpleri ürperten çığlıklara karıştı. Efe Celal, kanlar içinde kapının arkasına yığıldı. Silah sesini duyan Enver, büyük bir korkuyla etrafına baktı. Yakup Cemil'i görünce biraz rahatladı ama Hakkı'nın nerede olduğu sorusuna cevap alamadı. Koridorlarda bir koşuşturma başladı. Bir yaver, elinde tabancayla koşarak Enver Bey'e doğru geliyordu. Mümtaz, Enver'e bir suikast düzenlendiğini zannederek silahını ateşledi. Yaver, şakağından akan kanlarla çığlıklar içinde olduğu yere yığıldı. İkinci silah sesiyle odalardan fırlayan yaverler ile Enver Bey'in fedaileri arasındaki çatışmada ateşlenen silahların sesleri koridoru çınlatıyordu. Dışarıda, kalabalık arasında bulunan Mehmet Talat, yanında iki koruma ile içeriden gelecek parolayı bekliyordu. Kapıdan gözüken fedai, göğsünden bayrağı çıkarınca Talat hızlı adımlarla içeri daldı. İşler kontrolden çıkmıştı artık. Mümtaz, Nagant marka silahıyla ikinci yaveri de vurunca grup, adımlarını hızlandırdı. Son vurulan Yaver Nazım, yaralı halde kendini bir odaya atmayı başardı. Eliyle sıktığı boynundan akan kan, üzerine düştüğü kanepeye fışkırıyordu. Elinde silahıyla korku içinde sağa sola koşan Hakkı da gruba yetişmişti. Arkadan gelen Mustafa Necip, salondaki cesetleri görünce yaverlerin olduğu odaya koştu. İpek bir kanepe üzerinde boynundan kan fışkıran yaver, sendeleyerek düştüğü yerden, mermilerini Mustafa Necip'e doğru sıkmaya başladı. Korkudan nereye ateş ettiğini kestiremiyordu ama mermilerden biri Mus-

tafa Necip'i yere serdi. Dışarıdaki grup da silah seslerinden gale-
yana gelmiş, içeri girmek için kapıları zorluyordu. Kapıları tut-
maya çalışan iki nefer, nereden geldiği belli olmayan kurşunlarla
oldukları yere yığıldı. Halk arasında büyük bir panik başladı. İçe-
ride de durum kontrolden çıkmıştı. Silahlar ardı ardına patlıyor,
acı çığlıklar yüksek koridorlarda yankılanıyordu. Harbiye Nazırı
Nazım Paşa, hiddetle odasının kapısından dışarı fırladı. Kapının
önünde eli silahlı fedailer arasında Enver'i görünce odasına geri
döndü. Üzerinde yeşil örtü olan masanın kenarına geldi. Ağzın-
da yasemin çubuk içinde sigarası vardı. Kısa zamanda şaşkınlığı-
nı üzerinden atan Paşa;

– Bu ne cüret! Burada ne arıyorsunuz, diye sordu öfkeyle.

Paşa'nın karşısında hazır ol vaziyeti alan Binbaşı Enver;

– Paşa hazretleri, dedi. Millet galeyandadır. Sadrazam Kamil
Paşa'nın istifasını istemektedir. Ordu, vatanı satanlara müsaade
etmeyecektir...

Enver sözlerini henüz bitirmemişti ki, yeniden patlayan si-
lah sesiyle herkes irkildi. Heybetli cüssesi ile karşılarında duran
Müşir Nazım Paşa, kanlar içinde yere yığıldı. Herkesin bakışları
silahından duman çıkan Yakup Cemil'in üzerindeydi.

Enver:

– Ne halt ettin, ne rezalettir bu Yakup Cemil! Bu cinayete
lüzum var mıydı!

Yakup Cemil, tekrar ateşlemek niyetinde olduğu silahını in-
dirdi:

– Bu herife laf anlatılır mı, dedikten sonra ani bir hareketle
silahını tekrar ateşledi.

Odadan çıkan Enver'in yüzü kıpkırmızı olmuştu. Mehmet
Talat da odanın kapısındaydı. Hızlı adımlarla Sadaret makamına
yöneldiler. Yıllarını odabaşı olarak geçirmiş Ahmet Ağa, kapının
kenarında diz çökmüş, korkudan titriyordu.

Enver hiddetle sordu:

– Sadrazam nerede?

Ahmet Ağa, kendisini çok zorlasa da konuşmaya muvaffak olamadı. Sadece titreyen elini kapıya uzatabildi. Enver ve fedaileri, patlayan silah sesleri arasında Meclis-i Vükela salonuna girdiler. Masa etrafında oturan hükümet üyeleri, büyük bir korku içinde birbirlerine bakıyorlardı. Sadrazam Kamil Paşa sakin bir şekilde ayağa kalktı. Diğer üyelerin gözleri korkudan kocaman açılmışken, Sadrazam'da korkunun emaresi bile görünmüyordu. Sadrazam'ın ayağa kalktığını gören Enver Bey selam vaziyeti aldı.

Kamil Paşa sakin bir ses tonuyla sordu:

– Neler oluyor Enver Bey oğlum?

Enver, sinirleri çok gerilmiş olduğu halde söze sakin başlamak için biraz bekledi. Kendisini hazır hissedince konuşmaya başladı:

– Paşa hazretleri, millet galeyandadır. İmzalamaya hazır olduğunuz sulhtan sonra bu devlet baki kalmaz. Lütfen istifanızı yazınız.

Kamil Paşa masaya oturup kısa bir istifa mektubu yazdı ve Talat Bey'e uzattı. İstifayı okuyan Talat;

– Paşa hazretleri, dedi. Buraya "cihet-i askeriyeden vaki ısrar üzerine" diye yazmışsınız. Lütfen pencereden bakar mısınız, dışarıda her meslekten insan var.

Kamil Paşa önüne konan kâğıda "ve millet" ibaresini ekledi.

Talat Bey, daha önce hazırlamış oldukları ihtilal metnini duyurmak için postaneye gitmek üzere ayrıldı. Enver, Mümtaz'a dönerek son talimatlarını verdi:

– Bir araba ayarlayınız... Hakkı ve Yakup Cemil, siz benimle geliniz. Geriye kalanlar güvenliği sağlasın ve merhumların cenazeleriyle ilgilensin.

İstifa metnini alan Enver, hızlı adımlarla merdivenlere yöneldi. Binanın dış merdivenlerine yanaşan arabaya bindi. Yanına

Mümtaz, ön koltuğu da Hakkı ile Yakup Cemil oturdu. Hakkı, silahındaki mermilerin çoğunu kullandığını hatırlayınca ani bir hareketle belindeki Nagant tabancayı çıkardı. Enver'in sert bakışlarına maruz kalmamak için, biraz sağa doğru dönüp mermileri silahına sürmeye başladı. Fırlayan boş kovanlardan ikisi, Enver Bey'in ayaklarının dibine düştü. Yol boyunca hiç konuşan olmadı. Dolmabahçe'de arabadan inen Enver ve fedaileri sarayın kapısına yöneldiklerinde, arabacı düşerken gördüğü iki mermiyi ceketinin yan cebine koydu.

Enver, Padişah'ın huzuruna yalnız çıktı. Saraya damat olduğu için çok iyi tanınıyordu. Padişah'ın huzuruna girerken selam durdu.

Mehmet Reşat, Enver'i;

– Buyur beyefendi oğlum, diyerek karşıladı.

Enver sakin bir ses tonuyla söze girdi:

– Zat-ı Şahane'ye bir maruzatım var... Kamil Paşa istifa etmiştir... Halk galeyandadır.

Elindeki istifa mektubunu Padişah'a uzattı. Mehmet Reşat istifayı okuduktan sonra;

– Beyefendi oğlum, Makam-ı Sadarete kimi münasip görürsünüz, diye sordu.

– Zat-ı Şahane de münasip görürlerse, milletin ve ordun istediği Mahmut Şevket Paşa'yı.

– İrade-i Seniye'yi hazırlayın, onaylayayım.

Kısa süren ziyaretten sonra, heyet Dolmabahçe Sarayı'nı terk etti. Akşam saatlerinde Saray'ın yeni konuğu Mahmut Şevket Paşa'ydı. Beş yıl önce Hareket Ordusu'nun başında İstanbul'a giren Paşa, Saray'dan müşirlik beratı ve sadaret tayin iradesini alarak çıktı. Vakit kaybetmeden Bab-ı Âli'ye yöneldi. Sabah saatlerinde Enver'in silahşorlarıyla girdiği cümle kapısından, şimdi Mahmut Şevket Paşa sadrazam olarak giriyordu. Paşa'nın yeni kabine çalışmalarından sonra yapacağı ilk icraat, silahşorları çok şaşırtacaktı.

"... Öteden beri İttihat ve Terakki Cemiyeti murahhaslıklarında hizmet etmek suretiyle siyasî cereyanlara teslim-i nefs ü fikir etmiş zevattan olup kıymet ve meziyetçe hiçbir şekilde noksanları olmamakla beraber orduda hizmetleri, ordunun siyasetten çekilmesi hakkında emel-i katinin husulüne mani olacağından, Yüzbaşı Mehmed Nazım, Mülazım-ı Evvel Hakkı, Yüzbaşı Yakup Cemil, Yüzbaşı Yusuf Musa, Mülazım-ı Evvel Hasan Tahsin ve Mülazım-ı Evvel Hüseyin Rahmi efendilerin dahi nispet-i askeriyelerinin kat'ı..."

Enver'in silahşorları üniformalarını çıkarırlarken, İttihat ve Terakki merkezinde Doktor Nazım, Mithat Şükrü'ye Selanik'teki evde konuştuklarını hatırlatıyordu... Fedailerle yolları İstanbul'da ayrılmıştı...

# III

Harbiye Nezareti'nin geniş odasında, elindeki bastonu yere vurarak düşünceli bir halde geziniyordu Mahmut Şevket Paşa. Camın kenarında durup meydanı dakikalarca seyretti. Beyazıt Meydanı sakindi. Aklında, Mehmet Talat ile aralarında geçmiş yıllara dayanan kavga vardı. Mehmet Talat'ın, son günlerde Cemiyet'in merkezinde yakın çevresiyle odasına kapanıp gizli görüşmeler yaptığı haberini aldığı günden beri, içinde büyük bir huzursuzluk taşıyordu. Mehmet Talat'ın evini gözetleyen adamlarından da, evde gece yarılarına kadar süren yemekli toplantıların yapıldığına dair haberler geliyordu. İttihat ve Terakki, son günlerde işlere yine fazlasıyla karışmaya başlamıştı. Paşa, canını sıkan hadiseleri düşünmekten uzak durması gerektiğini biliyor fakat bir türlü buna muvaffak olamıyordu. Sadıklarından Kazım Ağa içeri girdi:

– Efendim, otomobil hazır.

– Gidelim Kazım Ağa.

Yüksek kapılar ve ferah koridorlardan geçerek bahçeye çıktılar.

Paşa, Bab-ı Âli'nin cümle kapısından içeri girdiği gün verdiği, Edirne'nin tekrar alınacağı sözünü tutamamış olmaktan dolayı muhalefetin sert eleştirilerine maruz kalıyordu. Korumalar, Halaskar-ı Zabitan'dan gelebilecek tehditleri göz ardı etmeyip sıkı tedbirler almaya çalışıyorlarsa da, Paşa her seferinde alınan aşırı tedbirlere tepki gösteriyordu.

Makam otomobiline bindiğinde, yanına Seryaveri Eşref ile İbrahim oturdular. Ön koltukta ise sadığı Kazım Ağa oturuyordu. İbrahim Vicdani, Paşa'nın *gidelim* sözü ile arabayı hareket ettirdi. Çok da dolu olmayan meydandan Çarşıkapı'ya dönecekleri sırada, Paşa'nın ikazı ile araba durdu. Büyük bir kalabalık, bir tabutun ardı sıra sessizce yürüyordu. Yaverler, azim bir tedirginlik içinde, ellerini silahlarının kabzaları üzerinde hazır tutup olanca dikkatleriyle kalabalığı gözlüyorlardı.

Paşa, hiç kıpırdamadan duruyordu. Elinden hiç bırakmadığı ince bastonuyla hafif bir ritim tutturmuştu. Heybetli cüssesi ve ürkütücü bakışlarıyla etrafı seyrediyordu. Bir ara, Fatma Sultan Çeşmesi'nin sağında duran otomobil dikkatini çekti. Ön kaputu kaldırılmış otomobili, üç kişi tamir etmeye çalışıyordu. Adamlardan birinin, kendisine baktığını gördü. Yaverlerin dikkati, otomobilden ziyade kalabalığın üzerindeydi. Üzerinde redingot takım olan adam, arabaya girdi. Diğer iki kişi, ani bir hareketle bellerinden tabancalarını çekip ateş etmeye başladılar. Kalabalık panikle sağa sola kaçıştı. Tabut, birbirini ezen insanların arasında, orta yerde sahipsiz kaldı. Arabanın içinden ve kaputun arkasından açılan ateşle vurulan Yaver İbrahim, Paşa'nın üstüne düştü. Seryaver Eşref, dışarı çıkıp arabayı kendine siper ederek atışa karşılık vermeye çalışıyordu. Kazım Ağa panik içinde, Paşa'ya koltuğa yatmasını söylerken, kendisini siper ederek saldırıya ateşle karşılık veriyordu. Karşılıklı ateş sürerken, yıkık bir duvarın üzerinden başlayan çapraz ateş, Kazım Ağa'yı paniğe sürükledi. Kazım Ağa, otomobilin yanından ateş eden sarı pardösülü adamın tabancasından çıkan bir kurşunla, feryatlar içinde yere yığıldı. Duvar üzerinden ateş eden adam, dikkati dağıtmak için rast gele nişan alıyordu. Sarı pardösülü adam, Kazım Ağa'nın yıkıldığını görünce, silahının toplusuna yeni kurşunlar doldurup tekrar ateşe başladı.

İbrahim Vicdani Efendi direksiyonun altına sinmiş, korkudan çığlıklar atıyordu. Paşa, vücuduna isabet eden kurşunların verdiği acı ile uğraşıyordu. O sırada, sağ yanağından giren bir kurşun, sol gözünün üstünden çıktı. Yüzü kanlar içinde kalan Paşa'nın haykırışı meydanı kaplamıştı. Üniforması ve göğsünde takılı madalyaları kanlar içindeydi. Toparlanmaya çalışan Seryaver Eşref, çevik bir hareketle arabaya atladı. Şoföre geri dönmesini emretti. İbrahim Vicdani, silah seslerinin biraz daha azalmasının verdiği cesaretle otomobili hızla geri çevirdi. Çarşafına sarılmış bir kadının, Kapalıçarşı'ya doğru koşarken "Zulüm payidar olmaz. Zulmeden abad olmaz" diyen sesi, tabanca sesleri arasında kayboluyordu.

Bozuk otomobilin kaputunu kapatan saldırganlar, hızla Aksaray'a doğru kaçıyorlardı. Yıkık duvarın üzerindeki adam topallayarak koşmaya çalışırken "Durun, beni de alın" diye bağırsa da, otomobil geri dönmedi. Topal Tevfik, geri dönüp ateş ettiği duvardan geçerek koşmaya başladı. Paşa'nın aracı, sağa sola yatmış kalabalığı çiğneyerek Harbiye Nezareti'ne doğru hızla yol almaya çalışıyordu. Bahçeye girildiğinde koşarak gelen askerler, Paşa'yı sedye ile üst kattaki Şura-yı Asker dairesine çıkardılar. Paşa, vücudundaki beş kurşun yarasına rağmen yaşıyordu. Panik havasına rağmen, doktorlar ellerinden geleni yapmaya çalışıyorlardı fakat hayati bölgelerdeki kanamayı durdurmak mümkün değildi. Paşa'nın saçı, sakalı ve üniforması kanlar içindeydi. Bir saat kadar süren müdahaleden sonra Paşa, acılarına son veren derin bir nefes aldı ama bu nefesi vermeye muvaffak olamadı. Elleri kan içinde, şaşkın gözlerle birbirine bakan doktorlardan biri Paşa'nın nabzını aldı ve:

– Başımız sağolsun, Paşa hazretlerini kaybettik, dedi.

\*\*\*

Haber, İttihat ve Terakki'nin genel merkezinde tahminlerin ötesinde, soğukkanlılıkla karşılandı.

Kurmay Albay Cemal Bey, makam odasında ulaşan bütün bilgileri titizlikle değerlendiriyordu. İlk akla gelen ihtimal, Halaskar-ı Zabitan olsa da, cinayet kendi içinde bazı gariplikler taşıyordu. Cemal Bey, sakalını yolarcasına masasının başında olayı çözmeye çalışıyordu. Kapıdan giren nefer, bir kadının bilgi vermek istediğini söyledi. Cemal Bey, kadının hemen içeri alınmasını emretti. Kadın biraz da korkarak odaya girdi.

– Hanımefendi buyurun. İnşallah bize olayı çözmemize yarayacak bilgiler verirsiniz.

– Efendim, biraz endişe içerisindeyim. Çocuklarım ve ailem var ama...

– Endişe duymayınız, burada söyleyeceğiniz şeyler bu odada kalacak. Kendinizi rahat hissetmeniz için isminizi dahi sormuyorum; kayıtlara geçirmeyeceğim.

Biraz daha rahatlayan kadın:

– Topal bir adamın, elinde silah, telaşla Gedikpaşa istikametine doğru koştuğunu gördüm. Biraz da meraktan arkası sıra gittim. Çakır Ağa Hanı'na girdi. Adam hana girdikten sonra, korku içinde oradan uzaklaştım. Kendi kendime hiçbir şey görmediğimi telkin etsem de, olanları duyunca vicdanen huzursuz oldum ve size geldim.

– Peki hanımefendi, gönül rahatlığıyla evinize gidebilirsiniz. Olayı unutmanız, korkularınızdan kurtulmanıza yardım eder.

Örtüsüne sarınan kadın, hızlı adımlarla dışarı çıktı. Cemal Bey seçme adamlarından bir gruba, hanı sarma emri verdi. Bir saat sonra, adamın yakalandığı ve sorgu odasına alındığı bilgisi geldi.

***

Cemal Bey, sorgu odasının bir köşesinde, yediği yumruklardan dolayı dili çözülen Topal Tevfik'i seyrediyordu. Cemal Bey'i gören Topal Tevfik'in korkusu daha da arttı.

– Vurmayın! Allah aşkına vurmayın, bildiğim her şeyi anlatacağım. Ben sadece bir tetikçiyim. İş büyük. Halaskar-ı Zabitan, Bab-ı Âli'ye yapılan baskına karşı misilleme olarak suikastı planladı.

Kalkıp inen yumruklar, atanları da yiyeni de halsiz bırakmıştı.

– Ulan köpek! Bunları biliyoruz. Bize isim ver, isim...

Yüzü gözü kan içinde kalmış Topal Tevfik yalvarıyordu:

– Beni yaşatmazlar.

– Ulan it, konuşmazsan yaşayacağını mı zannediyorsun!

Yediği dayaktan elleri ayakları titremeye başlayan Tevfik, kalkan yumruğa ellerini kaldırarak;

– Durun, vurmayın. Anlatacağım diye bağırdı. Salih Paşa işin içinde, Prens Sabahattin işin içinde, İsmail Hakkı Bey işin içinde, Kamil Paşa işin içinde...

Topal Tevfik'in başında duran Seryaver Eşref hiddetle sordu:

– Sarı pardösülü adam kimdi?

– Ziya.

– Diğerleri?

– Abdurrahman, Bahriyeli Şevki. Bir de Hakkı vardı.

– Bunları nerede bulabilirim?

– Bilemiyorum. Zaten beni de otomobile almadılar. Nerede olduklarını bilmiyorum.

İnip kalkan yumrukları durduran Cemal Bey oldu:

– Evladım, sen Salih Paşa'nın, Sabahattin Bey'in bu işin içinde olduğunu nereden biliyorsun? Bu kişiler işin içinde olsa senin nereden haberin olacak?

– Aralarında konuşurlarken duydum. Bana silah temin etmişlerdi. Silahı almak için Galata'da metruk bir evde gitmiştim, orada duydum.

– Bak evladım, Damad-ı Şehriyar Salih Paşa bu işin içinde olmazsa, sopa yemekle kalmazsın, seni kendi ellerimle kurşuna dizerim.

Topal Tevfik, yediği yumrukların acısıyla ağlayarak;

– Vallahi de billahi de tallahi de ben duyduğumu söylüyorum, dedi.

Cemal Bey, Salih Paşa'yı gözaltına alıp almama hususunda karasızdı. Gönderdiği ekipler Prens Sabahattin'in ve İsmail Hakkı'nın yurt dışına çıktığı haberini getirdi. Bu haber, Topal Tevfik'i doğruluyordu.

Cemal Bey hemen Salih Paşa'nın gözaltına alınması emrini verdi. Galata'da saklandıklarını tahmin edilen saldırganların bulunması için, köprü üzeri de dâhil olmak üzere bütün sokakları devriyeler sardı. Tüm elçiliklerin giriş kapılarına yakın yerlere gözcüler dikildi. Salih Paşa'nın gözaltına alınması Saray'da büyük yankı uyandırmıştı.

Cemal Bey büyük bir kararlılık göstererek, olay sonuçlanmadan hiç kimseye imtiyaz tanımayacağını açıkladı. İttihat ve Terakki kararlarının arkasında duruyordu. Saray'ın, damadı İttihat ve Terakki'nin elinden alacak kudreti yoktu.

Gecenin ilerleyen saatlerinde, Hakkı'nın Galata Köprüsü üzerinde yakalandığı haberi geldi. Olay çorap söküğü gibi çözülüyordu. Cemal Bey, bütün üst düzey görüşme taleplerini reddediyor, karakolun işkencehaneye dönen dar hücresinde merhametten uzak sorgulamalarına devam ediyordu. Tespit edilen isimler, gece yarısı da olsa evlerinden alınıyordu. Sarı pardösülü adam da teslim olmuştu.

Hakkı, inip kalkan yumrular arasında, işi kendisine veren kişinin Çerkez Kazım olduğunu itiraf ediyordu. Gözaltına alınan herkesin cebinden kırmızı benekli beyaz mendiller çıkıyordu. Bu, örgüt üyelerinin birbirlerini tanımak için kullandıkları bir şifreydi. İşin ciddiyeti hakkında bilgi veriyordu. Örgüt büyük ölçüde çökertilmişti ama Çerkez Kazım ve yanındakiler bulun-madıkça kimse kendisini güvende hissedemezdi.

Uzun işkenceler neticesinde, Kazım'ın Beyoğlu'nda Piri Mehmet Bey sokağında, bir numaralı evde olduğu itirafı Cemal Bey'i rahatlattı. Yapılan araştırmayla, evin kumarhane olduğu ve İngiliz bir kadın tarafından işletildiği öğrenildi. Kamil Paşa'nın adıyla kumarhaneyi işletenin kimliği yan yana konduğunda, işin içinde İngilizlerin olduğu şüphesi ağır basıyordu.

Sabah saatlerinde evin etrafı sarıldı. Evin uzun saatler boyun-ca silahlı direniş göstermesi üzerine, Cemal Bey olayı daha farklı bir şekilde çözme kararı aldı. Çerkez Kazım'ın çatışmada ölmesi, bildikleriyle birlikte gitmesi demekti. Bu da, sıradakilerin kimler olduğunun sır olarak kalması anlamına geliyordu. Yakın adam-larından birini Taksim Kışlası'na Kuşçubaşı Eşref'i çağırmaya gönderdi.

\*\*\*

– Eşref Bey, nasılsınız?

– Sağolun efendim. Malumunuz üzere Enver Bey'in tevdi et-tiği hazırlıkları yapıyoruz.

– Eşref Bey, sizden bir ricam olacak. Paşa'nın suikast işinde sona geldik. Bütün olay Çerkez Kazım'da düğümlendi kaldı.

Çerkez Kazım'ın adını duyan Eşref'in yüzüne kan hücum etti.

– Yoksa o da mı işin içinde?

– Ah Eşref Bey! Keşke sadece işin içinde olsa, korkarım işin başında. Yerini tespit ettik. Ancak saatlerce süren çatışmalardan netice alamadık. Adamın ölü olarak ele geçirilmesi işimize gel-mez. Teslim olmayı da reddediyor. Siz diğer Çerkez arkadaşları-nızla giderseniz teslim olabilir diye düşündük.

– Cemal Bey, size bir sorum olacak. Samimiyetle cevap ve-rirseniz diğer arkadaşlarla görüşürüm. Malumunuz, Paşa'nın ve arkadaşların çekişmeleri neticesinde bizim dahi birbirimize güvenimiz kalmadı. Siz neden şüpheleniyor da onu Çerkez Kazım'dan öğrenmek istiyorsunuz?

Cemal Bey, başını önüne eğdi:

– İşin daha kapsamlı olmasından endişeleniyorum.

– Peki, İttihat ve Terakki'nin merkezinin bu işten haberi var mıydı?

– Onu şimdilik bilmiyoruz ama öğreneceğiz.

Eşref, istemediği bir işi yapmak üzere odadan çıktı. Selanik grubunun Paşa'nın ölümünü muhalefeti susturmak için kullanacağını ve Çerkez Kazım'ın kısa bir zamanda idam edileceğini çok iyi biliyordu. Yanına Yakup Cemil, Mümtaz, Hacı Sami ve İhsan'ı alıp verilen adrese gitti.

Evin etrafı sarılmış, silahlar ateşlenmek üzere hazırlanmıştı. Kapıdan girmenin riskli olacağını düşündüklerinden, Mümtaz'la birlikte yandaki binanın çatısından evin damına geçtiler. Dış kapıdan içeri saldırı olmaması için Çerkez fedailer silahlarını çekmiş, kapının ağzına mevzilenmişlerdi. Küçük bir delik açarak çatıdan içeri girdiler. Evdekiler, çatıdaki gürültüyü fark etmiş ve tavana ateş açmaya başlamışlardı. Silah seslerinin sustuğu bir anda, Mümtaz gür sesiyle Kazım'a seslendi:

– Kazım, kardeşim! Ben İzmirli Mümtaz, yanımda Kuşçubaşızade Eşref var. Gel, teslim ol. Buradan sağ çıkmana imkân yok.

Eşref de sesini Kazım'a duyurmak için bağırarak konuşuyordu:

– Kazım, benim Eşref. Cemal Bey'den mukabele olmayacağına dair namus sözü aldım. Kimse izzet-i nefsinize dokunacak harekette bulunmayacak. Teslim ol Kazım, seni sağ salim karakola teslim edelim.

– Eşref, sen misin gerçekten..?

– Benim Kazım.

– Mümtaz?

– Seni dinliyorum Kazım.

– Bu adamlar beni yaşatmazlar. Ne diye teslim olayım!

– Kazım, kardeşim! Beni dinle. Evin etrafında bir ordu var neredeyse. Buradan çıkmak imkânsız. Sana şerefim üzerine söylüyorum ki eğer buradan çıkılacak gibi olsa, aşağı iner seninle birlikte çarpışırım. Şerefim üzerine söylüyorum.

– Gel zorluk çıkarma Kazım, diye çağrısını yineledi Eşref. Seni karakola götürene kadar kimse kılına bile dokunmayacak. Eşref kardeşinin sözüdür.

İçeride biraz düşünen Kazım;

– Tamam, dedi... Ama size teslim olurum, zaptiyeler uzak dursun... Bunu temin edin...

– Tamam Kazım... Biz şimdi aşağı iniyoruz. Seni almak için içeri gireceğiz. Kapıdakiler bizim arkadaşlar...

Çerkez fedailer içeri girip Kazım'ı çıkardılar. Linç edilmesin diye de aralarına alıp kaçırırcasına karakola götürdüler. Kazım'ı helalleşip Cemal Bey'e teslim ettiler. Eşref yolda, Cemal Bey'e sorduğu sorunun cevabını Kazım'dan almıştı.

Cemal Bey, gece yarısına kadar süren sorguda suikast düzenlenecek diğer isimleri alıp merkeze bildirdi.

# IV

Eşref, yeşillikler arasında kalmış dar yoldan geçerek kışla kapısından içeri girdi. Arkasında, kardeşi Selim Sami vardı. İçeride gruplar halinde oturmuş, kıyafetleri farklı insanlara doğru ilerlerken, Arap Musa koşar adım gelip selam durdu:

– Ya Hazreti Bek, hoş geldiniz.

– Nasılsın Musa Ağa?

– İyiyim ya Bek, yeni gönüllüler geldi. Birçoğu hapishanelerde tövbekâr olmuş tutuklular.

– Hacı Sami, sen iyi bir tahkikat yap. Hepsiyle teker teker görüş. Gerçekten işimize yaracak adamları al.

Eşref, sonra Musa'ya döndü:

– Cihangiroğlu geldi mi?

– İçeride.

Selim Sami, parmağıyla kışlanın en uzak köşesini göstererek devam etti:

– Gönüllü Kars ve Dadaş birliklerini de beraberinde getirdi.

– Uşak Taburları?

– Tahtakılıç İbrahim Bey başlarında.

– Tamam, seçmeleri iyi yapın. İlk etapta sayıdan çok nitelikli vatanseverlere ihtiyacımız var.

Eşref, hızlı adımlarla girdiği karargâh binasından üst kattaki odasına çıktı. Cihangiroğlu ile kucaklaştı. Odada Cihangiroğlu'ndan başka üç kişi daha vardı. Eşref, hal hatır sohbetinden sonra, Halid'e yanındakilerin kim olduğunu sordu.

– Kardeşlerim! Hepimiz gönüllüyüz.

– Paşa hazretleri nasıl? Sağlık sıhhatteler inşallah.

– Babam iyidir. Gönüllü kuvvetlere katılmamız için bizi gönderdi.

– Hoş geldiniz, safa geldiniz.

Halid, boynunda asılı kahverengi deri çantadan çıkardığı yeşil bir beze sarılı emaneti Eşref'e uzattı:

– Babam gönderdi. İçinde bir de mektup var. Emaneti de ilettiğimize göre müsaadenizi isteyelim.

Eşref, yeşil çuhayı alınca gözyaşlarına hâkim olamadı. Paşa'nın üç oğluna teker teker sarıldı:

– Paşa hazretleri beni de sizin gibi evladı olarak görür. Şu andan itibaren siz de benim evladım gibi muamele göreceksiniz. Sizin gibi yiğit vatan evlatları oldukça düşmanı da durdururuz, Edirne'yi de alırız.

Eşref, masanın üzerine serdiği yeşil çuhayı açtı. Çuhadan Colt marka bir silah ve bir de mektup çıktı. Mektubu açıp içinden okudu.

Cihangiroğlu İbrahim, Eşref'in yüzüne dikkatlice baktı:

– Eşref Bey kardeşim, mektup sizi çok etkiledi.

– Öyle Cihangiroğlu... Çocuklar Deli Fuat Paşa'nın üç evladı. Paşa, üç evladını da vatan için göndermiş.

Masada duran Colt marka silahı eline alarak sözlerine devam etti:

– Bunu da bana yollamış. Elli yıllık nadide bir parça... *Çocuklarımdan biri şehit olursa beni arayacaksın, kendi ellerimle gömeceğim*, yazmış.

– Eşref Bey, Fuat Paşa'ya neden deli diyorlar?

– Onun deliliği yiğitliğinden. Sultan Hamid'in hafiyelerinden Fehim'le silahlı bir düello yaptığı için rütbeleri alınarak mahkemeye sevk edildi. Mahkemeden idam kararı çıktı. Abdülhamid'den affını istemek yerine ona meydan okudu. O günden sonra Deli Fuat Paşa diye anılmaya başladı.

– Ah Eşref Bey, Sultan Hamid affı seven, gönlü geniş biriydi.

– Evet, ama serde yiğitlik olunca... Neyse, işimize bakalım Cihangiroğlu. Görebildiğim kadarıyla tüm birlikler birkaç haftada hazır olur. Senin Kafkas savaşçıların durumu ne?

– Eşref Bey, Kars ve Dadaş taburları hazır. Ama yine de talimlerine ağırlık vermemiz gerekiyor.

– Cihangiroğlu, buraya gelmeden önce Galatasaray İdadisi'nden mezun otuz kişilik bir grupla görüştüm. Bir görsen, atletik vücutlu, pırıl pırıl, sülün gibi gençler... Hepsi de mükemmel Fransızca biliyor. Hareket esnasında çok faydası dokunacak bu gençlerin.

– Enver Bey'le görüştünüz mü?

– Enver Bey'le hususi bir görüşme yaptık. Hükümet darbesinden sonra başını kaldıracak vakti yok. Bir de Mahmut Şevket Paşa'ya yapılan suikast... Ortalık toz duman Cihangiroğlu... Talat Bey ve yakınındakiler iyice kemikleşiyorlar. Enver Bey'i her geçen gün büyüyen bir yalnızlığa terk ediyorlar. Ama yine de biz planları hazırladık. İyi işler çıkarabilirsek, muhtemelen büyük devletler sulh şartlarının uygulanması için baskı kuracaklar. Zaten yağma sofrasında bir anlaşmazlık var. Kimse Bulgarların İstanbul'u almasını istemiyor. Yeni hükümet bizden olduğu için, bize gerekli zamanı kazandıracak bir iki adım atacaktır. Biz ise devlete başkaldırarak asiler safına geçeceğiz. Hükümet, bize söz geçiremediğini deklare edip meselenin halli için yardım isteyecek. Tabiî bu arada biz de elimizi çabuk tutup Edirne'yi geri alacağız. Tüm hareketi Enver yönetecek ama arka planda bütün işi ve sorumluğu biz üzerimize alacağız.

– Peki Eşref Bey, ordudan hiç yardım görmeyecek miyiz?

– Bildiğimiz manada hayır. Ama Süleyman Askeri şu anda Karadeniz havalisinde görevli. Onun komutasındaki bazı birliklerden yararlanacağız. Süleyman Askeri Bey tam bu işlerin adamıdır. Yine de Edirne'ye doğru ilerledikçe ikmal hatlarında sıkıntı yaşamamak için yerel halktan ciddi bir destek almamız lazım. Bazı arkadaşları tebdili kıyafetle gönderdik. Bu kişiler, insanların kulaklarına Enver Bey'in Edirne'yi geri alacağını fısıldıyorlar. Böyle işlerde moral, bir ordunun göremeyeceği vazifeyi gördürür insana. Önemli olan, bizim ilk hareketi doğru yapmamız ve halkın inancını kazanmamızdır.

– Eşref Bey, aklıma bile getirmek istemiyorum, bunu istikbal endişesi taşıdığım için de sormuyorum ama, eğer işler ters gider ve hükümet de bizi yüzüstü bırakırsa...

– Cihangiroğlu, onu da düşündük. Fakat hayale vücut giydirirsek başarılı olamayız. Başarısız olma ihtimali aklımızdan bile geçmemeli.

– Haklısınız Eşref Bey.

Bu konuşmadan sonra iki arkadaş birlikte dışarı çıkarak askerî eğitimlere katıldılar. Galatasaraylı gençler Taksim kışlasındaki gönüllülere, Avrupa'dan gelen hocalarından öğrendikleri jimnastik hareketlerini; Arap Musa, Hacı Sami ve Mamaka Mustafa ise gayrinizamî harp yöntemlerini çalıştırıyorlardı. Kars ve Dadaş taburları ayrı bir alanda, kendi komutanları tarafından eğitiliyordu. Eşref de gece gündüz demeden yapılacak harekâtın detayları üzerinde çalışmaya başladı. Nihayet bütün birlikler çalışmalarını tamamlayarak hareket emrini beklemeye koyuldular.

Enver'in taburlara hareket serbestisi emrini vermesiyle yola çıkıldı. Beyazıt Meydanı'ndan geçerlerken Eşref, Çerkez Kazım'ın darağacında sallanan cesedinden uzun süre gözlerini alamadı.

# V

Pusat şakırtıları arasında ilerleyen birlikler, ovayı kaplayan toz bulutu arasında görünmez hale gelmişti. Uzaktan bakıldığında bir toz bulutunun ilerlediği sanılırdı. Birlikler Veli Efendi çayırına geldiğinde, istirahat hazırlıkları başladı. Rahvan yürüyen atıyla Cihangiroğlu'nun yanına giden Eşref, saftan ayrılan bir grup atlının sol taraftaki tepelere çekilmekte olduğunu fark etti. Hacı Sami atını, arkasında bir toz bulutu bırakarak ayrılan kola doğru dörtnala mahmuzladı. Eşref, Cihangiroğlu'na yaklaşarak sordu:

– İhtiyat yürüyüşü mü yapıyor bu ayrılan kol?

– Emir vermedim efendim. Tam olarak ne olduğunu bilemiyorum. Hacı Sami ayrılan kola doğru ilerliyor, şimdi bir haber getirir.

Hacı Sami patlayan silah seslerinden ötürü durmak zorunda kaldı. Tepelere sırtını vermiş gruptan ayrılan bir atlı, dörtnala sürdüğü atıyla birliklerin önüne doğru ilerlemeye başladı. Derin bir sessizlikle endişe içinde bakan gözler, olup bitenleri anlamaya çalışıyordu. Eşref, atlı neferden aldığı kâğıdı sessizce okuduktan sonra, birliklerin başındaki komutanlardan kendisini takip etmelerini istedi. Askerlerden iyice uzaklaştıklarına kanaat getirince, tenha bir alanda notu onlara gösterdi.

– Arkadaşlar, gruplardan ayrılan Yüzbaşı Keçe Bekir bir isyan hareketi içinde.

Cihangiroğlu duyduklarına şaşırmıştı:

– Ne istiyor?

– Ordudaki ikiliğin önlenmesi için Padişah Efendimizin ordunun başına geçmesini ve taarruz etmekte olan düşmana karşı birlik içinde hareket etmemizi istiyor.

Selim Sami öfkeyle söze girdi:

– Şu anda olacak iş mi bu? Bütün planlar altüst olacak! Biz zaten orduyla göbek bağımızı kopararak bu işe girdik.

Tahtakılıç İbrahim Bey:

– Efendim, bu isyanı gürültüsüz halledemezsek bütün planlarlar bu çayırda bozulur.

Hacı Sami:

– Abi, silah ve top sesi halkı paniğe sevk eder. Halk, silah seslerini Bulgar taarruzu zannederse, şehirde büyük kargaşa oluşur. Düşmanı da uyandırırsak olacakların önünü alamayız.

Eşref, arkadaşlarının görüşlerini dikkatle dinlemişti:

– Ben bu işin sulh yoluyla halledilmesini çok arzu ederim fakat notta, isteklerinin yerine getirilmemesi neticesinde hepsinin şehit oluncaya kadar savaşacağı tehdidi de var. Kör olası siyaset, Hareket Ordusu'nun İstanbul'a girdiği günden beri ordumuzun yakasını bırakmıyor.

Cihangiroğlu:

– Öncelikle nasihat yolunu deneyelim. Bir haberci gönderelim.

Eşref, emir eri Musa'yı çağırarak ona, yazdığı notu götürmesini söyledi. Arkasından koca bir toz bulutu bırakan Musa, hızla yamaca doğru ilerledi.

Eşref:

– Arkadaşlar! Ben gelecek cevabı az çok tahmin ediyorum. Vakit kaybetmeye lüzum yok. Bu meseleyi nasıl sessizce halledebiliriz, onu konuşalım.

Cihangiroğlu:

– Eşref Bey, ben ve Sami tepeleri çevirme hareketiyle kuşatsak, siz İbrahim Bey'le doğrudan üzerlerine hücum etseniz. Hücum anında ateş açılmazsa iyi niyetli olduğumuz anlaşılır.

Bu öneri üstüne biraz düşünen Eşref, arkadaşlarının da görüşlerini alarak çevirme hareketi için hazırlıklara başladı. Çabucak geri dönen Musa, karşı tarafın silah bırakmama konusundaki kararının kati olduğunu bildirdi.

\*\*\*

Kuşatma yapılırken, adamlarına hazır olmaları için verdiği talimat dışında Keçe Bekir'in hiçbir hareketi olmadı. Eşref tüm birlikleri, son ana kadar silah kullanmamaları ve kardeş kanı dökmemeleri hususunda ikaz etti. Musa, Eşref'i korumak için ona olabildiğince yakın duruyordu.

Süngü hücumu emriyle hareket başladı. Birlikler yaklaştıkça, dağın yamacında çözülmelerin olduğu görülüyordu. Keçe Bekir'in emirleri, etrafındakiler tarafından kabul görmemişti. Asilere doğru yaklaşan Eşref, *teslim olun* çağrısını yineliyordu. Yüreği, gelebilecek bir saldırının tedirginliğiyle kuş gibi ürkekti. Bir çatışmanın olması, bütün planları bitirebilirdi. Yamaçta, silahlarını yere koyarak ellerini kaldıran askerleri görmek ümidini arttırmıştı. Hacı Sami ve Cihangiroğlu İbrahim, asilere yaklaşırken onları korkutmamaya çalışıyorlardı. Paniğe neden olmamak için, aralarındaki mesafeyi korumaya dikkat ediyorlardı. Uşak Taburu, isyancıların içine girdiğinde ilk iş olarak yerlere bırakılmış silahları topladı. Keçe Bekir tutuklandı. Birliklerin önüne geçen Eşref, onları sakinleştirmek için bir konuşma yaptı:

– Vatanın aziz evlatları! Bu yaptığınız iş yanlıştır. Böyle bir zamanda yapılacak şey değildir. Biz, İstanbul'a Bulgar gâvurunun girmesini önlemek ve bir Müslüman şehri olan Edirne'yi kurtarmak için yola çıktık. Yolun yarısına gelmişken yaptığınız bu hareket, bizi bölmekten, parçalamaktan başka ne işe yarar? Vatanını canından aziz bilen evlatlar! Siyasetin her yere sirayet ettiği herkesin malumudur, fakat bugün burada olması için hiçbir sebep yoktur. Padişahımız efendimiz olanlardan haberdardır. Edirne gibi bir Müslüman şehrini düşmana bırakmak, Padişahımızın kabul edeceği bir durum mudur? Kavga edecek zaman değil. Şimdi herkes silahını alsın ve vatanını seven bizimle gelsin.

Daha Eşref'in konuşması bitmeden, gönüllüler silahlarının başına geçerek hareket için hazırlanmaya koyulmuşlardı bile... Kıyafetleri, silahları, renkleri farkı bu gönüllü birlikler nizamî yürüyüşe başladılar.

Köylerdeki halkın sevgi gösterileri arasında Yeşilköy'e geldiler. Sahilde hazır bekleyen iki gemiye bindirilen askerler denize açıldığında, takviye birlikler de cebrî yürüyüşle Kalikratya'ya gelmişti. Yeni karargâh yerine ilk ulaşan Enver Bey oldu. Enver'in heyecanı askeri ümitlendiriyordu. Yol yorgunluğunu üzerlerinden atmak için çadırlarına çekilen komutanlar uyandıklarında, sabahın ilk ışıkları Yeşilköy tepelerindeydi...

Kısa zamanda toplanan birliklere hareket serbestisi emri verildi. Gönüllü birliklerin solunda düzenli birlikler, sağında ise deniz vardı. Gönüllülerin başında bulunan Eşref'in yanında da Hacı Sami ve Cihangiroğlu. Cebrî yürüyüşle Çöplüce köyü geçilerek hücuma başlandı. Enver, emri altındaki düzenli birliklerin hareketlerini dürbünüyle uzaktan takip ediyordu. Topçu birlikleri, Manastır tepesine konuşlanmış birliklerin üstünden yaptıkları aşırtma atışlarla hücumu destekliyordu. Top sesleri, gönüllü birliklerin çığlıklarına karışmıştı. Uşak, Kafkas, Kürt taburları ve Galatasaraylı gençler, toplu hücum emriyle düşmanın ileri hatlarıyla göğüs göğse çarpışmaya başladılar. Tepelerden gelen makineli tüfek atışları Eşref'i geri çekilmek zorunda bıraktı. İleri çıkan Cihangiroğlu, arkası sıra giden Galatasaraylı gençlerle beraber Bulgar mevzilerini yarmaya muvaffak olunca, Enver düzenli birliklere hücum emri verdi. Bu sırada kayalık alanda sıkışmış olan Eşref'in de yeniden hücuma kalkmasıyla Bulgar birliklerinde bozgun başladı. Sahilde atış için hazır bekleyen Barbaros zırhlısı gönüllü birliklerin ilerisine, Bulgar birliklerinin içlerine doğru seri atışlarını hızlandırdığında, düşmandaki geri çekilme tam bir bozguna dönüştü. Kısa zamanda tepelere konuşlanmış makineli silahlar Enver'in kontrolüne geçti. Tutulan tepelerin yeni bir baskınla kaybedilmemesi için buralara bataryaları yerleştiren Eşref, gün batmadan tepelerin güvenliğini sağlayacak önlemleri almıştı.

Ertesi gün, tebrik telgraflarının yanı sıra, hareketin durdurulmasını isteyenler haberler de gelmeye başladı. Enver, İstanbul ile ayrı konuşuyor, cephedeki işleri ise daha önce planladığı gibi yapıyordu. Çerkez fedailerinin çoğu, ordudan atılmalarına rağmen yanındaydı. Süleyman Askeri de Trabzon'dan gelmiş, düzenli birliklerin başına geçmişti. Enver masa başında, önündeki haritada işaretlediği yerleri gösterirken bir yandan da komutanların fikrini alıyordu.

– Arkadaşlar, Allah'ın inayetiyle Muratlı tepelerini ele geçirdik. Böylelikle İstanbul uzun menzilli top atışı mesafesinden çıktı. Şimdi önümüzde yapmamız gereken bir tercih var: Hareketi ya Istıranca üzerinden, karadan devam ettireceğiz ya da Marmara Ereğlisi ve Tekirdağ'a yöneleceğiz.

Süleyman Askeri:

– Efendim, bizim Eşref Bey ve diğer arkadaşlarla yaptığımız görüşmelerde ortaya çıkan genel kanaat, harekâtın Tekirdağ üzerinden yapılması yönünde. Yalnız, denizden geçireceğimiz gönüllüler için bir gemiye ihtiyaç olacak.

Eşref:

– Enver Bey, Istıranca üzerinden yapılacak harekâtta, cebrî yürüyüşle fazlaca vakit kaybedecek ve düşmana tekrar toparlanması için vakit kazandırmış olacağız. Ama gemilerle geçireceğimiz birlikler vakit kaybetmeden Tekirdağ üzerine yürüyecektir. Dünkü baskın, hem askerlerin hem de bizi izleyenlerin ümitlerini arttırmıştır.

Yakup Cemil, yukarı kalkmış bıyıklarının altından gülüm-
seyerek Eşref'in konuşmasını dinlerken, diğer fedailer sessizce
Enver'in ağzından çıkacak emirleri bekliyordu.

Enver:

– Arkadaşlar, Ahmet İzzet Paşa ile bir görüşme yaptım. Haki-
kat şu ki bu müspet bir konuşma değildi. Büyük devletlerin tazyiki
var. Midye-Enez hattına çekilmemizi istiyorlar. Biz bu zaman zar-
fında hem İstanbul'u idare etmeli, hem de yapmamız gerekenleri
yapmalıyız. Beşiktaşlı Foti Kaptan isminde, sadakatinden şüphe
etmediğim bir Rum kaptan var. Onun idaresinde bir gambotun,
iki de torpidonun hemen bölgeye gelmesini temin edebilirim.

\*\*\*

Ertesi gün Enver, akıncı birliklerini taşıyacak gemileri limana
yanaştırmıştı. Dalgalı deniz, gönüllülerin heyecanını daha da art-
tırıyordu. Yolculuk sırasında Eşref, şehrin tahliyesini isteyen kısa
bir bildiri hazırladı. Bildirinin Fransızca çevirisini ise Galatasa-
raylı gençlere bıraktı. Hacı Sami ve İsmail Hakkı Bey'in birlikle-
ri, Ereğli sahiline yakın bir mesafeden karaya çıkıp mevzilendiler.
Galatasaraylı Neşet, yanında iki bahriyeli zabitle birlikte sandala
bindi. Eşref, sandala gelerek onlara son emirlerini verdi:

– Yirmi dakika içinde şehri terk etmek için hazırlıklara baş-
lamadıkları takdirde, beyaz bayrağı sahilden bize salla. Bizi çok
ciddiye alacaklarını sanmıyorum. Onlar işin ciddiyetini anlama-
dan harekete geçmeliyiz.

– Emredersiniz komutanım.

– Fazla oyalanmayın. Biz harekete hazır halde bekliyor ola-
cağız.

Sandalla ayrılan Neşet, içinde büyük bir endişe taşıyarak, ar-
kadaşlarıyla sahile doğru kürek çekmeye başladı. Eşref, Draç ve
Bafra gemilerine gönderdiği neferlerden, gemilerin hazır olduğu
bilgisini aldığında, Fener civarına yerleşmiş kuvvetlerin fark edil-

memesi için dua ediyordu. Neşet sahilden ayrılınca beyaz bayrağını sallamaya başladı. Dürbünle sahili izleyen Eşref, gemilerin hemen ateşe başlaması emrini verdi. Gemiler emri alır almaz ardı ardına sahile top mermileri göndermeye başladı. Sahildeki kalabalık, ani ateş karşısında büyük bir panikle sağa sola kaçıştı. Eşref, fenerlerle Hacı Sami'ye de hareket emri verdi. Tepelerden çığlıklar atarak şehre giren birlikler, panik içindeki Bulgar kuvvetlerini kısa zamanda püskürtmeyi başardılar. Sokak çatışmalarında giderek azalan karşı ateş de nihayet kesilmişti. Eşref sahile çıkartma yaptığında, Sami ve İsmail Hakkı beylerin birlikleri şehri almış, Bulgar bayrağının yerine Türk bayrağını çekmekteydiler. Eşref durumu Enver'e bildirdikten sonra, bütün birliklerine Tekirdağ'ı kuşatma emri verdi. Sami, karadan giden birlikleri komuta ederken, kendisi de gemiler ve torpillerle ilerlemeye başladı. Bulgarlar geri çekilirken telgraf hatlarını kestiklerinden haberleşmede zorluk yaşanıyordu.

Gece karanlığında yürüyüşe geçen gönüllü birlikler, sabahın ilk ışıklarında Tekirdağ'ın etrafındaki çiftliklerde mevzilenmiş olarak şehri kuşattılar. Römorkörler eşliğinde ilerleyen gemiler, kıyı şeridinden uzağa demirlendiler. Eşref yanına aldığı iki bahriyeli subayla bindiği küçük bir kayıkla sahile doğru ilerledi. Yarım saat sonra geri döndüğünde yanında bir balıkçı vardı. Rum balıkçıyla yaptıkları konuşmaları Beşiktaşlı Foti Kaptan tercüme ediyordu. Eşref balıkçıdan, Bulgarların nereleri torpillediklerini öğrenmek istiyordu. Canının bağışlanmasının buna bağlı olduğunu söylediklerinde, balıkçı tüm bildiklerini anlatmaya başladı.

Ay ışığında, torpiller arasında ilerleyen gemiler sahile yanaştı. Top atışlarıyla sahil şeridi bombalanmaya başladı. Selim Sami ve Cihangiroğlu'nun birlikleri, ihtiyatlı bir şekilde arkadan kuşattıkları şehrin içine doğru ilerlediler. Şehir düşmek üzereyken, Ermeni mahallesinde evlerin çatılarından ve pencerelerinden taciz ateşi başladı. O sırada hükümet binasında olan Eşref, haberi alınca direnişin çok sert bir şekilde bastırılmasını emretti. Gönüllü birlikler, gece yarısına kadar süren çatışmalarla direnişi bastırmaya muvaffak oldular.

Kesilen silah sesleriyle birlikte halk sokaklara döküldü. Meydanda Eşref'in dikkatini, Uşak gönüllülerinden olan, doksan yaşını aşmış Mehmet Baba çekti. Yaşlı savaşçı, omzunda tüfeğiyle Eşref'in karşısına gelip selam verdi:

– Uşak Taburu'ndan Mehmet Baba!

Eşref hemen ayağa kalktı:

– Buyur Mehmet Baba... Bir arzun mu var?

– Var paşa evladım... Bir arzum değil, ahdim var. Doksan yaşımda buralara geldim. Edirne'yi almak nasip olursa Hükümet Konağı'na bayrağı ben çekmek istiyorum. Doksanına gelmiş bu ihtiyarı kırmazsın inşallah paşa oğlum.

– Mehmet Baba, sözüm meclis önünde olsun. Edirne'ye bayrağı, onu en çok hak eden kişi çekecek.

– Sağol paşa oğlum.

Sert bir hareketle, askerî usule uygun olarak geri dönen Mehmet Baba'nın arkasından bakan Eşref'in gözyaşları üniformasını ıslatıyordu. Eşref sokaklarda birbirine sarılmış insanları gördükçe, bu güzel günün, Arap çöllerinde geçirdiği kötü günlere kefaret olması için dua ediyordu. Elini öpmek için koşan insanları Musa engelliyor, onları el öpmemeleri hususunda ikaz ediyordu. Sakalları ak bir ihtiyar koşup Eşref'e sarılmak istedi. Musa, adamı durdurmak için harekete geçmişti ki, Eşref eliyle engellememesini işaret etti. Adam Eşref'in boynuna sarıldı, hıçkırıklarla ağlamaya başladı:

– Efendi oğlum, benim ahdim var, peymanım var, yeminim var. Şehri kurtaran kuvvetin komutanının elini ayağını öpecektim. Müsaade et, yeminimi yerine getireyim.

Eşref karşısındaki adamın kıyafetinden, onun şehrin önemli kişilerinden biri olduğunu tahmin etmişti:

– Efendi hazretleri, şu andan itibaren Tekirdağ'ın mutasarrıfı ve mülkî amiri sizsiniz. Asayişten ve idareden mesulsünüz.

Halk hislerine ve heyecanına hâkim olsun. Rica ederim taşkınlığa meydan vermeyelim.

Bu sözler üzerine adam, Eşref'in yüzüne garip garip baktı:

– Efendim, ben vekil olarak mı, asil olarak mı mutasarrıflığa tayin ediliyorum?

Şaşkınlık sırası Eşref'teydi:

– Efendi hazretleri, asil olarak atanıyorsunuz. Size yardımcı olması için asker de bırakacağım. Onların ihtiyaçlarını ve iaşelerini siz temin ediniz.

– Efendim, sadece onların değil sizin de bütün ihtiyaçlarınızı emir kabul edip hemen tedarik ettiriyorum.

Eşref, elini sıkıp ayrılan adamın arkasından tebessümle bakarken yanındakilere onun kim olduğunu sordu. Yaşlı adamın şehrin kadısı olduğunu öğrenince tedarik edilecek malzemeler hususunda ümidi iyice arttı.

*\*\**

Tekirdağ'dan Çorlu'ya hareket başladı. Çorlu önlerinde konuşlanan düzenli birliklerin başında Enver vardı. Bulgar ordusu çözülüyordu. Artık Edirne ile Türk ordusu arasındaki tek engel Lüleburgaz'dı. Ahmet İzzet Paşa'dan gelen, *harekâtı durdurun* emri karargâhta uzun uzun tartışıldı. Gönüllü birlikler Çorlu'dan ayrılmadan önce, kabinenin toplandığı ve Londra Sulh Antlaşması'nın hükümlerine uyacağına dair karar aldığı haberi geldi. Eşref vakit kaybetmeden Lüleburgaz'a yürüdü. Enver'e, Lüleburgaz'ın ele geçirildiğini telgrafla bildirdi. Gelen cevapta, Eşref'in birlikleri eski hatta çekip Çorlu'ya dönmesi emrediliyordu. Büyük bir açmazın içinde, ne yapacağını tam olarak bilemeyen Eşref, kardeşiyle Çorlu'ya döndü. Önce Enver'le görüştü. Eşref, Enver Bey'i de Edirne üzerine yürüme hususunda kararlı gördü. İkisi birlikte Kolordu Komutanı Hurşit Paşa'ya gittiler. Hurşit Paşa hükümetin kararını bildirirken masanın etrafındakilerden kimse onu dinlemiyordu. Paşa, Enver'in halinden kararlı olduğunu anlamıştı:

– Enver Bey, ne düşünürsünüz? Ne yapmak azmindesiniz?

– Durumu tekrar tekrar izah etmeyi lüzumlu bulmuyorum Paşa hazretleri. Siz bizim ne yapmak azminde olduğumuzu biliyorsunuz. Ben İstanbul'a gidiyorum. Üzerime almam gereken bütün sorumlulukları alacağım.

Hurşit Paşa hiç ses çıkarmadan tüm konuşmaları dinledi ve karşısındakilere yapmak istedikleri şeylerin sorumluluğunu düşünmelerini söyledi. Bu, gizli bir onay sayılırdı. Enver çadırdan çıkarken, Eşref'in kolundan tutarak, kısık sesle düşüncelerini açıklamaya başladı:

– Her şey olması gerektiği gibi olacak. Harekât için çalışmaları hızlandır. Bana ya evet diyecekler ya da hayır. Hayır'ın hiçbir şey ifade etmeyeceğini onlar da bildikleri için evet diyeceklerini ümit ediyorum. Gerekirse aldığımız yerlerde yeni bir devlet kurar, Bab-ı Âli'den affımızı isteriz.

Eşref istediklerini elde etmiş olarak Lüleburgaz'a döndü. Arap Musa'nın yanında kendisini bekleyen Mehmet Baba'yı görünce yanına gitti, elini sıktı:

– Mehmet Baba, hazır ol, bayrağı çekeceğimiz günler çok yaklaştı.

Sonra, Arap Musa'ya Müşir Deli Fuat Paşa'nın oğullarını ve Mamaka Mustafa'yı çağırmasını emretti. Çadırında hazırlattığı akşam yemeğinde Trablusgarp'ı yâd ettiler. Eşref durumun hassasiyetini adamlarını da anlattı:

– Arkadaşlar, kader, birlikteliğimizi bir arkadaşlığa çevirdi. Bizler artık aynı yolun yolcusu, aynı davanın adamlarıyız. Şu anki vaziyet çok hassas. Biz, Süleyman Askeri, Cihangiroğlu, Sami ve İbrahim beylerle Edirne üzerine yürüme azmindeyiz. Enver Bey, İstanbul'u ikna etmek için gitti ama bizim Edirne'ye girmemiz tarafındadır. Yakın bir gelecekte çok ciddi gelişmeler olabilir. Sizden bana güvenmenizi, tam bir sadakatle emirlerime uymanızı istiyorum. Bu öylesine bir sadakat olsun ki, gerekli görülürse bu toprakları kurtarmak için devlete asi dahi olmayı göze almanızı sağlasın.

Musa:

– Ya Bek, ben Trablusgarp'a vatan toprağını savunmak için geldim. Allah bana seni nasip etti. Ya Bek, ben seni babam gibi bilirim. Başım da dâhil, her şeyim devletimin yoluna kurban. Hiç sual sormadan itaat ediyor ve devletimiz için doğru olan neyse yapacağıma söz veriyorum.

Konuşurken duygulanan Musa, Eşref'e sarıldığında, gözlerinden yaşlar akmaya başladı.

– Arkadaşlar, Edirne avuçlarımızın içinde duruyor ama yeni bir emir almadan içeri giremiyoruz. Yarın Enver Bey dönecek. Alacağı cevap ne olursa olsun siz hazır olun. Birliklerin düzenine dikkat etmeliyiz.

Herkes teker teker Eşref'e sadakatini bildirdikten sonra hep beraber yemek yendi. Eşref, Musa'ya, Galatasaraylı gençlerden atletik vücutlu ve sadakatinden şüphe duyulmayan on beş kişilik bir birlik oluşturmasını ve gündoğumunda bu birliği çadırın önünde hazır bulundurmasını emrettikten sonra istirahata çekildi. Ancak çadırının içinde saatlerce kıvranmasına rağmen uyuyamadı. Dışarı çıktığında Musa'nın kapı önünde, elinde tüfeğiyle beklerken uyuyakaldığını gördü.

– Musa Ağa ne yapıyorsun? Kalk!

Eşref'i karşısında gören Musa, aniden ayağa kalkarak esas duruşa geçti:

– Beklerken uyumuşum ya Bek. Uyumamam lazımdı, ama uyumuşum.

– Musa Ağa, başka nöbetçiler var, sen istirahat et.

– Korkuyorum ya Bek. İş sonuna gelmişken size bir suikast olur diye endişeleniyorum.

– Olmaz öyle şey Musa Ağa. Sen geç benim yatağıma.

– Olur mu ya Bek?

– Olur Musa Ağa, olur.

Musa'yı çadırda bırakan Eşref, gece karanlığında birlikleri teftişe çıktı.

***

Sabahın ilk ışıklarıyla Enver'den, Suavi mahlaslı bir telgraf geldi. Eşref, birliklere harekete hazır olma emri verdikten sonra Enver'in yanına gitti. Çadırda Süleyman Askeri de vardı. Enver yatağa uzanmıştı. Acısı yüzünden okunuyordu. Eşref çadıra girdiğinde yatağından doğrulmak isteyen Enver'e Süleyman Askeri engel oldu.

– Geliniz Eşref Bey.

– Hayrola, apandisit ağrıları mı?

Süleyman Askeri onaylar mahiyette başını salladı.

– Eşref Bey, birliklerimiz harekete hazır mı?

Eşref'in yüzünde bir tebessüm belirdi:

– Her zaman hazırlar efendim.

– Eşref Bey, siz gelmeden önce, biz bu konuyu Süleyman Bey'le uzun uzun konuştuk. Sizin fikirleriniz de bizim için önemli.

– Efendim, sizin durumunuz biraz kötü, istirahat buyursanız...

Eşref cümlesini bitirmeden Enver araya girdi:

– Rahatsızlığım önemli bir şey değil. Siz gönüllülerle içeri sızma hareketi yapıp ilerlemeye muvaffak olursanız, Süleyman Askeri Bey nizamî birliklerle arkanızdan gelecektir.

Süleyman Askeri:

– Üç bin hafif piyade, bir alay da süvarimiz var. Biz sizi yakın bir mesafeden takip edeceğiz. Herhangi bir baskın durumunda müdahale edeceğiz.

Eşref:

– Efendim, sıkı bir yürüyüşle Havza üzerinden Edirne önlerine geleceğiz. Asıl mesele, Edirne'nin hangi mahallelerinde birliklerin ağırlıklı olarak konuşlandığıdır. İçeri girişle ilgili bazı planlarım da var, ama isterseniz bunları hadiselerin gidişatına göre orada görüşelim.

– Peki Eşref Bey, siz şimdi birlikleri harekete geçirin, biz sizi takip edeceğiz.

Eşref çıkmak için ayağa kalktı:

– Müsaadenizle efendim.

Çadırın kapısından dışarı çıkmak üzereyken, Enver'in seslenmesiyle geri döndü.

– Eşref Bey, birliklere şimdiye kadar sıcak bir yemek veremedik. Onlara Babaeski'de bir yemek versek.

– Emredersiniz efendim.

– Erkân-ı Harp Sabit Bey'i de yanınıza alınız. Fazlasıyla yaralılık gösterecek bir zabittir.

*\*\**

Çadırdan çıkan Eşref, emir eri Musa ve Sabit Bey atlarını birliklere doğru sürmeye başladılar. Saatlerce koşan atlardan boncuk boncuk ter dökülüyordu. Birliklere hareket serbestisi emri verildi. Birliklerin önünde ilerleyen süvariler, Bulgar kuvvetlerinin ileri hat tertiplerini kısa zamanda dağıttılar. Selimiye'nin minarelerinin görüldüğü tepelerde duran gönüllü birlikler dinlenmeye çekildiler. Gecenin ilerleyen saatlerinde, aslî kuvvetlerin mevzilendiği haberi geldi. Türk birlikleri beş bin kişiyle Edirne'yi kuşatmış, harekete hazır bekliyordu. Sabahın ilk ışıklarıyla Enver de geldi. Yanında Süleyman Askeri ile süvari bölüğü vardı. Eşref, Enver'i daha iyi gördüğüne sevinmişti:

– Enver Bey, ben Harbiye'de talebeyken Edirne'ye sürgün edilmiştim. Şehri iyi bilirim.

– Teslim ültimatomu metnini hazırladınız mı Eşref Bey?

– Yazdırdım. Galatasaraylı gençlerden Halet'e Fransızca yaz-
dırdım. Arzu ederseniz Süleyman Askeri Bey de görsün. Onun
Fransızcası iyidir.

Enver, başını sallayarak onayladı. Musa tarafından getirilen
kâğıt Süleyman Askeri'ye verildi.

– Halet'i gönderelim. Gelecek cevabı az çok biliyoruz. Be-
nim, biraz riskli olmakla birlikte işe yarayacağından emin oldu-
ğum bir planım var. Yirmi beş kişilik özel bir birlikle gece karan-
lığında içeri sızacağım. Sırtlarımızda tahrip çantaları olacak. Ani
bir baskınla onları şaşkına çevireceğim. Bu arada Cihangiroğlu
ve Sami, gönüllü birliklerle şehre daha da yanaşacaklar. Patlama
sesleriyle birlikte sizler de ilerlersiniz.

– Eşref Bey, bu çok riskli bir plan ama...

Enver'in sözleri bitmeden Süleyman Askeri Eşref'i onayladı:

– Riskli ama imkânsız değil. Eğer Eşref Bey içeri sızmayı ba-
şarırsa, Bulgarlar patlamaların şaşkınlığıyla kucağımıza düşerler.
Zaten biz de özel bir birliğin içeri sızmasını lüzumlu görüyoruz.

Enver, gayrinizamî harpte maharetlerine herkesten fazla gü-
vendiği bu iki zabite karşı gelmedi. Eşref, kardeşleri Sami ve Ah-
met Kaptan'la vedalaştı:

– Musa Ağa, birlik hazır mı?

– Hazır.

– Tahrip çantaları?

– Hazır.

– Gidiyoruz!

\*\*\*

Gece karanlığında sessizce ilerleyen birlik, Kafkas ve Kıyık
tabyalarından olabildiğince uzakta yol almaya çalışıyordu. Ya-
rım saate yakın süren sessiz yürüyüşle Bosna köyüne geldiler.

Karanlık ve sessizlik, köyün üstünü örtmüştü. Hiçbir evden ışık gelmiyordu. Biraz daha yaklaştıklarında, tüm evlerin kapısız ve boş olduğu anlaşıldı. Köyün içine sessizce akan birlik, sal yapmak için hiçbir malzeme bulamadı. Mamaka Mustafa, Halid ve Musa, Eşref'in etrafında dönüyor; nehri geçmek için neler yapabileceklerini konuşuyorlardı. Galatasaraylı gençler, Eşref'in yanına geldiler.

Halet:

– Eşref Bey, Arda'yı geçmek bu şartlarda mümkün görünmüyor. Bizler nehri yüzerek geçmeyi teklif ediyoruz.

– Benim kahraman Galatasaraylılarım! Sizler antrenmanlısınız, altı kişi rahatça Arda'yı geçebilirsiniz. Ancak yirmi beş kişinin nehirden yüzerek geçmesi bana imkânsız gibi görünüyor. Sonra tahrip çantalarımız var. Onları ıslatırsak hiçbir işe yaramazlar.

Etrafını saran arkadaşlarına döndü:

– Arkadaşlar, bu işi başaramazsak olaylar tahminlerimizin ötesinde zora girer. Nehrin sağ tarafına doğru ilerleyeceğiz. Eğer yanılmıyorsam, bu yol bizi Ayşekadın Mahallesi'ne çıkaracak.

Yirmi beş kişi, belli aralıklarla cebrî yürüyüşe başladı. Eşref önde dikkatlice yol alıyor, Çakır Efe ve Arap Musa elleri tetikte Eşref'i koruyorlardı. Gecenin sessizliğini Arda'nın ürkütücü sesi boğuyordu. Ayaklarının altında kırılan dallar, yüreklerine korku salıyordu. Ay ışığının aydınlığında ilerledikleri taşlık, ağaçlık yollardan, insan boyunu aşan süpürge tarlalarının içine düştüler.

Hiçbir yer tam olarak görünmüyordu artık. Güneşin ilk ışıkları yüksek tepelere yetişmişti ki insanların küçük gruplar halinde, panik içinde kaçtıklarını gördüler. Bir süre süpürgeliklerde sessizce ilerledikten sonra, asfalt yolu fark ettiler. Yolu gözetleyebilecekleri bir yerde, sıralı bir şekilde yan yana yere yatarak mevzilendiler. Asfalttan ayak seslerinin yaklaşmakta olduğunu duyduklarında, heyecanla toprağın üzerine heyecanla iyice kapaklandılar. Bir adam, tek başına korku içinde koşuyordu. Eşref gözüyle Çakır Efe'ye, adamı yakalamasını işaret etti. Çakır, adam tam hizasına geldiğinde, yerinden kalkıp yola doğru hızla fırladı. Ani bir hareketle, korkudan dona kalmış adamın üzerine atlayıp boğazından tuttuğu gibi onu yere vurdu. Ağzını kapayıp süpürgeliklerin içine doğru çekti. Eşref, karşısına getirilen adamın, korkudan kocaman açılmış gözlerine bakarak sordu:

– Türkçe bilir misin?

Adam korkudan kekeliyordu:

– Bilmez olur muyum beyim. Ben şu yan köylerdeki Rumlardanım. Türk askeri geldi diye şehirde kargaşalık var. Ben mahpustum. Bizi de bıraktılar. Şimdi köye kaçıyorum.

İstedikleri şeyleri öğrendikten sonra bıraktıkları adam, koşarak uzaklaşırken Eşref'in zihninde şehre ani bir baskın yapma fikri uyanmıştı. Yüzlerine baktığı arkadaşlarının da aynı düşünceyi paylaştıklarını anladı.

Sürünerek ilerlemeye başladılar. Bir Bulgar birliğinin çok yakınlarındaydılar. Eşref, arkadaşlarına topçu kışlasına son sürat saldırmalarını emrettiğinde, hepsi birden ok gibi ileri fırladı. Gençlerin hızına ayak uyduramayan Eşref, en önde hücuma kalktığı halde ortalara düşmüştü. Kapıda bekleyen nöbetçi, binaya baskın yapılmakta olduğunu görünce, silahını da atarak içeri kaçtı. Eşref, iyi Bulgarca bilen dört arkadaşını birliğin önüne alarak kışla komutanının odasına yöneldi. Paniğe kapılan Bulgar askerleri sağa sola kaçışıyordu.

Eşref ve adamları, merdivenlerde komutanla karşılaştılar. Bulgarca bilen askerler, Eşref'in emriyle komutana, şehrin tamamen Türk askerleri tarafından sarıldığını, ancak kışladan çıkmadan teslim olmaları ve zorluk çıkarmamaları halinde hayatlarının emniyette olacağını söylediler.

Kışlanın avlusunda panik vardı. Ricat hazırlığına giren askerler avluda sıraya geçmiş, gelecek emirleri bekliyorlardı. Eşref, çatık halde duran silahları kuşatmak için dört arkadaşına talimat verdikten sonra, emir eri Musa, Çakır Efe ve Bulgarca bilen dört tercümanıyla birlikte Bulgar askerlerine doğru ilerlemeye başladı. Tercümanlarına, söyleyeceği sözleri kesin ve sert emirler olarak tercüme etmelerini tembihledi.

Bulgar birliklerinin önüne geldiğinde, teğmen rütbeli zabitin karşısına geçerek selam verdi ve kararlı bir ses tonuyla konuştu:

– Şehrin tamamı Türk askerleri tarafından kuşatılmıştır. Kışla komutanı vaziyetten haberdardır ve içeride teslim olmuştur. Zorluk çıkartmayınız.

Kışla tahmin etmedikleri kadar kısa bir süre içinde, kolayca ele geçirilmişti. Toplanan silahlar binanın altındaki odalardan birine taşındıktan sonra, odanın kapısına kilit vurulmuştu.

Eşref, Dudullulu Hüseyin Pehlivanı iki nöbetçiyle birlikte görevlendirip, vakit kaybetmeden hükümet konağına yöneldi. Konağa yaklaştıklarında, önde hahamlar ve bando ile Yahudilerin karşılamaya geldiklerini gördüler. Kalabalık hep bir ağızdan, "Yaşayın! Var olun!" diye bağırıyordu. Galatasaraylı gençlerden biri, Eşref'in yanına sokuldu:

– Eşref Bey, bunlar kimin için bağırıyor? Kim yaşasın?

– Vallahi kardeşim, ben de şaşırdım. Bunlar ne zaman haber aldı da hazırlandı? Bana sorduğun soruyu onlara da sorarsan, *kim yaşasın* dersen, *daha belli değil* diyeceklerinden hiç şüphen olmasın.

Eşref, bandoya çok itibar etmeden yürüyüşü hızlandırdı. Hükümet konağını koruyan küçük bir müfrezeden başka asker yoktu ortalıkta. Onlar da ne yapacaklarını bilmeden, panik halinde dağıldılar. Eşref temizlik işlerinde kullanılan elli Türkü hemen silahlandırarak müfrezesine kattı. Çakır Efe'ye, Enver'e yazdığı kâğıdı verdi:

– Atın çatlasa dahi durmayacaksın. Enver Bey ve Süleyman Askeri süvari birlikleriyle ayrı kollardan derhal şehre girmeli.

Çakır Efe, atına atlayıp yıldırım gibi uzaklaştı. Eşref, muhtarlara eli silah tutan genç yaşlı herkesi silahlandırılıp sokaklara dağıtmalarını emrettikten sonra, Musa, Mamaka Mustafa ve Galatasaraylı gençleri de alarak hızla Mihal Köprüsü'ne yöneldi. Bulgar kuvvetleri kaçıyordu. Panik, bozguna dönüşmüştü. Çakır Efe, Enver'e yetiştiğinde, atından boncuk boncuk ter akıyordu. Hazır bekleyen Enver notu okur okumaz Süvari Yüzbaşı Kara Ahmet Bey'e hücum emri verdi. Birkaç damla gözyaşı, yüzündeki tebessüme karışarak yanaklarından aşağı süzüldü. Cihangiroğlu'na sağ cenahtan, Hacı Sami'ye de sol cenahtan hızla şehre girmelerini emrettikten sonra atına binerken Süleyman Askeri'ye seslendi:

– Biz de merkezi tutacağız. Haydi, Allah utandırmasın!

Yüzbaşı Kara Ahmet'in süvarileri arkalarında bir toz bulutuyla şehre girdiler. Düşman, Cersi Mustafa Paşa Köprüsü'nün karşı tarafına atılmıştı. Eşref, Hacı Sami ve Cihangiroğlu'na istasyonu basma emri verdi.

Şehir kısa zamanda bayram yerine döndü. Sokaklara çıkan insanlar kendilerinden geçmişçesine birbirlerine sarılıyor, şükür secdesi yapmak isteyenler gözyaşlarıyla toprağa kapanıyordu.

Eşref hız kesmeden Edirne'nin etrafındaki bozguna uğramış Bulgar birliklerini geri püskürttü. Sevinç gözyaşları içindeyken Çakır Efe'nin getirdiği haberle olduğu yerde dizlerinin üstüne çöktü. Müşir Deli Fuat Paşa'nın oğullarından yeni subay olmuş Reşit şehit düşmüştü. Halid, gözyaşları içinde, yüreğini yakan kardeş acısıyla Eşref'in boynuna sarıldı. Eşref, Müşir Deli Fuat Paşa'ya verdiği sözü hatırladı. Vakit kaybetmeden haber gönderdi.

Hükümet konağının önünde Uşak taburundan Mehmet Baba, elindeki bayrağı hükümet konağına çekmek için emir bekliyordu.

# V

31 *Ağustos* 1913

Gönüllü birlikler Eşref Bey'in emriyle kılıç gibi dizilmişti. İstanbul ile aradaki bütün bağlar atılmış, Garbî Trakya Türk Cumhuriyeti* kurulmuştu. Hoca Salih Efendi** gözyaşları içinde bayrağın çekilmesi emrini verince, Mehmet Baba bayrağı göndere çekti. Musa, Eşref Bey'in bir adım arkasında gözyaşlarına hâkim olmaya çalışıyordu. Bayrağı yeni görmüştü. Eşref, kulağına eğilerek bayraktaki renklerin anlamını Musa'ya fısıldadı:

– Ay yıldız Türklüğümüzü, yeşil İslam'ı ve siyah da Balkanlarda yapılan zulmü temsil ediyor Musa.

– Bütün bunları sen mi düşündün Ya Bek?

Eşref bu soruya cevap vermedi ama hayır manasında başını iki yana salladı. İçi içine sığmıyordu... Kardeşleri Selim Sami ve Ahmet Kaptan da yanındaydı.

\*\*\*

---

\* Yönetim şekli cumhuriyet olan ilk Türk Devletidir.
\*\* Devletin cumhurbaşkanı.

Mutlu günler uzun sürmedi. Elli altı gün sonra Bab-ı Âli'nin baskısı sonucunda devlet feshedilmek zorunda kalındı. Eşref Bey bu durumu halka izah edemeyeceğini söyleyerek Cemal Bey'i Gümülcine'ye davet etti.

# VI

*Mısır*

Bulutlar, uğursuz bir haberi fısıldar gibi gemiyi çepeçevre sarmıştı. Telaşla koşuşturan gemi personelini kaygılı gözlerle izleyen yolcular, ne olduğunu birbirlerine sormaya dahi cesaret edemiyorlardı. Su yüzündeki buharlaşma o kadar yoğundu ki gemi her an duracakmış gibi ilerliyordu. Saatlerce süren koşuşturmalar sisin dağılmasıyla son buldu. Eşref uzun pardösüsünün yakalarını kaldırmış, denizi seyrediyordu. Aklı dönüp dolaşıp aynı yerde kilitleniyordu. Büyük kahramanlılar göstererek kazandıkları her başarı, İstanbul tarafından büyük bir hezimete dönüştürülüyordu. Üzerinde uzun uzun düşündüğü ve kendisine sorular sorduğu hiçbir mevzuda içini rahatlatacak bir cevap bulamamıştı. Kıyıya yanaşan gemideki yükleri, kendisini karşılamaya gelen Teşkilat ajanlarıyla birlikte indirip, bir saatçi dükkânının önceden ayarlanmış bodrumuna taşıdılar. Bu dükkân, Teşkilat ajanlarının haberleşme yeriydi.

Yüklerin taşıma işi bittikten sonra Eşref, Abdullah'la sohbet etmeye başladı:

– Abdullah, öncelikle Mehmet Paşa ile bağlantı kurmam lazım. İki tane cins hecin devesine ihtiyacım olacak. İngilizlerin genel tutumu nasıl?

– Eşref Bey, Türk zabitlerinin ayrılması üzerine İtalyanlar sahil şeridini tamamen ele geçirdiler. Şeyh Sünusi ve gönüllü askerleri, daha içi bölgelere çekilerek mücadele etmekteler. İngilizler de, İtalyanların ilerlemesinden rahatsız.

– Tam tahmin ettiğim gibi... Yanımda Mısır Hidivi'ne yazılmış bir tezkere var. "Hamle-i Hususiye Kumandanı" olarak yetkiliyim. Türk zabitlerini Trablus'tan çıkarmam gerekiyor. Şeyh Sünusi ne kadar içeride?

– On konak içeride, Cabub'da.

– İngilizler?

– Yollar İngiliz karakollarıyla dolu.

– Hazineyi Şeyh Sünusi'ye yetiştirmemiz elzemdir, ama fazla adamla yola çıkamam. Bana iyi bir kılavuz lazım.

– Yol tedariki olarak neler gerekli?

Eşref daha önce hazırladığı kâğıdı Abdullah'a uzattı.

"On kilo peksimet, beş kilo pirinç, beş kilo şeker, bir kilo çay, gaz ocağı, kuru erzak, beş kilo gaz, kuru üzüm, hurma..."

– Yiyecek listesinde olanlara ilaveten bir de ecza çantası hazırlayın. Göz ağrısı, diş ağrısı ve karın ağrısı için ilaçlar da olsun.

– Silah?

– Onları ben hallettim.

– Eşref Bey, Sultanımız hediye olarak Sünusi hazretlerine neler gönderdi?

– Neler göndermedi ki Abdullah... Özel sanatkârların ellerinden çıkmış saatler, kıymetli eski kılıçlar, silahlar, ipek kirmanşah dokuması seccadeler...

Abdullah, Mısır ve Trablus'u şehir şehir, konak konak teferruatlarıyla gösteren bir harita getirerek masaya serdi.

– Kuşların Şeyhi, siz çölü hepimizden iyi bilirsiniz. Ben konakların yerini önceden işaretlemiştim. Siz hangi yolu izlemeyi düşünürsünüz?

– Abdullah, senin işaretlediğin yerler İngiliz karakollarına yakın. Mısır bizim toprağımız olsa da, İngilizler şu anda buranın görünmez hâkimi. Ben Enteljiyans Servis'in yakınlarından bu kadar hediye ve elli bin Osmanlı, on beş bin İngiliz altınıyla geçemem. Abdullah, vazifemizi şerefimizle yapabilmemiz için gizlilik şart. İkimizden başka kimse bilmemeli bunu. Yanımda yâren olarak götüreceğim bedevi de bilmemeli. Üç beş konak mesafeyi geçene kadar uyanık ol, sana ihtiyacım olabilir. Çölün içine gireceğim; kuşların, böceklerin hiçbir canlı mahlûkatın olmadığı ıssız kum tepelerinin içinden geçeceğim.

– Eşref Bey, söyledikleriniz bu mevsimde düpedüz delilik olur.

– Başka türlü geçemem Abdullah.

*\*\**

Ertesi gün, tüm hazırlıklar yapılmış olarak yola çıktılar. Eşref'in yanında Veled-i Ali kabilesinden, Ali isminde bir kılavuz vardı. Sahil şeridinden kum teperini aşarak çölün insan yüzü görmeyen ıssız bölgelerine girdiler. Alev fışkırtan kum taneleri arasında her şey yavaş yavaş sıradanlaşıyordu. Rüzgârın kalplere ürperti tohumları eken sesi, bazen büyük çığlıklara dönüşüyordu. Terleyen vücutlarına yapışan kum taneleri kuruduğu zaman, sanki vücutlarının ayrılmaz bir parçasına dönüşüyordu. Gözleri, kendilerinden başka canlının olmadığı bu ölü toprağa kısa zamanda alışmıştı. Bu donuk hal, dakika, saat, gün kavramlarını yavaş yavaş yok ediyordu. Alevden bir denizin içinde, hiç bitmeyecekmiş gibi yolculuk edip sabır pişiriyorlardı. Develerin iki yanından sallanan onar okkalık su, keçi derisinden yapılmış iki kırbada kaynıyordu.

On dört gün sonra şeyhin karargâhına vardıklarında onu yerinde bulamadılar, Kefre'ye gitmiş olduğunu öğrendiler. Uzun yolculuk Ali'yi sarsmıştı, bütün vücudu çamurla sıvanmış, dudaklarından kan çekilmişti. Saçları adeta bir tahta parçası gibi başının üstünde duruyordu:

– Ya Bey, on dört gündür sıcak yemek yemedik. Kaynamış sudan başka bir şey içemedik. Çayımızın içi bile şekerle değil, kum taneleriyle doldu. Bende bir adım atacak takat kalmadı. Ya Bey, insaf edip bu garip Ali'yi azat ediniz.

– Ya Ali, sen ki bu toprakların adamısın. Ben böyle şikâyet etsem bana hak verirler, ama senin şikâyetin çölde yaşayan birine yakışmıyor. Sen ki Veled-i Ali kabilesindensin. Ne demektir Veled-i Ali? Ali'nin evladı demek, değil midir? Sen bilmez misin, Hazreti Ali Efendimiz yiğittir. Sen bilmez misin Peygamber Efendimiz "La feta illa Ali; La seyfe illa Zülfikar" demiş.* Sen istesen beni de sırtlar, bir on dört gün daha yol alırsın. Bir imanını tazele, ya Allah, ya Ali de, kendine gel.

– Ya Bey, insaf et! Bende adım atacak hal kalmamıştır.

– İnsan yol arkadaşını yarı yolda bırakır mı? Duyulsa ki Ali, Eşref'i Cabub'da kaderine terk etmiş...

– Ya Bey, sözlerin doğrudur.

– Ya Ali, senin yorgunluğun bir istirahatlıktır. Bana bak, ben de takatsiz kaldım ama işi yarıda bırakmak bize yakışmaz. Biz memleketimize hizmet için yola çıktık. İnsan yoruldu diye işini yarıda bırakır mı?

– Bırakmaz.

Eşref bir günlük istirahattan sonra Kefre'ye doğru yola çıktı. Şeyh Sünusi'yi bularak emanetlerini teslim etti. Buradaki işini bitirdikten sonra, dostu Hunter Paşa'nın yanına gitmek için Sellum'a hareket etti. Cabub'da takati kesilen Ali, Kefre'de başka biri olmuştu. Yol boyu ettiği şikâyetlerin yerini kabullenme almıştı.

---

*      "Ali'den başka yiğit; Zülfikar'dan başka kılıç yoktur."

Hunter Paşa'nın karargâhına geldiklerinde ikisi de tanınmaz haldeydi. Hunter Paşa eski dostu Uçan Şeyh'i sıcak karşıladı. Görüntülerinden uzun zamandır çölün derinliklerinde gezdiklerini anladığı iki arkadaşa, yolculuklarına dair hiç soru sormadı. Eşref'i istirahatı için hazırladığı çadıra götürdü:

– Eşref Bey, siz uzun bir yoldan gelmişsiniz. İçeride banyo yapabilmeniz için gerekli tertibat var. Berberime haber gönderdim. Arkadaşınızla da yakından ilgileneceklerdir. Siz şimdi istirahat buyurunuz, sonra uzun uzun konuşuruz.

– Teşekkür ederim.

Hunter Paşa'nın ayrılmasından sonra Eşref kendisi için hazırlanan çadıra girdi. Çadırın tepesine, su geçirmez kalın çadır bezine sarılmış, beş altı teneke su alan bir depo yerleştirilmişti. Bu depoya takılan lastik hortumun aşağıya doğru uzatılmış ucunda bir fıskiye vardı. Hortumun bağlantı noktasındaki vanayı çevirince, fıskiyeden aşağı doğru ılık su akmaya başladı. Eşref depoyu dört defa boşaltıp doldurarak ancak temizlenebildi. Mahir berber, kısa zamanda özel ilaçlar da kullanarak Eşref'in odun gibi olmuş saçlarını açıp sakallarını düzeltmeye muvaffak oldu. Aynadan kendisine bakan Eşref, bir bedevi yüzü yerine, bir İngiliz asilzadesinin yüzünü görüyordu. Ali çadıra geldiği zaman, elli gündür gördüğü yüzün yerinde bambaşka birini buldu. İki elini havaya kaldırdı:

– Ya Bey, ya Uçan Şeyh! Allah bir daha bize böyle uzun ve meşakkatli bir yolculuk nasip etmesin.

Eşref, Ali'nin bu haline tebessüm etmekten kendini alamadı:

– Ya Ali, geldiğimiz yolun dönüşü olduğunu ne çabuk unuttun.

Yüzü asılan Ali'yi teselli etmek için omuzlarından tuttu, yatağına oturttu. Serin rüzgâr yüzlerine vuruyordu. Çadırı aralayan Eşref dönen vantilatörü gösterdi:

– Ali, görüyor musun bu insanlar hangi şartlarda çalışıyor, biz hangi şartlarda çalışıyoruz? Hunter Paşa benim dostumdur. Ancak bu bölgeyi İngiliz kontrolüne geçirmek istiyor, bizse kendi kontrolümüzde tutmaya çalışıyoruz. Aramızdaki bakış açısı farkını görebiliyor musun?

Ali, önüne eğdiği başını evet manasında salladı. Eşref'in çölde, anlam veremediği bir hırs ve dayanıklılıkla neden ölümüne yolculuk yaptığını daha iyi kavrayabiliyordu artık.

# YEDİNCİ DEFTER

## Teşkilat-ı Mahsusa

# I

1913
*Kanlıca*

Haydarpaşa Garı'nda, buharlar arasında duran trenin yolcuları heyecanlıydılar. Trenden inenler koşarak, kendilerini bekleyen yakınlarına sarılıyorlardı. Hamallar, tahta bavulları semerlerine özenle yerleştirerek sahiplerini sükûnetle takip ediyorlardı. Tüm yolculardan sonra, başında melon şapkası, ketenden dikilmiş krem renkli takım elbisesi ve içliğine astığı kösteği ile dikkat çeken ince bıyıklı yolcu da indi. Beşiktaş'a geçmek için bir kayık kiraladı.

Silueti yüksek tepelerden göğün derinliklerine doğru uzanan "Sinan'ın taş kalemlerine" hayranlıkla bakarken aklı komitenin aldığı kararlardaydı. Komitenin isteklerine cevap verebilecekler miydi? Kayık, uzun bir yolculuktan dönmüş Eşref'e, ninni söyleyen yaşlı bir kadın gibi huzur veriyordu.

Kıyıya çıktıktan sonra evine gidip hazırlıklarını yapmak için odasına çekildi. Yanında getirdiği evrakı ve tuttuğu notları özenle düzenleyip yola çıktı. Üst kattaki toplantı odasına geçtiğinde, Süleyman Askeri ile Fuat Balkan'ı karşılıklı kahve içerken buldu. İkisine de sarıldıktan sonra oturdu. Odadaki diğer kişi Galip Bey, az şekerli kahvesini sehpaya bırakarak hiçbir şey söylemeden çıktı. Süleyman Askeri gergin havayı dağıtmak için tebessüm etmeye çalışıyordu:

– Hoş geldin, ey Kuşların Paşası.

– Hoş bulduk.

Fuat Balkan üzerindeki gerginliği atmak niyetiyle kalkıp cam kenarına yürüdü. Ellerini arkadan kavuşturmuştu. Sigara paketini Süleyman Askeri'ye uzatarak "Alır mısın?" diye sordu. Süleyman Askeri istemeyince kendisi bir tane yaktı. Konağın penceresinden çam ağaçlarını seyretmeye başladı. Hafifçe esen rüzgâr, ağaçları ağır ağır sallıyordu.

– Nedir durum Süleyman? Olanlardan haberin var mı?

– Yok Eşref Bey.

Fuat da kafasını sallayarak bir şey bilmediğini ifade etti.

***

Enver, çam ağaçlarının arasındaki kısa gezintisini bitirdikten sonra sarı konağa yöneldi. Kendisini kapıda karşılayan Galip'e sert bir dille talimat verdi:

– Galip, köşkte bizden başka kimse kalmasın. Kapıda dur, içeri kimseyi alma. Toplantı bitene kadar Sultan Reşat dahi gelse içeri alma.

Toplantı odasındakiler, Enver'i ayakta karşıladılar. Enver'in üzerinde taşıdığı sükûnet, bir anda odanın her yanına sirayet etti.

– Hoş geldiniz Eşref Bey.

– Hoş bulduk Paşam.

Enver'i ilk kez mirliva üniforması içinde görüyordu Eşref. Altın sırmalar içindeki Enver, Eşref'in gözüne çok daha farklı göründü. Uzun süre kimse konuşmadı. Enver, günlerdir planladığı konuşmasına başlamadan önce ortamı sükûnetle terbiye ediyordu. Yüzünde her zamanki rahatlık vardı:

– Eşref Bey, dostlarımız nasıllar?

– İyidirler Paşam. Hepsinin sizlere hürmeti ve selamları var.

– Aleyküm selam.

Enver yavaş adımlarla ilerledi. Masanın üzerinde özenle katlanmış kırmızı atlası eliyle okşadı. Bütün gözler kırmızı atlasa çevrilmişti. Sonra arkadaşlarının oturduğu sandalyelerden birine oturdu:

– Arkadaşlar, yaklaşık iki yıl önce, sizinle ve şu anda burada olmayan bazı arkadaşlarla yine böyle toplantı yapmıştık. O günkü konumuz Trablusgarp'tı. O topraklara beraber gittik ve büyük başarılar elde ettik ama sonuçta ne oldu! Kazandığımız bütün zaferlerden sonra, Trablus'u boynu bükük bırakarak oradan ayrılmak zorunda kaldık. Sonra Edirne... Edirne için kanlar döküldü, hükümet yıkıldı, Mahmut Şevket Paşa öldürüldü. O sırada gösterdiğiniz kahramanlıklar, bu milletin her zaman takdirle yâd edeceği hizmetlerdir. Ancak bu hizmetlerimiz, sonunda siyaset yokuşunda tıkanıp kaldı. Ordunun içine giren ikiliği, itiraf etmek gerekirse, halledemedik. Bu hâlâ önümüzde duran en önemli sorunlardan biridir. Devlet işleri, sen ben davası değildir. Mühim olan memlekettir. Bugün biz varız, yarın başkaları...

Topraklarımız bir bir elimizden çıkıyor. Harp meydanlarında elde ettiğimiz başarıları masada kaybediyoruz. Biz Meşrutiyet'in ilanı için dağa çıktığımızda, bu ayrılık günleri hep aklımızın bir ucundaydı. Bu siyasetin tabiî neticesidir. Şu anda Talat Bey ve Cemal Bey ile aramızda, bu mahrem topluluğun bilmesinde sakınca görmediğim bir ayrılık var. Ama bunlar şimdilik bizi çok da meşgul edecek konular değildir.

Fedailer, Enver'in sözlerinin nereye varacağını büyük bir heyecanla bekliyorlardı.

– Biraz geçmiş muhasebesini yapalım arkadaşlar. Trablus'a gittiğimizde küçük gayretlerimiz büyük neticeler verdi. Balkanlarda da öyle... Bütün bunlar nasıl oldu dersiniz?

Enver kimsenin cevap vermesine fırsat vermeden konuşmaya devam etti:

– Allah, Türk'ün devletini daim etsin. Devlet-i ebed müddet olsun.

– Âmin...

– Bu devlet binlerce yıldır ateş denizlerinden geçti. Çin'in insan denizi içinde varlığını kaybetmedi. Horasan'da, Hasan Sabbah'ın hançerlerinden kendini korumayı başardı. Yıkıcı Batınî faaliyetlerini yırtıp çıktı. Bin yıldan beri İslam'ın sancağını omzunda taşıdı. Konya'da Moğol belasını atlattı. Bizans'ın dibinde varlık mücadelesi veren küçük bir beylik, Edebalı Dergâhı'nda koca bir çınara dönüştü. Altı yüz yıl dünya nizamında söz söyledi.

Enver oturduğu yerden yavaşça kalkarak masaya doğru ilerledi. Kırmızı atlasın başında durdu:

– Gelecek günler pek parlak görünmüyor. Peki, binlerce yıldır bu millete esaret göstermeden varlığını devam ettiren neydi?

Sandalyede oturanlar nefeslerini tutmuş, Enver'in ağzından çıkacak sözleri bekliyorlardı.

– Türk'ü ayakta tutan kudret "töre"dir. Töreyi uygulayan ise Teşkilat'tır. Bu ruh, bazen bir hakanın tahtında, bazen bir vezirin medreselerinde, bazen de Edebalı Dergâhı'nda filizlenir. Sadık kullarını, Yunus, Mevlana, Gazali, Osmancık, Karaca Ahmet ve dahi niceleri biliriz. Bugün de Enver, Süleyman, Eşref, Fuat ve niceleri... Hazreti Türkistan'ın* ruhu canlıdır. Binlerce yıldır da hep canlılığını korudu. Onun varlığı, "devlet-i ebed müddet" hizmetinin varlığıdır. Görev sırası, canı ten kafesinden salma sırası bizdedir. Yoklukta varlık cilvesi gösterme sırası bizdedir. Türk'ün sancağı bizim omuzlarımızdadır. Bu sancağın vebali, bundan sonra bizden sorulacaktır.

Bir kutsalı kaldırır gibi kaldırdığı kırmızı atlası öpüp alnına götürdü. Sonra masanın üzerine açarak sağ elini üzerine koydu.

---

*     Hoca Ahmet Yesevi

Arkadaşları da onun yaptıklarını tekrar edip, teker teker söylediği yemini tekrarladılar. Yemin bitince masaya oturuldu. Süleyman, Eşref ve Fuat bu onurlu göreve seçilmiş olmanın gururunu taşıyorlardı. Enver kısa bir sessizlikten sonra sözlerine devam etti:

– Bütün planlar hazır.

Eşref, kararsız bir ses tonuyla "Kim tarafından hazırlandı?" diye sormaya başlamıştı ki Enver'in cevabıyla, sözünü bitirmeden sustu.

– Töreyi koruyan kim ise onlar tarafından.

Süleyman Askeri:

– Siz...

– Ben de sizin gibi töre'nin hizmetkârıyım Süleyman.

Ortam bir anda buz kesti. Enver'in ağzından çıkanlar akıl alır gibi değildi. Fuat Balkan kendini tutmaya çalışsa da, merakı aklına galip geldi:

– Efendim, Teşkilat-ı Mahsusa...

– Onlarca yerde çarpıştık Fuat... Önümüzü açanlar kimlerdi? Şeyh Sünusi'ye, Ömer Muhtar'a, Şeyh Tunusi'ye, Edirne'de bizi destekleyen hücrelere emri biz mi verdik?

Eşref:

– Yani Paşam?

– Yanisi yok Eşref. Biz töreye başkaldırdık. Bu başkaldırı devlet-i ebed müddet içindi. Ama yine biz, farkında olmadan bu devleti uçurumun kenarına getirdik. Nelerden bahsettiğim açık... Yine de bu iş bize verildi.

Enver, Eşref'in yüzünde beliren ifadeyi dağıtmak için sesini yükselterek konuşmaya devam etti:

– Bir ülkeyi sevmekle onu korumak farklı şeylerdir Eşref...

Enver'in gözlerindeki ifade, Eşref'i kontrol altında tutuyordu.

– Ama yine de sizin görüşleriniz ve sizden sonra, küçük çaplı toplantılara çağıracağım Teşkilat sorumlularıyla yapacağım görüşmeler benim için çok önemli. Teşkilat doğrudan bana bağlı olacak. Bütün operasyonlardan haberim olacak, fakat operasyon yapma yetkisi tamamen sizlere verilecek. Süleyman Askeri Bey, Teşkilat'ın benden sonraki ikinci karar merciidir ve başınızdır. Üçünüz de operasyonlarda daima albay rütbesinde olacaksınız. Ancak sizlere, en az mirliva makamını işgal eden insanların imkânları sağlanacak. Bu imkânları memleket menfaatine kullanacağınız hususunda, kalbimde en ufak bir şüphe dahi yok. Bugüne kadar katlandığınız fedakârlıklar benim en büyük güvencemdir. Gelelim görev dağılımlarına... Süleyman Askeri Bey, siz Teşkilat'ı şekillendirme işlerine devam edin. Yakın bir zamanda Bağdat'a doğru yola çıkacaksınız. Fuat Bey, sizin yeni görev yeriniz Kalküta'dır. Görevinizin teferruatlarını üç gün sonra yapacağımız özel bir görüşmede size bildireceğim. Derhal hazırlıklara başlayınız.

– Emredersiniz Paşam.

– Eşref Bey, siz de Arabistan ve Afrika şubelerimizin bütün sorumluluğunu tam yetkilerle donatılmış olarak üstleneceksiniz. Öncelikli görev yeriniz Mısır. Kanal sizi bekliyor Eşref Bey... Şunu itiraf etmem gerekir ki, bu bölgelerde sizden başka birinin Teşkilat'ın işlerini sırtlanabilmesini olası görmüyorum. Siz ne dersiniz? Uçan Şeyh yaptığı uzun seyahatte eski dostlarını yerlerinde bulabildi mi?

Eşref elini çenesine dayayarak derin düşüncelere dalmıştı:

– Paşam, gezimin teferruatlarını sizlere anlatacağım, ama şunu söylemek isterim ki bizim yerimizi oralarda başkaları almış. Arkaları sıra İngiliz altını dağıtıyorlar. Fakat vaziyet, yapacağımız çalışmalar neticesinde bizden yana değişebilir.

Süleyman Askeri:

– Eşref Bey, Trablusgarp'ta iken, Enver Bey'in de bulunduğu bir mecliste Şeyh Sünusi bize, "Bu Arap âleminde Uçan Şeyh'in açamayacağı kapı yoktur" demişti. Bu hareketin ağırlık merkezi,

biraz da bu topraklar olacak. İnşallah eski dostlarınız sizi yine
eskisi gibi kabul ederler.

Enver:

– Süleyman Askeri Bey, öncelikle sizi dinleyelim. Eşref Bey
uzun bir yolculuktan geldi, anlatacakları çoktur.

– Efendim, Balkanlardan o hazin geri çekilmeden sonra, kıya-
fet değiştirerek arkadaşlarımla birlikte geri döndüm. Yerel halk-
tan seçtiğimiz insanlarla direniş için yeni çeteler kurup başların-
a sorumlular atadık. Bu çeteler şimdilik pasif olmakla birlikte,
herhangi bir hareketlilikte çetin bir mücadeleye hazır hale gele-
ceklerdir. Son görüşmemizin üzerinden aylar geçti. Teşkilat'ın
örgütlenmesi için yaptığımız çalışmalarda, tahminlerimizin
ötesine geçtik. Okullarda, eczanelerde, kahvehanelerde yani ak-
lınıza gelebilecek her meslek grubu içinde örgütleniyoruz. Arap
kökenlileri kendi bölgelerine, Çerkezleri yine nüfus olarak etkin
oldukları bölgelere gönderdik. Birçok bölgeye "Müze-yi Hüma-
yun" görevlisi ve nüfus müdürleri atadık. Sistematik olarak birbi-
rine bağlı bu küçük grupların fark edilmemesi için, grup üyeleri-
ni sade yaşayan, kendi alanında ehil, vatansever kişilerden seçtik.
Şu an yüzlerle ifade edilen sayımız, çalışmaların böyle devam
etmesi halinde binlere hatta on binlere ulaşacaktır diye düşünü-
yorum. Teşkilat'ın ajanları yerel halkla iyi ilişkiler kurup, küçük
dükkânları işleterek onlar gibi yaşıyorlar. Sabotaj, isyan, yangın
çıkarma gibi faaliyetlerde bulunarak yerel halkı yanımıza çeki-
yor, işgalcilerin bölgelerinde huzursuzluk çıkararak panik havası
oluşturuyoruz. Fakat bunlar günlük çalışmalar. Teşkilat'ın daha
iyi planlanmış ve organize edilmiş eylemler yapmaya ihtiyacı var.

Enver:

– Arkadaşlar, parasal kaynaklar hususunda hiçbir sorunumuz
yok. Yıllar önce büyük bir bölümü elimize geçen Yıldız Sarayı'nın
altınları ve Almanlardan alıp da örtülü ödenek olarak kullandı-
ğımız paralar bizi kaynak sıkıntısından kurtarıyor. Bir de sizinle
paylaşmak istediğim çok önemli bir haber var. Umumî bir harp,

bütün dünyanın gündeminde ve bizim bu şartlarda ondan uzak durabilmemiz çok da mümkün görünmüyor. Bütün hazırlığımızı bu harbe göre yapmalıyız. İngilizler, Fransızlar ve İtalyanlar yeni sömürgeler peşinde ve ilgi alanlarındaki toprakların büyük bir çoğunluğu bizim elimizde. Teşkilat-ı Mahsusa'nın asıl vazifesi bu harpte, tıpkı Enteljiyans Servis'in yaptıklarını yapmaktır. Nasıl ki her İngiliz, bir Enteljiyans Servis ajanıysa ve İngiltere'nin menfaatleri için çalışmaktaysa biz de Osmanlı tebaası arasında çalışmak isteyen bütün gönüllüleri harekete geçireceğiz.

Sonra Eşref'e dönerek devam etti:

– Lafı fazla uzatmayalım. Eşref Bey, biliyorum ki sizin bize anlatacağınız çok mühim şeyler vardır.

Eşref önündeki evrakı gayriihtiyarî düzelttikten sonra söze başladı:

– Efendim, birkaç ay önce yapmış olduğumuz görüşmelerde, sizden İsviçre ve Arap çöllerini gezmek için izin istemiştim. Yolculuğumun ilk durağı Zürih'ti. Tercümanım Jan Kormonyo ile gizli toplantılara iştirak ettik. İslam Teali Cemiyeti ve Hint Hilafet Komitesi ile ilgili raporları ayrıntı olarak hazırladım. Cemiyet'i bir isyan hareketi için çok iştahlı gördüm. Sadece Hindistan'da değil, Cuva, Sumatra, Endonezya ve Pakistan bölgelerinde de ayaklanmalar çıkartılabilirse ciddi başarılar elde edilebilir. Asya Türkleri, parlayacak bir kıvılcım bekliyor. Hindistan, üç yüz elli milyon insanın yaşadığı bir memleket. Müslümanların sayısı yüz milyon, oysa İngilizler sadece iki yüz bin kişi. Bütün Müslümanlar hilafet makamına bağlı. İngilizlere ait dükkânlar yağma edilir, silahlarına el konursa üç yüz milyonluk bu kitle karşısında ne kadar şansları olabilir? Fakat komiteden farklı düşünen isimler ve teşkilatlar da var. Ülkedeki Müslüman teşkilatların ileri gelenleri, Ağa Han, Mevlana Abdülbari gibi isimler, çıkacak umumî bir harpte Müslümanların ciddi sıkıntılar yaşayacağından ve arada kalacağından endişe ettikleri için, bu tür bir ayaklanmanın faydasız olduğunu düşünmekteler. Yalnız bu isimlerin hepsinin hilafet makamına sadakatle bağlı olduklarından hiç şüphe duyulmamaktadır.

– Eşref Bey, sanırım aklımızdan geçenler aynı.

– Evet, efendim. Ben küçük bir müfreze kurularak Hindistan'a geçmenin ve orada büyük bir ayaklanma çıkarmanın faydalı olacağını düşünüyorum.

– İnşallah, Eşref Bey...

– Efendim, Zürih'teki görüşmelerimi bitirdikten sonra, kıyafet değiştirerek Beyrut'a gittim. Oradan bütün Arap Yarımadası'nı gezdim. Biz Trablus'ta, Balkanlarda can çekişirken, ezelî düşmanlarımız oradaki mirasımızın üzerine yerleşmiş. İngiltere, Fransa ve Rusya'nın yağma oyununa bir de Amerika katılmış. Petrol için gizliden verilen mücadelede başvurulan yöntemler, insan havsalasını zorlayacak türden. Devlet teşkilatımız çökmüş, valilerimizin eli kolu bağlı. Rüşvet alan memurlara yaptırım uygulamak bir yana, bu kişiler tespit dahi edilememekte. Hilafet makamının fazla bir etkinliği kalmamış. Seyahatimde gördüm ki tarihî eserler barındıran yerler, çeşitli milletlerin arkeologlarıyla dolmuş. Arkeologlar, buralardan çıkardıkları parçaları, büyük hediyeler karşılığında şeyhlerden satın alıyorlar. Ama önemli olan eserler değil. Bu parçalar sayesinde şeyhlerle ilişki kuruluyor. Mekke, Kudüs, Balabek gibi kutsal yerlerde sayamayacağınız kadar ajan, değişik isim ve mesleklerle rahatlıkla geziniyor. Dâhiliye Nezareti vasıtasıyla buralara yapılacak yeni atamaları Teşkilat kadrolarından seçtirebilirsek, takip ve engelleme faaliyetlerini daha kolay yürütebileceğimizi sanıyorum.

– Eşref Bey, siz yarından tezi yok ana vatana geçireceğimiz bir müfrezenin çalışmalarına başlayınız. Bu müfrezenin geçişini siz yürüteceksiniz. Mevcut şartlara göre yeni değerlendirmeler yapacağız. Gerekirse müfrezeyi sizin kontrolünüze vereceğiz. Bu işleri yürütürken, bir yandan da Arap Yarımadası'na yönelik çalışmalara ağırlık verin. Asıl önemli meseleyi sizlere şimdi anlatacağım. Daha sonra istirahata çekilebiliriz.

Masadan kalkan Enver, küçük dolaptan çıkardığı bazı evrakları masanın üzerine koydu:

– Arkadaşlar, birkaç gün önce Yemen'deki ajanımız Ahmet Hamdi Bey'den uzunca izahatlı bir rapor aldım. İçinde iki adet de fotoğraf vardı. Daha önce Yemen'de çıkan İmam Yahya ayaklanması hakkında tafsilatlı bilginiz olduğu için, o konuyu uzun uzun ele almayı lüzumlu görmüyorum. Bölgeye gönderdiğimiz adamlardan Nüfus Müdürü Ahmet Hamdi Bey ve diğer memur arkadaşlarımız, o havalideki İngilizleri adım adım takip etmekteler. Gelen bilgiler çok önemli. Bu arkadaşlarımız, İmam Yahya'nın sadakati için fazlasıyla emek sarf etmelerine karşı, bölgedeki Yezidîler ve İmam İdris isyan hareketi için hazır beklemekteler. Ahmet Hamdi Bey, son raporunda iki mühtediden bahsediyor. Sana'da Hacı Ali ve Menaha'da Abdullah Mansur... Bunların her ikisi de aslen İngiliz. Ahmet Hamdi Bey'in bilgilerin çoğunu, yerel şeyhlerden Şeyh Kanıs'tan aldığını ve doğrulattığını raporundan anlıyoruz. Bu raporda, Abdullah Mansur'un gerçek adı Wayman Bury, Hacı Ali'in ise Mr. Wavell olarak zikrediliyor. Abdullah Mansur çok zengin bir adam ve etrafı, inancını para karşılığında satmaya hevesli insanlarla dolu. Harraz ve Menahe'de çok etkili. Karargâhını Beyt-i Müdde'ye kurmuş. Dergâhına gidip gelenler oldukça fazla; cömertçe harcadığı dinarlarla etrafını büyülüyor. Kuşlarla ilgileniyor. Çıktığı uzun seyahatlerde farklı kuş türlerini toplayıp bölgenin fotoğraflarını çekiyor. Korkum, burada tekrar çok büyük bir ayaklanmanın çıkmasıdır. İngiliz ajanları şeyh, müze görevlisi, arkeolog ve Kızılhaç çalışanı olarak topraklarımızda geziniyor. Çok net olarak şunu biliyoruz ki, bu kimlikleri sadece asıl gayelerini gizlemek için. Asıl amaçları, bölgenin yeraltı kaynaklarını kontrol ederek özellikle petrolü tekellerine almak ve çıkacak savaşta üstünlüğü ele geçirmektir. Şöyle düşünün: Bu savaşta yüz binlerce tank, araba ve gemi kullanılacak, tüm bunların yürümesi için petrole ihtiyaç var. Yalnız petrol değil, topraklarımızdaki mezhep ayrılıklarını ve farklı milletlere mensup insanların hislerini körükleyerek küçük parçalara ayıracakları toprakları, altınlarının büyüsüne kapılmış insanlarla yönetmek, daha doğrusu iliklerine kadar sömürmek. Balkanlarda bize yaptıkları, söylediklerimin ispatıdır. Yemen için yeni arkadaşlar görevlendirdim. Şu anda oradalar ve bu şeyhleri adım adım takip ediyorlar. Gerekirse onları çölün kumlarına gömer, devletimizi savunuruz. Teşkilat'tan beklediğim en önemli görev budur. Biz Trablus'ta ve Edirne'de verdiğimiz mücadeleyi savaş meydanında kaybetmedik. Bab-ı Âli'nin eli kolu bağlıdır. Cephede kazandıklarımızı kaybetmemek için devletin resmî olarak elinin ulaşmadığı yerlerde Teşkilatımız olacak.

Enver, Ahmet Hamdi Bey'in raporla birlikte gönderdiği iki resmi arkadaşlarına uzattı:

– Kel olan, Hacı Ali. Diğeri, yani şeyh kılığında olan ise Abdullah Mansur. İyice inceleyin, resimlerdeki yüzleri zihinlerinize kazıyın. Belki bir gün onlarla karşılaşırsınız. İkinci mesele, Lawrence denen bir casusla ilgili. Bizi şu anda en çok ilgilendiren konu budur. Ahmet Hamdi Bey raporunda, Abdullah Mansur'un yanına sık sık gelip giden, zayıf, çelimsiz bir İngiliz'den bahsediyordu. Lawrence'ı takip etmemiz ve durumunun şu an itibariyle ne olduğunu anlamamız lazım. Ben Eczacı Nejat Bey'in Müze-yi Hümayun namına, Tarih-i Osmanî Encümeni Azası vazifesiyle Balabek Harabeleri'ne gitmesi tedbirini düşünüyorum. Bu şahsiyetli vatan evladının annesinin Arap, babasının Çerkez olması ve simasının da Araplara çok benzemesi işimizi kolaylaştıracaktır. Eşref Bey, Nejat Bey'le siz konuşabilir misiniz?

– Elbette...

– Başka konu yoksa dağılabiliriz. Vakit de bir hayli geç oldu. Allah rahatlık versin.

# II

Eşref, Nejat Bey'in Balabek Harabeleri'nden döndüğü haberini aldığında Beşiktaş'taki evinde istirahat ediyordu. Enver'den gelen emirle hazırlanıp, kiraladığı bir yaylıyla yola çıktı. Harbiye Nezareti'nin geniş koridorlarından geçerek Enver'in odasına girdi. Enver'le tokalaştıktan sonra Eczacı Nejat Bey'e sarıldı:

– Geri dönmenize çok sevindim Nejat Bey. Sizi kurtların arasına gönderdiğimiz günden beri endişe içindeydim.

– Her şey Allah'ın takdiriyledir Eşref Bey.

Enver Bey araya girdi:

– Eşref Bey, size ne ikram edebiliriz?

– Kahve Paşam... Zahmet olmazsa az şekerli...

Enver masanın üzerindeki zili çaldı. İçeri giren askerden bir kahve istedi.

– Eşref Bey, daha önce Nejat Bey'den gelen raporları beraber incelemiştik. Şimdi kendisinden tafsilatlı bilgi alalım, sonra tetkik ederiz.

– Efendim, tahmin ettiğiniz gibi muhatabımı Balabek'te buldum. Tanışmamız doğal seyrinde çok zor olacağı için Hans Gürzoch adında bir Alman arkeologla dostluk kurdum. Zararsız bilgiler vererek dostluğumu ilerlettim. Lawrence'la tanışmamıza o vesile oldu. Asıl adı Thomas Edward Lawrence. 1888'de,

Gal'de, Walest'te doğmuş. Tutkulu biri. Çelimsiz, hastalıklı bir görüntüsü var. Benim tespit edebildiğim en önemli özelliği ise kurnazlığı. Araplar gibi yaşıyor, onların örf ve âdetlerine saygı gösteriyor. Seyahatlerimizde gördüğüm, açlığa, susuzluğa bir bedevi kadar dayanabildiğidir. Bütün çölü baştanbaşa dolaşmış. Kabileler arasında, serbest geçiş ayrıcalığına sahip. İstediği her yere, hiç zorlanmadan girip çıkabiliyor. İsimleri ve yüzleri ezberleme hususunda Allah vergisi bir kabiliyeti var. Oxford Üniversitesi mezunu ve insanın inanmakta zorlanacağı kadar çok kitap okuyor. Birlikteliklerimiz arttıkça, ben masum bir vatan evladı gibi davranıp ona öğrenmek istediği bazı bilgileri verdim. Bunlar zararsız, hatta onun da çok iyi bildiği şeylerdi, ama beni çözmek için böyle davrandığının farkındaydım. Bütün bilgiler, gönderdiğim ve şimdi vereceğim raporlarda mevcut.

Sonra dizlerinin üzerinde duran sarı zarftan çıkardığı bir resmi Enver'e uzattı. Enver uzun uzun baktığı resmi Eşref'e verdi. Eşref dakikalarca resmi inceledi. Adamın yüzünü ezberlemeye çalıştı.

– Bir gün çadır sohbetlerinin uzadığı bir anda, bana çocukluğuna dair bir anısını anlattı. İsterseniz nakledebilirim.

Enver:

– Tabiî, buyurun.

– Onun gibi anlatayım: "Çocukken, evin tenha köşelerinden birine çekilir, kurşun askerlerimle oynardım. Bu oyunlarda hep, zaferin zekâ ile elde edileceğini düşünürdüm. Benim yönettiğim küçük bir grup asker, meydana dizdiğim kalabalık askerleri hep hile yaparak yenerdi. O günden bugüne, ben kitleleri hiç önemsemem. Tutkulu birkaç kişinin, onları istedikleri yöne çevirebileceğine ve istedikleri gibi yönlendirebileceğine inanırım. Kütüphanede geçirdiğim uzun saatlerde, bu hakikati tarih kitaplarında da buldum. Böylece tarihe olan merakım da arttı. Kitleler vardır ve önemsizdir. Gerekli şartları oluşturduğunuzda onları istediğiniz yere sürükleyebilirsiniz."

Bu sözleri tutkuyla tekrar ediyordu. Sonra bana dönerek Türkler hakkında ne düşündüğümü sordu. Ben de biraz şaşırarak, Arapların geri kalmasının asıl sebebinin Türkler olduğunu söyledim. Bu cümlem üzerine:

"Evet, Türklerde öyle bir istiğna, öyle bir müsamaha var ki diğer milletleri ister istemez tesiri altına alıyor, ona mahkûm ve tâbi olma hissi veriyor. Bunu da karşı konulmaz olduğunu telkin ederek yapıyor. Şimdi, biz bu fikrin batıl olduğunu anlatabilir ve ispat edebilirsek dünyanın haritası değişir. Sözlerin çok doğru dostum; Araplar, Türklerin hâkimiyeti altında kendi şahsiyetlerini kaybetmişlerdir" dedi.

Bunlar Lawrence'ın psikolojik yapısını ve hayata bakışını anlatması bakımından çok mühim. Kendisine, Müze-yi Hümayun'un tarafıma tevdi ettiği vazifenin süresinin bitmek üzere olduğunu söylediğimde, bana birlikte çalışmayı teklif etti. Benim bu esrarlı adamda fark ettiğim, daha doğrusu sohbetlerimize konu olan bir tutkusu da, Oxford'un kütüphanesinde kendini kaybedercesine okuduğu kitaplarda eski medeniyetlerin izini sürme isteği. Eski Keldanî ve Asurî bilgelerinin bahsettiği hakikatlere, Hermes'in öğretilerine sahip olmak için her şeyini feda edebileceğini defalarca tekrar etmiştir.

Çereş'te, Balabek Harabeleri'nde değişik milletlere mensup ajanlar farklı kimliklerle geziniyorlar. Eğer Teşkilat buna bir çözüm bulamazsa, felaketle sonuçlanacak hadiseler meydana gelecektir. Ben oradan ayrılırken, Lawrence da Mısır'a geçti. Bu adamın takibi çok önemli. Çok ciddi bir şekilde adım adım takip edilmeli. Bu adamda, birçok insanda göremeyeceğiniz, insanın kanını donduran bir tutku var ve ardı sıra Arapların en çok sevdiği şeyleri saçıyor.

Enver, dinlediklerinden sonra Mısır'a gönderdiği telgrafta, oradaki ajanların Lawrence'ı takip etmelerini istedi. Toplantının üzerinden birkaç hafta geçmişti ki Mısır'dan cevap geldi.

"Lawrence Atina'ya geçiyor. Yan kompartımanında seyahat eden bir ajanımız onu takip ediyor."

Enver gelen cevap üzerine Eşref'le görüştükten sonra, ona Balabek'e gitmek için hazırlıklarını tamamlamasını emretti.

# III

*Balabek 1913*

Cam kenarında ellerini arkadan kavuşturarak durmuş, gelecek misafirini bekliyordu. Yaklaşan ayak sesleri, bazen ritmini kaybediyor, bazen de kesiliyordu. Misafirinin kararsız tavrı, cam kenarında bekleyen adamın hoşuna gitti. Açılan kapıdan içeriye giren misafir, batmak üzere olan güneşin solgun, turuncu ışığında yüzünü cama dönmüş yabancıya kaygılı gözlerle baktı. Selam vermeden, öylece olduğu yerde kaldı. Cam kenarındaki esrarengiz adamın üzerinde, Maskat bölgesindeki şeyhlerin giydiği türden bir kıyafet vardı.

– Ya Eb-ül Ferhad el Atraş!

Cam kenarında duran, gür sakallı adam, misafirine şeceresiyle hitap ediyordu. Yüzünü hatırlamadığı bu adamın sesi, içeri girenin kulaklarına hiç de yabancı gelmiyordu.

– Ya Eb-ül Ferhad, karşında duran dostunu tanımadın mı?

İyice kulak verdiği ses, yüreğinin derinliklerinde uyuyan bir korkuyu uyandırdı. Yüzüne kan hücum etti. Kısık bir sesle, kendi kendine mırıldandı.

– Allah Alim, Allah Alim...

Eliyle sakalını sıvazlıyordu. İsmi tekrar etmek istedi ama bir oyuna gelirim düşüncesiyle biraz daha düşündü. Karşısındaki kişi tebessüm ediyordu.

– Aman Allah'ım! Yoksa bu sesin sahibi Uçan Şeyh midir?

– Evet, odur ve seni yine felaketten kurtarmak yolundadır. Bu sefer başın omuzlarının üzerinde daha fazla sallanıyor.

El Atraş'ın vücudu kontrol edemediği bir korkunun tesirine girmişti. Eşref, adamın korkudan titrediğini fark etti:

– Yıllar öncesinden bana bir sözün vardı Musa, hatırladın mı?

– Hatırlamaz olur muyum ya Hazreti Bek. Benim sana bir hayat borcum var. Borcuma karşılık da bir sözüm.

– Başkalarına gösterdiğinden daha büyük bir sadakatle ve itimada şayan olarak bize de çalışacaktın. Kaç gündür senin peşindeyim. Kimlerle görüşmeler yaptığını çok iyi biliyorum. Anlatmamı ister misin?

– Lüzum yok. Benim sana bir can borcum var. Sözümü tutacağım ve borcumu ödeyeceğim.

El Atraş, biraz daha rahatlamış olarak ilerledi, Eşref'in elini sıkıp sandalyeye oturdu:

– Bir an çok korktum ya Bek. Uçan Şeyh'in beni öldüreceğini düşündüm.

Cümleler ağzından çıkarken ses tonuna yansıyan kızgınlık, Eşref'in dikkatinden kaçmadı:

– Üç taraflı mı çalışıyorsun?

– Hayır, dört.

– Bizi şimdilik sayma. Asıl kimin için çalışıyorsun onu söyle.

– Ya Uçan Şeyh! İngilizlere çalışıyorum. Onlardan başka kimseden hayır yok. Ama Fransızlar, Amerikalılar, Almanlar hepsi burada. Bu işleri bilirsin, zararsız bilgiler işte...

Musa unuttuğu bir şeyi geç de olsa hatırlıyor gibi başını sallayarak elini içliğine soktu. Gür sakalları içinde yüzü kaybolmuş adamın gözleri ateş gibi bakıyordu.

– Ya Bek, bak burada aradığın şeyler var.

Çıkardığı resimleri Eşref'e göstermeye başladı. Sıra Lawrence'ın resmine geldiğinde, Eşref umursamaz bir tavırla sordu:

– Bu kimdir?

El Atraş biraz düşündükten sonra cevap verdi:

– Aradınız adamın bu olduğunu bilmiyor muyum ya Bek?

– Sadece senin anlatmanı arzu ediyorum.

– Bu sizinkilerin arkasından koştuğu adamdır. İngilizler ona farklı isimlerle hitap eder. Biz ise ona "dost" deriz. Eli bol bir dosttur o.

Eşref, Lawrence'ın çölde dost olarak kabul görmesine hiç de şaşırmamıştı. Ayağa kalkıp cam kenarına gitti. Kısa süren sessizliği El Atraş bozdu:

– Ya Bek, öyle kızmayınız. Vallahi bu topraklarda ona fena söz söyleyecek birine zor rastlarsınız. İnsanların hoşuna giden duyguları okşuyor ve onlara karşı çok cömert. Yıllar önce hayatımı kurtarmıştınız. Şimdi de elinizdeyim; beni ister kanunun eline teslim edin, isterseniz de cezamı şuracıkta siz verin. Bu adam fakirlere yardım ediyor, ilaç tedarik ediyor. Mekke'de, Medine'de, San'a'da ve daha sayamayacağım yerlerde nüfuzlu dostları var. Artık şeyhler bu adamla tanışmaktan değil, onun elini öpmekten şeref duyuyorlar. Bu insanları bilirsiniz, kendi menfaatlerinden, alacakları bahşişten başka bir şey düşünmezler. Tam yedi yıl oldu siz buralarda görünmeyeli. Şimdi bana söyleyiniz, yedi yıl sonra döndüğünüzde aynı olan ne gördünüz? Dostlarınızın birçoğu artık onların yanında. Bu adam sizin gibi çok fasih Arapça konuşuyor, çadırlarda yaşıyor. Örf ve âdetlere saygı duyuyor.

– San'a'daki dostları kimlerdir, tanıyor musun?

– Ya Hazreti Bek, şimdi sen bana bu soruyu niye sordun bilmiyorum. Benim gibi birinin San'a'daki dostlardan haberi olabilir mi?

– Dostun neyin peşinde ya Ebül Ferhad?

– Ya Bek, benim bildiğim, bütün vahaları tek tek gezip birlik kurmaya çalıştıkları. Büyük bir harbin kopacağından bahsediyorlar. Harpte kullanılacak tanklara, gemilere, arabalara yakıt ve yağ tedarikinde bulunuyorlar.

– Eski dostlarımız ne âlemdeler?

– Ya Uçan Şeyh, vallahi billahi tallahi o eski günlerden geriye hiçbir şey kalmadı. Ya Bek, gezerken şöyle bir etrafına bakın. Gördüğün tek şey, her yanı saran kara bir sefalet olacaktır. Kara bir sefalet...

Son cümleleri söylerken sesi çatallanan Musa, gözlerine inen yaşı göstermemek için arkasını dönmüştü.

Eşref, dili çözülen Musa'ya tebessüm ederek baktı:

– Ya Ebül Ferhad, ben şimdi dört yönlü çalıştığına inandım ama bunları bana neden bir nefeste anlattığını anlayamadım.

– Ya Uçan Şeyh, biraz önce başımın gövdemin üzerinde daha fazla sallandığını söylerken bakışların yüreğimi korkudan ufaladı. Uçan Şeyh bir gün hayatımı kurtarmıştı, ben de ona bir can borçlanmıştım. Şimdi inanıyorum ki hayatımı kurtaran adam, bugün istediği şeyi vermezsem hayatıma son verebilir.

– Görüştüğün kişiler kimlerdi?

– Ya Bek, bunu da mı benden dinlemek istiyorsunuz? Ben buraya, Fransız ve Amerikalıyla konuşmaya geldim. Beni takip ettiğinize göre, kim olduklarını söylememe gerek yok.

– Amerikalı Kolej Profesörü ve Balabek Konsolosu Mr. Luvye ile görüştünüz. Harabelerde genç İngiliz arkeoloğa verdiğiniz çantanın içinde ne vardı?

– Ya Hazreti Bek, beni hiç şaşırtmadınız. Size neden kuşlardan haber alıyor dediklerini şimdi daha iyi anlıyorum. Bana yine

imparatorluğun son akşamı     315

inanmayacaksınız, ama çantada ne olduğunu ben nereden bilebilirim.

– Peki, dostunuz Çereş'teki toplantıya katılacak mı?

– Ya Bek, katılacağını siz de biliyorsunuz. Şu an hayatımı kurtarmış bir adamla karşı karşıyayım. Herkesin bir zayıf tarafı var. Ben şimdi senin karşında mahcup durumdayım, ne söyleyebilirim ki... Siz söyleyin bana, Çereş'e gidiş dönüşünüz uzun sürecek mi?

Eşref sinirlenmişti:

– Merak etme, senin canın sıkılmaz. Misafirliğin zannederim kısa sürecek.

Musa oturduğu sandalyeden ayağa fırlarcasına kalktı. Bir zamanlar hayatını kurtaran adam, şimdi canını almaktan bahsediyordu.

– Ya Bek, siz vaktiyle hayatımı bağışladınız. Ben de size sadakatle hizmete söz verdim. Benden hiçbir hizmet istemediniz. Başka çarem yoktu. Şimdi ben size söz versem ki Çereş'te olduğunuz zaman içinde sizi tanımıyorum, görmedim, bilmiyorum, konuşmadım. Ben işime devam edeyim, izin verin, fakat bu iş sizin faaliyetinize karşı olmasın, hatta yardım etsin.

– El Atraş, bu acelenin sebebi nedir?

– Beni Amerikalı ve Fransız'la görüşmeye o gönderdi. Şimdi ortadan kaybolursam nedenini merak edecek. Gerçek sebebi ona söylersem size ihanet etmiş olacağım. Bu ihanetin sonucu kötü olacak.

Musa kartını sağlam oynamıştı. Tehdit kokan bir yardım teklifiydi sunduğu. Eşref'in düşünceli halinden cesaret alan El Atraş sözlerine devam etti:

– Bu işleri bilirsiniz; herkesin işi görülürse bir sorun yok demektir. Hem size olan borcumu da bu şekilde ödemiş olurum. Çereş'te beni rahatlıkla bulabilirsiniz.

Eşref geceyi arkadaşlarıyla toplantı yaparak geçirdi. Tüm ajanları, giyecekleri kıyafetler ve kıyafetlerine uygun şiveler kullanmaları hususunda sık sık uyardı.

***

Ertesi gün Çereş'te yürürken, etrafı gözleriyle kontrol ediyordu. Üçer kişilik gruplar halinde çalışan arkadaşları da Eşref'i uzaktan takip ediyor, gelenlerin kimlikleriyle ilgileniyorlardı. Musa, Eşref'in kendisini göstermek istercesine bir köşeden baktığını fark etti. Kalp atışlarını kontrol etmek için derin nefesler alıyordu. Musa, Eşref'e kendini takip etmesini gözleriyle işaret etti. Eşref'in rahat takip edebilmesi için yavaş yavaş yürümeye başladı. Beş dakikalık takip, bir hurmalıkta bitti.

Müsteşrikler toplantısı için gelen yabancıların sayısı yerlilerden fazlaydı. Yerli halk ya bir şeyler satmak ya da bahşiş alabilmek için çırpınıp durmaktaydı. Önemsiz gibi görünen küçük bilgiler; küçük bahşişler ve alışverişler sonunda rahatlıkla elde edilebiliyordu. Mevcut manzara, hadiselerin içini bilmeyen insanlar için normal görünse de, en masum hareketin, en küçük alışverişin gerisinde büyük işler vardı.

Hurmalığa girildiği anda Musa, Eşref'e göz işaretiyle durmasını işaret etti. Eşref sırtında Maskat bölgesindeki Ravsağ kabilesi şeyhlerinin giydiği bir kıyafet taşıyordu. Gür sakalı temiz ve bakımlıydı. Etraftaki pek çok tanıdık simanın kendisine, yabancılara duyulan şüpheyle baktığını hissediyordu. Eşref'in gözlerindeyse yabancı bir şeyhin samimiyetini anımsatan ince bir baygınlık vardı. Dikkat çekmeden, ikram olarak hazırlanan şeylerden yiyor, olabildiğince yavaş hareket ediyordu.

Musa kalabalığı yara yara bir masaya ulaştı. İnce, zayıf bir adamın yanına oturarak konuşmaya başladı. Eşref, yan gözle baktığı adamın yüzünün, Nejat Bey'in getirdiği fotoğraflardaki adama benzediğini fark edince bir anda irkildi. Aradığı adamı bulmuştu. Heyecanını kontrol etmeliydi. Birkaç dakika, hiç hareket etmeden bekledi. Yüzünde yine eski sükûnet ve samimiyet çizgilerinin belirdiğini fark edince, şişman bir şeyhi siper ederek adamın olduğu masaya doğru, dikkat çekmeden ilerlemeye başladı. Musa'nın kısık sesini duyacak kadar yaklaştığında biraz oyalandı. Musa adama, Fransız ve Amerikalı ile yaptığı konuşmaları anlatıyordu. Lawrence ise onu, çok da önem vermiyormuşçasına, sıradan bir konuşmayı dinler gibi dinliyordu. Yüzünde herhangi bir onaylama, reddetme ifadesi yoktu. Mavi gözleri, bir yılan soğukluğu ile kalabalığın üzerinde geziniyordu. Masadaki El Rahva Şeyhi Mutahhar'ın dikkati bir an Eşref'in üzerinde yoğunlaştı, ama onu bu kıyafetler içinde tanıması mümkün değildi.

Musa sözünü tutmuş, adama başka meselelerden bahsetmemişti. Ayağa kalktığında Eşref'in yakınlarında olduğunu görünce, yüzünde bir korku belirdi. Ancak kısa sürede kendini toparlayarak korkusunu bastırdı. Eşref, arkası dönük olarak yavaş hareketlerle uzaklaşmaya başladı. Hareketlerinde bir uyum ve sükûnet vardı. Böyle olmasına özellikle dikkat ediyordu. Lawrence, hurmalığı terk edene kadar Musa'yı gözleriyle takip etti. Önünde duran demir maşrapadaki keçi sütünden birkaç yudum aldıktan sonra, yılan soğukluğu veren bakışlarını kalabalığın üzerine çevirdi.

Gözleri kalabalığın arasında iri cüsseli bir şeyhin üzerinde durunca, ilgisiz görünen bakışlarla adamı bir süre süzdü. Bu şeyh, hafızasında herhangi bir çağrışım yapmıyordu. Yanında oturan Şeyh Mutahhar'a eğilerek öylesine söyler gibi adamın kim olduğunu sordu. Mutahhar'ın yüz ifadesinden, onun da bu şeyhin kim olduğunu bilmediğini anladı. Adamlarından birine şeyhin kimliğini öğrenmesini işaret etti.

Masadan kalkan adam, eline bir maşrapa alarak Eşref'e doğru ilerledi. Eşref, dikkat çektiğinin farkındaydı. Herkesçe bilinen bir âdet yerine getirilecekti. Keçi sütünü uzatan adama kendini tanıttı:

– Maskat'ın Ravsağ bölgesinden Şeyh Abdullah.

Adamın uzattığı maşrapayı alıp sütü içti:

– Şeyh Abdullah bu ikramınız için size teşekkür eder.

Kısa bir sohbetten sonra, adam Eşref'in yanından ayrılıp masasına döndü. Konuşmada geçen Maskat kelimesini duyan meraklı bakışlar, Eşref'in üzerinde toplanmaya başlamıştı. Eşref'in kıyafetiyle çelişmeyen kusursuz şivesi kimsede şüphe uyandırmamıştı.

Kalabalıktan biri merakla sordu:

– Sizin geldiğiniz bölge tam olarak nerededir?

Eşref bu garip sorunun cehaletten mi yoksa maksatlı mı sorulduğunu bir an anlayamadı. Yüzünde ince bir tebessümle adama döndü:

– Benim topraklarım, bu büyük yarımadanın en uç noktasındadır. Hürmüz Boğazı'nı geçtiğinizde benim topraklarıma gelirsiniz. Körfezi bir uçtan bir uca görürsünüz.

– Burada ne maksatla bulunuyorsunuz?

– Ticaretle uğraşırım, gezmeyi çok severim. Dünya nimetlerinden istifade etmeyi severim.

Eşref konuşmayı uzatarak Lawrence'ın dikkatini çekmeye çalışıyordu. Lawrence umursamaz bir tarzda Eşref'in şivesini inceliyor, küçük ayrıntılara odaklanıyordu. Merak içinde Eşref'in etrafında toplanan insanlara, bu soğuk bakışlı adam da katılmıştı. Konuşanların sözünü kesmeden, bir fırsatını bularak Eşref'e Hicaz lehçesiyle ilk sorusunu sordu:

– Sizin geldiğiniz bölge, Sabah el Türkî'nin nüfus mıntıkasında mıdır?

Eşref yan tarafından kendisine soru soran adama döndüğünde, onun soğuk mavi gözleriyle karşılaştı. Gözlerindeki sevecenliği ve yüzündeki ince tebessümü bozmadan Lawrence'ın gözlerinin içine baktı. Bu gözlerde şüphe vardı. Eşref duruşundaki doğallığı hiç bozmadan Lawrence'a doğru birkaç adım attı. Yüzünde, kendine güvenen insanların doğallığı vardı. Gözlerini, adamın mavi gözlerden ayırmadan konuştu:

– Çok şükür ki, benim vaham, bu adamın develerinin geçtiği yerlerden çok uzaktadır. Çok şükür ki biz ondan çok uzaklardayız.

Son cümle ağzından çıkarken sağ eliyle yakasını tutup silkeledi. Lawrence önüne eğdiği başını yavaşça kaldırarak elindeki maşrapadan bir yudum aldı ve sakin bir ses tonuyla tekrar sordu:

– El Türkî'den bu kadar nefret etmenizin sebebi nedir?

– İsmi Türkleri hatırlatıyor da ondan.

Lawrence'ın soğuk bakışları bir anda çözüldü. Kuru yüzünü ince bir tebessüm kapladı. Eşref'i masasına davet etti. Masadaki konuşmalarda da sürekli dinleyen ve gözleyen bir hali vardı.

Çereş Harabeleri'nde gördükleri Eşref'i derinden sarsmıştı. Arkadaşlarıyla vedalaşıp İstanbul'a dönmek için ayrıldığında, çölün yedi yıl önce bıraktığı gibi olmaması içindeki korkuları daha da arttırdı. İstanbul'a varınca vakit kaybetmeden Enver'le buluşup raporunu sundu. Enver Paşa bütün mesaisini yaklaşmakta olan harbe harcıyordu. Eşref'e yeni görevini tevdi ederken, sabahlara kadar çalışmanın verdiği yorgunluk bütün vücuduna yansımıştı. Eşref'ten, Selim Sami'nin hazırlıklarını bitirdiği beş kişilik ihtilal hücresinin yardımıyla, Hindistan üzerinden Pamir Yaylası'nı aşarak, Doğu Türkistan'da Ruslara karşı büyük bir isyan çıkarmasını istiyordu. Lawrence'ı takip etmek için Eczacı Nejat Bey, Müze-yi Hümayun görevlisi olarak yola çıktı.

\*\*\*

Eşref, kafileyi Maskat'a kadar götürmüştü ki Enver'in çağrısı üzerine kafilenin sorumluluğunu kardeşi Hacı Sami'ye vererek İstanbul'a döndü. Beklenen Dünya Savaşı başlamıştı.

# IV

Eşref'in yeni görevi, din adamlarından oluşan bir Nasihat Heyeti'yle çölün derinliklerine seyahat edip "Cihad-ı Ekber" fetvasını insanlara anlatmaktı...

Uzun bir tren yolculuğundan sonra Kudüs'e varan Nasihat Heyeti, Cemal Paşa ile görüşmelerini bitirip tekrar yola çıktı. Yol boyu, Mehmet Akif'in dikkati Musa'nın üzerindeydi. Deve üzerinde Eşref'le ilerlerken, merak ettiği bütün soruların cevabını alacağını düşündü:

– Eşref Beyefendi!

– Buyurun üstadım.

– Musa ile ne zamandan beri berabersiniz?

– Efendim, ilk karşılaşmamız Saih el Tunusi ve Şeyh Sünusi ile beraber Trablus'ta küçük bir kuvvetle İtalyanlara karşı savaşırken oldu.

Saih el Tunusi'nin gözleri dolmuştu:

– Ah Eşref Bey, ne günlerdi o günler! Ne kadar da güzeldi... Biz büyük bir ümitsizlik içinde iken Enver Paşa yetişmeseydi...

Eşref de o günleri hatırlayarak hislenmişti:

– Boynu bükük bırakmak zorunda kaldık Trablus'u. Balkan bozgunun olduğu günlere denk geliyordu. Benim fedakâr Musam... O günden beri yanımda. Büyük bir sadakatle hizmet ediyor.

– Ah Muhterem Efendim, nasıl kahramanlıklar yaşandı o günlerde... Bu gözler Trablus'ta gösterilen kahramanlıkları gördükten sonra ölse de gam yemez.

– Büyük başarılar elde ettik ama siyaset işte... Elimizde olan, sımsıkı tuttuğumuz her şey un ufak oldu. Musa, Balkanlarda da yanımdaydı. Bir adım dahi olsa peşimden ayrılmadı. Çok geceler uyandığımda çadırın önünde iki büklüm beklerken bulurdum onu. Orada da kazandığımız büyük zaferler siyaset masasında kaybedildi. Kahraman arkadaşlarıma, başıboş çekirge sürüleri diye hitap edenler çıktı. Zaferlerimiz neticesinde orada Enver Paşa'nın izniyle bir devlet kurduk. Süleyman Askeri Bey başa geçti. Koltuk altında çıkan bir çıbana benzettiler bizi... Tomanbay çıbanına... Büyük yaralar içinde İstanbul'a döndük. O günlerde çok meyus idim. Hatırlarsanız, sizinle de ilk olarak Haydarpaşa'da o yaralı arkadaşlarıma baktığım hastanede karşılaşmıştık.

Mehmet Akif başını eğerek tasdik etti. Eşref konuşmasını sürdürdü:

– Aslında kendim de yaralıydım ama fedakâr arkadaşlarımın heba olan emeklerine üzülüyordum. Bu acı, yaralarımdan çok canımı yakıyordu. Balkanlardaki halk, bize ailelerinden biri gibi sahip çıktı. Edirne'ye girerken başımız dikti ama oradan ayrılırken hiç kimsenin yüzüne bakamıyorduk. Sonra çöllerde gezen ajanların peşine düştüm. İnanır mısınız, bu ajanların dünyası öyle bir dünyadır ki kim ne için çalışır, belli olmaz. Binlerce fedakâr arkadaşımız çölün derinliklerinde gezinip, aşiret reislerinden sadık kalacaklarına dair söz alıyordu; fakat onlar gibi gezinen İngiliz ajanları, aynı adamları çeşitli vahalarda toplayıp altın karşılığında isyan sözü verdiriyordu. Arkadaşlarımız, İmparatorluğun dört bir yanında, adeta unutulmuş ve kaybolmuş bir şekilde çalışıyorlar, ama yıkımın önüne nasıl geçileceği belli değil.

Tebessüm eden Mehmet Akif, sakin bir ses tonuyla konuşmaya başladı:

– Eşref Beyciğim, yeis bir bataktır. Sizin gibi vatanına hizmet eden insanlar her zaman olmalıdır. Başımıza nasıl felaketler gelirse gelsin... Kudret eli daima üzerimizde olacaktır.

– Aman efendim, estağfurullah... Siz ve Saih el Tunusi üstadımız bu yaşınıza rağmen bu kadar meşakkatli yolculuğu göze alıp geldikten sonra...

– Öyle değil Eşref Bey, öyle değil... Peki sonra?

– Sonra üstadım, çölün derinliklerinde hainlerle dostları ayırmak için koşturduk durduk. Birçok arkadaşımız Arap milliyetçiliği akımlarına kapıldı, bir kısmı da para karşılığı satın alındı.

– İhanet edenler?

– Elimizin yetiştiklerine çölün derinliklerinde cezalarını verdik ama... İnsan sonunda acizdir... Birçoğu, bugünkü yolculuğumuza sebep olan işlere bulaştı. Neyse... Sonra Enver Paşa, özel bir birlikle beni Türkistan'a geçip Ruslara karşı büyük bir isyan çıkarmakla görevlendirdi. Biz yoldayken "Büyük Harp" başlamıştı. Ben o sıralarda Maskat'ta bulunuyordum. Beş kişilik grubu kardeşim Sami'ye emanet edip geri döndüm.

Son cümleyi söylerken sesi elinde olmadan çatallandı:

– Belki de...

– İnşallah muvaffak olurlar Eşref Bey.

– İnşallah üstadım, inşallah... Maskat'ta kahraman arkadaşlarımız var. El Türkî de onlardan biridir. Bir gece, basit motorlu, küçük bir kayıkla beni kıyılardan kaçırdılar. Büyük zorluklar içinde İstanbul'a döndüm. İstanbul toz duman... Arkadaşların her biri bir yere, üzerlerine aldıkları sorumlulukları yerine getirmek için koştu. Bu harp, tam bir ateşten gömlek... Kafkaslarda, Kanal cephesinde, Trablus'ta genç çocuklar canları pahasına savaşıyorlar. Ben yıllarımı bu çöllerde geçirdim. Ömründe çöl görmemiş çocuklar, her türlü zorluğa katlanarak büyük yararlılıklar gösteriyorlar.

Saih el Tunusi:

– Haklısınız Eşref Bey. Şu an her yanımız ateş çemberi... Bu yokluk... Bu sıkıntılar... Allah ümmetin yardımcısı olsun. Biz sanırım bütün zorlukların üstesinden geliriz, ama ümmet içindeki bu ayrılık... Korkarım sonu... Telaffuz etmeye bile dilim varmıyor. Sanki ağzımdan çıksa, Allah beni ebedî azaba mahkûm edecekmiş gibi geliyor.

Mehmet Akif:

– Evet, ümmetin delalet üzere olması gazabın sebebidir. Allah korusun...

Kafile uzun bir süre sessiz yürüdü. Saih el Tunusi bir şeyler söylemek zorunda hissetmiş gibi cevabını çok iyi bildiği bir soru sordu:

– Eşref Bey, Süleyman Askeri Bey şu anda nerede?

– Efendi hazretleri, Süleyman Askeri Bey şu anda Irak cephesinde büyük bir hareketi yönetiyor. Kendisiyle en son Enver Bey'in odasında yaptığımız bir toplantıda görüştük. Biz genelde bir yere giderken döneceğimizi düşünür, vedalaşmayız. Sadece "Allahaısmarladık" deriz. Gariptir, bu kez beni kucakladı, hakkımı helal etmemi istedi. Allah onu da diğer askerlerimizi de, bizi de muvaffak kılsın.

– Âmin... Âmin...

Mehmet Akif konuyu değiştirmek istedi:

– Bilir misiniz Eşref Bey, ben Kudüs'ü ilk defa gördüm.

Sonra cevap beklemeden devam etti:

– Aslında sadece Kudüs'ü değil, şarkı ilk kez bu kadar iliklerine girerek görüyorum. İtiraf etmem gerekirse büyük bir hayal kırıklığı yaşadım. Bu yokluk... Çaresizlik...

Gözleri mazinin derin derelerinden bir hikmet pırıltısı arar gibi uzun uzun boşluğa baktı:

– Ne gördün diye sorarlarsa ne cevap vereceğimi bile tam bilemiyorum... Başsız ümmetler... Harap diyarlar... Firdi ferda bilmez yeldalar... Tegallüpler... Mezelletler... Bin türlü iftila... Bin türlü cefalar...

Musa kafilenin önüne yaklaştı:

– Ya Bek, güneş batmaya yaklaşıyor. Kamp yeri için...

– Uygun kamp yerine sen karar ver Musa Ağa.

Kafile yarım saat daha yol aldıktan sonra develer ıhtırıldı. İnce kıl çadırlar kuruldu. Yemek yendikten sonra harareti alması için peksimet yendi, çay içildi. Üzerine çöken rehaveti dağıtmak için kısa bir gezintiye çıkan Eşref, fazla vakit kaybetmeden çadıra döndü. Saih el Tunusi ile Mehmet Akif'i İslamî meseleleri tetkik ederken buldu. Aralarındaki fikir ayrılıkları bariz bir şekilde belli olmasına rağmen birbirlerine karşı çok saygılı konuşuyorlardı. Şeyh Tunusi, Mehmet Akif'ten fazlasıyla etkilenmişti. Eşref fazla bilgi sahibi olmadığı fıkıh konularındaki konuşmaları sessizce dinliyordu. Bir an arkasında Musa'nın derin derin nefes aldığını hissetti. Dönüp baktığında Musa'nın pür dikkat konuşulanları dinlediğini gördü. Ancak Eşref ayağına yumruğuyla bastırdığında kendine gelebilen Musa, beyine bir şeyler söylemek için eğilerek fısıldadı:

– Ya Bek, ben bu iki büyük zatın konuşmalarından hiçbir şey anlamadım.

– Doğrusunu söylemek gerekirse ben de bir şey anlamadım.

– Ama güzel ve doğru konuşuyorlar.

– Anlamadıysan güzel ve doğru konuştuklarını neye dayanarak söylüyorsun?

– Kavga etmiyorlar ya Bek. Konuşuyorlar.

Eşref Bey'in tebessüm eden yüzüne Musa da tebessüm ederek karşılık verdi.

\*\*\*

Gaz lambasının sönük ışığı karanlığın rengine boyanırken, kafile derin bir uykuya daldı. Sabahın ilk ışıkları ile Eşref heyecanla uyandı. El alışkanlığıyla belindeki silahı yokladı. Çekilen peşrevler arasında Mehmet Akif'in Musa ile güreş tutmaya çalıştığını görünce öylece bakakaldı. Musa, hamle üstüne hamle yapan Mehmet Akif'e karşı savunma durumundaydı. İri siyah cüssesi, hafif terlediği için yağlanmış gibi görünüyordu. Şeyh Tunusi adaletli davranmaya çalışarak hakemlik vazifesini yerine getiriyordu. Pehlivanlar sarılıp birbirini tebrik ettikten sonra, Mehmet Akif ile Şeyh Tunusi kıl çadıra geldiler. Musa ise izci ve refakatçi bedevilerin kaldığı çadıra kahvaltı hazırlamak için gitti. Enver Bey'in Başyaveri Mümtaz Bey de Eşref'in yanında, olanları hayret dolu bakışlarla izliyordu. Mehmet Akif ter içinde, soluk soluğa idi:

– Eşref Bey, emirberin Musa sadece savaşçı değil, aynı zamanda yaman bir pehlivan. Bana duyduğu saygıdan hep savunmada kaldı ama bir hareket yapsa kemiklerim yer değiştirirdi herhalde.

– Üstadım, sizin Musa ile güreşe teşebbüsünüz bile büyük bir cesaret.

– Allah ömrünü uzun kılsın... Allah'ın ne garip kulları var... Böylesi yiğit cihanda az bulunur.

– Üstadım, Trakya'da mücadele verdiğimiz günlerde Musa, Selamet isminde bir ata binmeye çalışıyordu. Hayvan, talim yapan askerlerin seslerinden ürkünce Musa'nın kolunu ısırdı. Musa, kolunu kurtarmak için can havliyle hayvanın şakağına bir tokat attı. Hayvan oracıkta yığıldı kaldı. Musa gibi güçlü bir adama ben daha tesadüf etmedim... Hayvanın ölümü gözyaşlarına boğdu Musa'yı. O kadar da yufka yüreklidir.

Mümtaz Bey:

– Sizi de çok seviyor Eşref Bey.

Şeyh Tunusi:

– Babası gibi... Bunu Trablus'ta defalarca duydum.

Eşref:

– Sağolsun.

Mehmet Akif:

– Nerelidir?

– Dedeleri Sudanlı ama babası Girit'e yerleşmiş. Musa da Girit'te doğmuş. Tosun Paşa'nın hizmetindeyken Trablus'a gönüllü olarak geldi. O gün bugündür beraberiz. En son Kanal cephesine beraber gittik. Kanal'dan geçen İngiliz gemileri için elde molotof hazırlar, suya bırakırdık. Nasıl paniklerlerdi bir görmeliydiniz. İngilizleri çok uğraştırdık Kanal'da. Musa'nın namı bizim bile önümüze geçmişti.

\*\*\*

Kafile uzun yolculuklar yaptı. Uzun geçen gecelerin birinde, çadırda konuk ettikleri bir ajan, bir hikâye anlatmak istediğini söylediğinde bütün dikkatleri üzerinde toplamayı başarmıştı. Bu aslında Eşref'in de arzusu ve teşviki ile olmuştu.

– Kavganın asıl nedeni toprağın altında uyuyan bir güç, siyah bir madde... Petrol... İngiltere'nin denizlere hâkim olduğu bir devir vardır, Kraliçe Victoria devri... Bu dönemde alınan topraklarda sömürgeler kurdular. Dünyanın bütün zenginliklerini İngiltere'ye taşıdılar. Sömürgelerden gelen kazancın tadına varan İngiltere, o günden sonra önüne çıkan hiçbir fırsatı kaçırmadı. Hatta o imtiyazı elde etmek için, akla gelmeyecek oyunlara başvurmaktan da geri kalmadı.

Petrol, ilk bulunduğu günlerde küçük şişeler içinde Amerika'ya gönderiliyor, romatizma ilacı olarak kullanılıyordu. Yani kimse, o günlerde bu maddenin gerçek gücünün farkında değildi. Yüzyılın başında Amerikalılarla İngilizler, petrol piyasasında karşı karşıya geldiler. Bu savaş, kurulan büyük şirketler aracılığıyla yürütülüyordu ama ne bu şirketler devletlerinden bağımsızdı, ne de devletler şirketlerden... Aralarında anlaşılması çok zor bir bağ vardı. Kavga Çin pazarından sonra Ortadoğu'ya taşındı. Osmanlı toprakları ile Fars toprakları yeni savaş alanıydı. İran petrollerinin elden çıkmasıyla ilgili bir hikâye anlatırlar. Bu hikâye çok manidardır, hatta diyebilirim ki oynanan bütün oyunlar bu hikâyeye çok benzemektedir. İran, o dönemde büyük devletlerin hepsinin iştahını kabartıyordu fakat Şah Nasurittin ve Veziriazam Esfer, her yönüyle kollarını Ruslara kaptırmışlardı. Öyle ki ordunun askerî eğitimini bile bir Rus albay vermekteydi.

İngiltere bu durumu değiştirmek için, William Kont D'arcy adında Kanadalı bir mühendisi İran'a gönderdi. Kont D'arcy, kafasını Ateş Melikesi Hürmüz ile bozmuş bir adamdı... O Ateş Melikesinin gücünü petrolden aldığını düşünüyordu. İran'ın her yerinde bıkmadan usanmadan petrol aradı ama bulamadı. Uzun süren bu çalışmalardan ümidini kesen İngiliz bankerler, Kont D'arcy'den desteklerini çektiler. Ancak Rusya'nın hâkim tavrından rahatsız olan İngiltere, Entelijyans Servis ajanlarını bu topraklara gönderdi.

Bölgedeki aydın zümre ve bazı din adamları, İngilizlerden aldıkları altın mukabili koyu bir muhalefete başladılar. Baskıdan bunalan Şah ve Vezir, yaklaşmakta olan ellinci cülus şenlikleri için abartılı eğlenceler düzenlediler. 1884 yılının Mayıs ayı Şeyh Nasurittin'in ellinci cülusuna denk gelir... Büyük gösterilerin tertip edildiği gün Şah, Molla Rıza adında biri tarafından camiden çıkarken öldürüldü. Bu, İran'da petrol için işlenen ilk cinayetti. Rus Albay Liyakof karışıklıkları bastırmak için başkente davet edildi. Kan seylâplar gibi sokaklarda akmaya başladı çünkü Rus albay insanlıktan zerre kadar nasip almamıştı. Vezirin de gayretleriyle, tahta yeni varis Muzafferuddin oturdu. Nasurittin'in suikastı yeni şahı öylesine korkuttu ki, Muzafferuddin Ruslara direnmeyi aklından bile geçirmedi. Kont D'arcy ile yeni Şah Muzafferuddin'in dostluğu bu devrede başladı.

Kont D'arcy, mühendis olarak uzun yıllar İran'da kaldı ve sarayda verdiği teknik müşavirlik hizmetlerinden hatırı sayılır bir servet elde etti. İlerleyen günlerde Kuzistan bölgesinde petrol bulunduğu haberi başkente ulaştı. Şah olayı tetkik etme işini Kont D'arcy'e verdi. Ömrünün sonuna gelmiş bu yaşlı adam, son bir iş yapıp köşesine çekilmek istiyordu. Vazifesini yapıp raporları sunduğu vakit, bu arzusunu Şah'a açtı ve olumlu cevap aldı. Şah, yıllarca hizmetinde çalışan yaşlı adama ihsanda bulunacaktı. Ona ne istediğini sorduğunda, Kont D'arcy garip isteğini biraz da çekinerek söyledi. "İran'da toprak altı ve üstü araştırmaları için yetki istiyorum efendim." Şah, bu imtiyazı altmış yıllığına Kont D'arcy'e verdiğine dair bir ferman yazdı. Yıl 1901.

Kont D'arcy, ferman cebinde, ülkesine gitmek için yola çıktı. Kahire'de fermanı önce çalma, sonra da satın alma teşebbüsünde bulunanlar olduysa da D'arcy bunlara izin vermedi. Onu en çok şaşırtan şey, fermandan Şah ve kendisinden başka kimsenin haberinin olmamasıydı. Ancak yıllar önce, petrol aramaları için ona bir servet veren İngilizler, Kont'u unutmamışlardı.

Kont artık Londra'ya gidecekti. Geminin gecikmesi üzerine gezintiye çıkan Kont D'arcy'nin arabasına bomba attılar ama ölmedi. Bu hadise, onu çok sarstı. Bindiği gemide kendini ibadete verdi. Yan kamarasında Anglikan Kilisesi'ne mensup bir rahip vardı. Yolculuk boyunca rahiple aralarındaki ilişki dostluk sınırlarını aştı.

Kont D'arcy, bir gün içinde büyük korkular meydana getiren büyük sırrını, kendisini Tanrı yoluna adamış bu adama açtı. Uğruna ölümden döndüğü ve altmış milyon sterlini reddettiği vesikayı, kilisenin misyonerlik faaliyetlerinde kullanması için rahibe verdi. Kendisini büyük bir huzura kavuşmuş hissediyordu. Genç rahip, yaşlı mühendisin bütün günahlarından arınma arzusunu reddetmedi ve onu takdis etti. Yaptıkları anlaşma gereği, yolculuk biterken beraber Anglikan Kilisesi'ne gidecek ve vesikayı vereceklerdi.

Kont D'arcy, yolculuk bitiminde rıhtımda genç rahibi aradı... Ama bulamadı. Rahip aslında Enteljiyans Servis'in en çok güvendiği elemanlardan biri, Yahudi asıllı bir İngiliz ajanı olan Sidney Reyi idi.

Hikâye burada biter mi dersiniz! Hayır... Daha üzerinde oyunlar oynanacak yüzlerce yer var... Bizler, onların yıktıkları yerleri yapmak için koşturuyoruz ama fitne öyle bir şeydir ki onu uyandırdınız mı bir daha önünü alamazsınız. Bu topraklarda peşinden koşmaya değer zenginlikler bir gün tükenirse, buralardan ilk ayrılanlar yine onlar olacak. Fakat bunu kime anlatabilirsiniz? İnsanların iştahları kabartılmış... Gururları okşanmış... Bizleri nasıl günlerin beklediğini bilemiyorum, tahmin bile edemiyorum...*

Hikâye Şeyh Tunusi'nin tahminlerinin de ötesinde ilgi çekiciydi. O gece başını yastığa koyan, herkes bu hikâyeyi düşünerek uykuya daldı.

Kafile gündüz yol alıyor, geceleri kamp kuruyordu. Çölde yolculuk bazı kurallara bağlıydı ve kafile bu kurallara harfiyen uyuyordu. Eşref, çölde eski şöhretiyle geziniyordu... Yolculuklarında her kabile sınırında yâren dedikleri kişiler onlara eşlik ediyor, bir sonraki kabile sınırında başka bir yârene teslim ediyordu. Her çadırda büyük kalabalıklar toplanıyor, babalarından dinledikleri hikâyeleri merak eden gençler, Uçan Şeyh'i görmeye geliyorlardı. Eşref, birçok çadırda, yıllar önce Abdülhamid'e karşı mücadele ederken beraber dağa çıktığı arkadaşlarına rastladı. Bedeviler Uçan Şeyh'e abartılı ikramlarda bulunuyor, kabile sınırını çıkana kadar kafileye eşlik ediyorlardı.

\*\*\*

Eşref, Enver Bey'den gelen gizli bir telgraf üzerine, önce Şerif Hüseyin ve oğulları ile görüşmeye gitti. Şerif ile görüşmelerde heyetin ortak kanaati, isyan hazırlıklarının kesin ve döndürülmez olduğuydu. Mekke'den trenle ayrılıp Bir-i Nasip İstasyonu'na geldiler. İstanbul ile irtibat kurduklarında iki farklı telgraf aldılar. Mehmet Akif'in bir oğlu olmuş, adını Tahir koymuşlardı. İkinci haber, kafilenin üzerine kara bir bulut gibi çöktü. Eşref Bey'in yüreğine, küçük oğlu Sencar'ın vefat haberi düştü. Mehmet Akif, çocuğunun olmasına dahi sevinemedi. İbn-i Suud'u ziyaret ettik-

* Raif Karadağ, *Petrol Fırtınası*, Divan Yayınları, 1991, İstanbul, s: 36-44

ten sonra, Hail kasabasına, İbn-i Reşid'in karargâhına geldiklerinde bedeviler tarafından sevinç gösterileri ile karşılandılar. Dağıttıkları hediyelerle çöl insanlarının gönüllerini aldılar. İbn-i Reşid sadakatini bildirdi ve Şerif Hüseyin'e karşı koymak için silah istedi. Eşref Bey ve Mehmet Akif'e de iki altın kılıç hediye etti.

Hail'den ayrıldıktan sonra, kafile çölün gerçek yüzüyle karşılaştı. Yanlarında İbn-i Reşid'in en kabiliyetli kılavuzları olmasına rağmen, ilk konak yerine varmadan yolu kaybettiler. Sıcaklığın yetmiş dereceyi bulduğu çölün ortasında çaresizce dönüyorlardı. Sığındıkları tepecikler, büyük bir kasırganın önünde birkaç saatte yer değiştiriyor, küçük kum kristalleri nefes almaya izin vermiyordu. Kafiledekiler birbirlerine sokulmuş, kasırganın dinmesi için dua ediyorlardı. Hecinler çömelmiş oldukları için, vücutlarının yarıdan fazlası kum deryasına gömülmüştü. Kumun sıcaklığı dayanılacak gibi değildi. Nefes almakta zorlanıyorlardı.

Eşref arkadaşlarının kum deryasına gömülmekte olduklarını fark edince, gideceği istikameti bilmeden hareket emri verdi. Kafile, nereye gittiğini bilmeden, önde giden Eşref Bey'e tutunmuş ilerliyordu. Eşref, arkadaşlarını fırtınanın karşısında direnmeye çalışan bir kum tepesinin gölgeliğine bırakarak, izcilerle tepeye tırmandı. Rüzgâr birbirine tutunan izcileri uçuracak gibi esiyordu. Eşref, pusulasını tepenin üzerine koydu. Uzaklardan gördüğü demiryolunu işaret ederek;

– Demiryolu güneye doğru uzanıyor, dedi.

Reşit El Huteymi:

– O halde batıya ilerlersek...

Eşref:

– Doğru... En yakın istasyonu buluruz.

– El Muazzam İstasyonu... Oraya ulaşabilirsek...

Eşref dikkatle etrafa bakınırken, bir yandan da gözlerini fırtınanın getirdiği kum tanelerinden korumaya çalışıyordu. Gözüne çarpan kuş sürüsünden emin olmak için elini uzattı:

– O gördüklerim çöl kuşları mıdır?

Mehmet El Müşeylih:

– Allah Alim... Allah Alim... Kurtulduk ya Bek... Kurtulduk. Bunlar çöl kuşlarıdır.

Eşref:

– Bu kuşlar su kuyularına dalıyor...

Bedeviler sevinçle birbirlerine sarıldılar.

Reşit El Huteymi;

–Barekallah... Tebarekallah... Burası Galban kuyusudur...

Suyun başına vardıklarında, yaşlı bir kadının ağlayarak kendilerine doğru koştuğunu gördüler.

El Muazzam İstasyonu'na ulaştıklarında telgraf başına geçen Eşref, saatler sonra Enver Paşa'yı telgrafın başına getirtmeye muvaffak oldu. Manyetonun başında aldığı haberin sevinci yüzüne yansıyordu. Yanında onu izleyen Mehmet Akif, önemli bir şey olduğunu anlamış, konuşmanın bitmesini bekliyordu.

Heyecanla bekleyen Mehmet Akif'e dönen Eşref, gözyaşlarına hâkim olamadan konuşuyordu:

– Müjde üstadım! Mehmetçik Çanakkale'de zafer elde etmiş!

Zorluklarla biten yolculuğun yerini sevinç gözyaşları almıştı. Akif sevincinden sabaha kadar uyuyamamış, istasyonun arkasındaki hurmalıkta gözyaşları içinde gece yarısına kadar ibadet etmişti. Eşref de, El Muazzam İstasyonu'nun bekleme salonunda bir direğin dibine çökmüş, sabaha kadar öylece dua etmişti. Musa hemen yanı başındaydı... Sabah ezanından hemen sonra, zorlukla yürüyerek gelen Mehmet Akif elindeki kâğıdı Eşref'e uzattı.

Kâğıtta Çanakkale şehitleri için yazdığı destan vardı...

# SEKİZİNCİ DEFTER

## Bir Ülkeyi Sevmenin En Bilinen Karşılığı

# I

Eşref, Ortaköy sırtlarında, Boğaz'ı ayaklarının altına alan köşkün kapısına geldiğinde, üzerine tekrar çekidüzen verme lüzumu duydu. Kabul salonunda beklerken uygulanan protokol kuralları, gerginliğini arttırdı. Tam alışamasa da Enver, artık eski günlerdeki adam değil, Osmanlı Devleti'nin Harbiye Nazırı'ydı. Kabul salonundaki bekleyişi fazla sürmedi. Merdivende beliren Enver, tüm içtenliği ile karşıladı Eşref'i:

– Hoş geldiniz Eşref Bey.

– Hoş bulduk Paşam.

– Nasılsınız?

– Ömrünüze duacıyız Paşam.

– Başınız sağolsun Eşref Bey... Küçük Sencar'ın vefatı hepimizi üzdü.

– Sağolun Paşam... Takdir-i ilahi... Mevla cennetinde misafir etsin...

– Nasılsınız? Arkadaşlarımız afiyetteler inşallah.

– Hepimiz ömrünüze duacıyız Paşam.

– Nasıl geçti yolculuğunuz?

– Zorluydu, alnımızın akıyla tamamladık vazifemizi ama ne-
ticeleri itibariyle ele alırsak, çok da iyi değil Paşam... Fitne uyan-
mış, önü alınmaz bir seylâp olma yolundadır.

– Biliyorum Eşref Bey... Allah'ın laneti fitneyi, ayrılık tohum-
larını ekenlerin üzerinde olsun... Sizi erken çağırmamın asıl ne-
deni de bu... Aaah Eşref Bey duymuşsunuzdur...

– Duydum efendim... Kardeşim gibi bildiğim Süleyman
Askeri'nin şahadet haberini aldığımda elim ayağım kesildi, ne
yapacağımı bilemedim... Büyük bir kahramandı... Tarih huzu-
runda şahidim buna... Allah, makamını cennet eylesin...

Sakin adımlarla yürüyen Enver, sarı bir dosyanın arasından
çıkardığı mecmuayı Eşref'e uzattı:

– Bu son fotoğrafı...

Eşref, sarı yaprağa basılmış mecmuaya basılı fotoğrafa uzun
uzun baktı. Süleyman Askeri, üzerinde albay üniformasıyla sed-
yede oturur vaziyette duruyordu. Bıyıklarının uçları yukarı kal-
kıktı. Yüzüne, çaresizliği kabullenemeyen insanların taşıdığı bir
hüzün hâkimdi.

– Bu nüshayı sizin için ayırmıştım.

– Sağolun Paşam... Gayrinizamî harbin büyük neticeler ve-
receğine içimizde en çok inanan o idi... Müthiş bir gayrinizamî
harp ustasıydı... Teşkilat-ı Mahsusa'nın liderliğini gerçekten hak
eden ve vazifesini onurla yapan bir arkadaşımızdı... Benim ha-
yatımdaki yeri ise çok farklı Paşam. Bu hatırayı, ömrüm yettikçe
muhafaza edeceğim.

– Acıların sonu yok Eşref Bey... Hatırlarsanız iki yıl öncey-
di. Bir toplantıda Yemen'deki İmam Yahya Ayaklanması'ndan
bahsetmiştik. Korkularımız maalesef gerçek oldu Eşref Bey...
Ahmet İzzet Paşa, isyan nedeniyle zor günler yaşıyor. Mekke
Şerifi'nin isyanı da iyice elimizi kolumuzu bağladı. İsyan nede-
niyle, Yemen'deki ordumuzla bağlantımız kesildi. İkmal hatları-
mız çöktü. Kabul ederseniz sizi yine büyük bir vazife bekliyor.

– Başımla beraber Paşam.

– Nasıl gitmeyi düşünüyorsunuz Eşref Bey?

– En kısa yol deniz tariki ile olur Paşam. Buradan temin edilecek bir motorbot motorunu orada temin edeceğim bir yelkenliye monte edersek... Bahr-ı Amer'i iyi tanıyan bir kaptan ile gündüzleri durarak, gece ise sahili yakın mesafeden takip ederek gidebiliriz. Bahr-ı Amer'de yol alan vapurların gittiği istikametten uzak durursak güvende oluruz. Medine'den Yanbu veya El Vech'e geçip yerel halkın zambuğ dediği yelkenliye bu motorbotun motorunu yerleştireceğim. Rüzgârlı gecelerde yelkenden de istifade edilebiliriz. Bu yol olmazsa, ikinci seçenek olarak küçük bir gruplar yola çıkarak iki kafile halinde çölün ıssız yerlerinden geçebiliriz.

– Deniz yolu daha güvenli görünüyor Eşref Bey. Korsanlara karşı ne tedbir alınabilir?

– Paşam, bu bölgede eşkıyalık küçük kayıklarla yapılır. Bu fakir insanların tüfekten başka silahları olmaz. Makineli tüfeği yelkenliye yerleştirdikten sonra sorun kalmaz. Makineli tüfek atışına karşı koyacak bir kayık yoktur.

– Ne kadar zamanda vazifenizi ifaya muvaffak olursunuz?

– Medine'den sonra iki üç ay.

– Erzak sorununu nasıl halledersiniz?

– Her on beş günde bir erzak tedarikinde bulunabiliriz. Biraz para harcarsak bedevilerden elde edemeyeceğimiz hiçbir şey yoktur. Yalnız sizden bir ricam olacak Paşam. Bazı yerlerde rahat hareket edebilmek için resmî görevli evraklarım olursa, ordumuza ait imkânları kullanmakta zorlanmayız.

– Yarın Harbiye Nezareti'ne uğrarsanız, istediğiniz bütün resmî evraklar size verilecektir. Allah muvaffak etsin Eşref Bey. Siz şimdi tedariklere ağırlık verin. Zaman bizim için çok önemli.

\*\*\*

Eşref sonraki günlerde hızlı çalıştı, hareket planlarını teferruatlarına dikkat ederek hazırladı. Musa'nın da içinde olduğu sekiz kişilik bir grupla yola çıktı. İzmir'e geçti. Aylardan beri aklını meşgul eden, Salihli'deki çiftliğe silah depolama işini de halletti. On üç kişilik ikinci grupla İzmir'den hareket etti. Mamaka Mustafa da yanındaydı. Karahisar, Halep ve Şam'da verdiği birkaç günlük molalardan sonra Medine'ye ulaştı. Fahrettin Paşa, insanüstü bir gayretle Medine'yi savunuyordu. Eşref Bey'in vazifesinin önemini iyi bildiği için, ona elinden gelen her türlü yardımı yaptı.

Eşref Medine'de, tedarik ettiği eşyaların gelmesini beklemeye başladı. Motorun konulduğu vagon, Konya'da trenden ayrılıp orada bırakıldı. Durumun Pozantı'da fark edilmesi, birinci planı zora soktuğundan çöl yolu için hazırlıklar başladı. Cemal Paşa'dan gelen bir telgraf üzerine, Eşref Bey uzun bir süre beklemek zorunda kaldı. Fahrettin Paşa ile yaptığı görüşmede de iyi haberler almadı. Mekke Şerifi on beş bin kişilik bir kuvvetle, Medine-Şam yolunu tutmak için yola çıkmıştı. Yeni gelişmeler üzerine, Eşref bütün planlarını değiştirmek zorunda kaldı. Babü'l Arap şeyhlerinden Diyap Ağa'yla çadırında özel bir toplantı yapıp şeyhin fikirlerine başvurdu.

Eşref:

– Efendim, yeni gelişmeler var, bütün planlarımı baştan sona değiştirmek zorunda kaldım. Şerif büyük bir kuvvetle Medine-Şam arasını kapatmak, tren hatlarına zarar vererek bağlantıları koparmak için yola çıkmış. Ya buraya saplanıp kalacağım ya da hemen yola çıkıp ondan önce çölün içinde izimi kaybettireceğim.

– Fahri Paşa ne diyor bu konuda?

– Allah kendisinden razı olsun... Bütün gayretiyle şehri savunmaya çalışıyor. Bana elinin ancak iki konak mesafeye kadar uzanabileceğini söyledi. Bundan fazla bir şey isteyemem kendisinden. İki konak sonra hiçbir güvence yok. Ama ben mukaddes vazifemi yerine getirmek zorunluluğu hissediyorum.

– Cemal Paşa?

– Şimdilik beklememi istiyor. Ama daha fazla beklersem...

– Sen nasıl bir yol izlemek istiyorsun?

– Hemen kafile ile yola çıkıp Uhud Dağı'na doğru yürüyerek orada bir müddet konaklayacağım. Karargâhımı Şeyh bin Nadi Abdullah'a yakın kurup, Ben-i Harp şeyhlerinden para karşılığı yardım alacağım. Benim orada hareketsiz durmam şüpheleri azaltacaktır. Gece yarısı birinci kafileyi gizlice yola çıkardıktan ve onları güvenceye aldıktan sonra, bir süre daha bekleyip birinci kafilenin yol alması için onlara zaman kazandıracağım. Sonra Bir-i Osman vadisinde karargâh kurup Cemal Paşa'nın adamını bekleyecek ve Hayber istikametine yürüyeceğim. Etrafta daima İbn-i Reşid'in yanına gideceğimi söyleyecek ama yolda Süheyl'e dönüp birinci kafileyle orada birleşeceğim. Birinci kafileyi, iki kişi hariç Yemenlilerden seçtim. Hacı kervanı olduğu hissi ağır bassın.

– İki kişi. Ya bunlardan şüphelenirlerse?

– Onu da düşündüm. Rifat Efendi'ye uygun hilatlar giydirerek Şeyh Mezigir'in kayınbiraderi süsü vereceğim. Yusuf Efendi de ailesini görmek için gidiyor olacak. Emirberim Musa Ağa'nın kafile içinde dikkat çekeceğini zannetmiyorum. Aslen Sudanlıdır ama Yemenli bir hizmetkâr olarak rahatlıkla geçiş yapabilir. Kafile Urban tacizinden uzak ilerleyebilir. Hediyelerin* büyük bir kısmını da birinci kafileye emanet edeceğim. Bu grup günlerdir çadırlarından dışarı çıkmıyor, bu civarda fazla da tanınmıyor...

– Peki kafile kimin ismi ile Urban'ın arasından geçecek?

– Fahrettin Paşa ve benim tarafımdan İbn-i Suud'a yazılan kısa nameleri Şeyh Mezigir'e vereceğim. Bizden ayrıldıktan sonra, doğruca Kasime'ye gidecek. Kafileyi güvene alarak burada bırakacak ve yanına aldığı birkaç kişiyle Riyad'a, İbn-i Suud'un yanına gidecek. Geçiş için ondan muvafakat aldıktan sonra Kasime'ye dönüp kafileyi Süheyl'e getirecek ve bir müddet beni orada bekleyecek. Gecikirsem yola çıkacak.

– Eşref Bey! Eğer bu planı uygulayacaksan hemen başla... Başarılı olma ihtimalin yüksek. Allah yardımcın olsun...

---

\*     Hazine yerine kullanılıyor.

# II

Eşref planını hemen uygulamaya başladı. Şeyh Mehmet Mezigir, kafile reisi olarak görevlendirildi. Musa Ağa, hazineden sorumluydu. Eşref Bey, Süheyl'de biraz bekledikten sonra gelmemeleri halinde kafilenin yola devam etmesi emrini Şeyh Mezigir'e, hazineyi Ahmet İzzet Paşa'ya bizzat teslim etmesi hususundaki emrini de Musa Ağa'ya verdi. Birinci kafile yola çıktıktan sonra Eşref, Bir-i Osman Vadisinde İbn-i Suud'un adamını kırk gün bekledi. Cemal Paşa'nın sıcak bakmamasına rağmen yola çıktı. Kafile günlerce vadiler arasından yürüyüp aşamayacağı kadar dik bir vadiye geldiğinde konakladı. Deve yükleri boşaltılarak tepeye taşındı. Eşref sıkıntının da verdiği ruh haliyle sabaha kadar kötü rüyalar gördü. Sabah namazını kafileyle birlikte kıldı. Güneşin ilk ışıkları dağın yamacına ulaştığında etrafı gezen Eşref, Genizeli kılavuz bedevinin elindeki çöple kumun üzerine garip işaretler çizdiğini görüp yanına gitti:

– Ne yapıyorsun?

Başını kaldıran bedevinin yüzü sapsarı kesilmiş, gözlerine de kan inmişti:

– Efendim, ben buradan öteye gitmem.

– Neden?

– Kum üzerinde ralm'a baktım, buradan ileri gitmem. Mümkünse bugün sen de gitme.

– Rüya ile ralm ile iş yapılır mı evladım... Allah ne takdir buyurmuşsa o olur. Haydi, sen git... Bu arazide kuvvetli düşmana denk gelmek ihtimali yok denecek kadar azdır.

Eşref olabilecek eşkıya saldırılarına karşı tedbir alarak yola çıkma hazırlığı yaparken, kafilenin önünde yürüyen Abdül Müseylimi, bir kum tepeceğinin üstünde durup, arkadakilere yerlerinde kalmaları için el işareti yaptı. Kalbi göğüs kafesinden fırlayacakmış gibi atmaya başlayan Eşref, kafileyi durdurdu. Müseylimi koşarak Eşref'in yanına geldi:

– Ya Hazreti Bey! Ya Hazreti Bey!

– Kaç kişidir gelenler?

– Zeyl el-cerat... Zeyl el-cerat...* Yer gök insan kesilmiş, üstümüze yürüyor...

Eşref geri döndü:

– Hemen bir hecinsüvar yola çıkarın. Makineli tüfeği getirmeliyiz.

Eşref, tümseğe doğru koşarken, Abdül de arkası sıra onu takip ediyordu. Kum denizine yatan Eşref, seçebildiği kadarıyla gelenleri gözetlemeye başladı:

– Abdül! Bunlar güney istikametinden düz kuzeye iniyorlar. Bizim istikametimizle çakışmıyor... Gayet de rahat ilerliyorlar... Varlığımızdan habersizler, ama dost mular düşman mı, bu mesafeden anlamak zor.

– Ya Bey! Kafileyi geri çekip taşlık alanda saklarsak bize ilişmeden geçerler.

– Haklısın Abdül. Ama Şerif'in Medine istikametine yürüyüşünden korkup kuzeye çekilen dostlar da olabilir bu kol. Ben-

---

*     Çekirge sürüsü

ce öncelikle kim olduklarını anlamalıyız. Sen sürünerek kafileye yaklaş. Eğer fark edilirsen...

Koşar adımlarla tepeden indi:

– Eyüp Berzenç! Sen yanına on nefer alıp sekiz yüz metre ilerimizdeki tepede mevzilen.

Eliyle gösterdiği tepe, kafilenin sağına düşüyordu.

– Hüseyin sen de yanına on nefer al, dört yüz metre ilerideki tepede mevzilen. Hüseyin'in hareket edeceği tepe kafilenin soluna düşüyordu.

– Develeri ve malzemeyi gerimizdeki toprak yığınının arkasına saklayalım. Makineli tüfeği de önümüzdeki tepeye kuralım. Arazide öyle kaybolmalıyız ki keşif kolu en ufak bir hareket dahi görmemeli. Ateş etmeyeceğiz, emir gelmeden hiçbir hareketlilik istemiyorum.

Eyüp Berzenç, birliğiyle yeni mevzilenmişti ki, ot bulmak için kafileden ayrılan iki bedevinin yaklaşmakta olduğunu gördü. Bedeviler rahat hareketlerle ilerliyorlardı. Eyüp Berzenç, yanına üç kişi daha alarak tepeden aşağı sürünerek inmeye başladı. Artık fark edilmeme ihtimalleri kalmamıştı. Bedeviler doğrudan üzerlerine geliyordu. Eyüp Berzenç, görünmeyeceği bir kayalığı siper ederek yanındakilerle saldırıya geçti. İki bedeviden birini sessizce yakalayıp kayalığın dibine çökerttiler. İkinci bedevi, üzerine çullanan iki kişinin tekme ve yumruklarından kurtulmayı başararak ters istikamette keşif koluna doğru koşmaya başladı. Fark edilmek istemeyen Eyüp Berzenç, adamlarını bedeviyi takip etmemeleri hususunda uyardı ve durumu Eşref Bey'e bildirip emir bekledi. Eşref Bey'in yolculuk için aldığı kölelerinden biri olan Hecam, elinde silahla koşarak geldi. Korkudan yüzüne kan oturmuştu. Eşref Bey silahı incelerken, Abdül tepeden aşağı koşarak geliyordu:

– Ya Bey! Ateş etmeyiniz. Bunlar Nevemsah aşiretine mensup Araplar. İçlerinden bazılarını tanıdım.

– Emin misin Abdül?

– Ya Bey! Develerinin semerlerini bile gördüm.

Şeyh Ali Nasır:

– Eşref Bey bunların bedevi olma ihtimali çok düşük. Bedeviler hiçbir zaman bu kadar adam toparlayamazlar.

Eşref elindeki silahı Ali Nasır'a göstererek;

– Bu İngiliz silahıdır, dedi. Bu havalide bu silah sadece Asi Şerif'in birliklerinde bulunur.

Yaveri Mehmet'i yanına çağırarak altınları emanet etti ve boğaza bakan tepeye gömmesini emretti. Koşarak tepeye çıktıklarında, kaçan bedevinin keşif kolunu geri çevirdiğini gördüler. Birlikten ayrılan yaklaşık iki bin hecinsüvar, büyük kırmızı bir sancak açarak hücuma geçti. Hücum kuvvetinin Şerif'e ait olduğu hususunda bir şüphe kalmamıştı. Eşref makineli tüfeğe ateş emri verdi. Sol taraftan Çallı Hüseyin'in tuttuğu tepenin yamaçlarından bir süvari bölüğü, Eşref Bey'in tuttuğu tepeyi çevirmeye almak için son sürat ilerliyordu. Çallı Hüseyin'in mevzilendiği kayalık alan ateş için gerekli açıyı vermediğinden, birlik hızla hareket ediyordu.

Eşref yanına dört nefer alarak tepenin diğer ucundan ilerleyen birliğe piyade ateşi açmaya başladı. Silah atışları semayı sarmışken büyük bir patlama sesi duyuldu. Karşı tepeden Giritlizade Hüseyin, kayalıklardan aşağı bir el bombası bırakmıştı. Patlamayı topçu ateşi sanan bedeviler arasında büyük bir dalgalanma oldu. İkinci koldan çevirme hareketi yapan bedevi kuvvetleri, büyük bir panikle dağılıp geri kaçmaya koyuldular. Ön cepheden saldıran hecinsüvar, makineli tüfeğin ateş alanına girdiğinde büyük kayıplar vererek geri çekilmeye başladı. Makineli tüfeğin başında bulunan Mülazım Ethem ve Kadıköylü İzzet çıldırmış gibi ateşe devam ediyorlardı. Eşref ve Çallı Hüseyin, karşılıklı ateşle birbirlerini vurmamak için oldukça dikkatli hareket ediyorlardı. Çatışmaların hararetle devam ettiği bir anda, makineli tüfeğin sesinin susması korkuları arttırdı. Eşref sürekli ateş hattında olduğu için ne olduğunu öğrenme şansı yoktu. Makineli tüfeğin sesinin kesilmesi, ön cephede bozguna uğramış bedevilere toparlanmak için gerekli zamanı vermişti. İlk hücum anında verilen kayıplardan sonra Urban da mevzi alarak ilerlemeye başladı. Öğle saatlerine yaklaşırken ateş sesleri azaldı. Yaver Mehmet Bey kan ter içinde Eşref'in yanına geldi:

– Efendim! Altınları istediğiniz yere gömdüm.

– İyi Mehmet... Ateş kesildi... Makineli tüfeği yeniden çalışır hale getirdiler. Urban geri çekilmiş, yaklaşamıyor. Boğazdan bir geçit bulabilirsek... Hemen hareket et, kafileyi toparla... Makineli tüfek onları oyalarken kafileyi boğazdaki tepelerden birinde toplamayı başarırsak, karanlıkta geri çekilme şansımız olur.

Eşref de yanındaki dört kişiyle ateş açarak geri çekilmeye başladı. Çallı Hüseyin ve Eyüp Berzenç yerlerini muhafaza ediyorlardı. Geri çekilen kafile boğaza girdikten beş yüz metre sonra, tırmanılmayacak kadar dik bir kayalıkla karşılaştı. Çıkmaz bir vadide sıkışmışlardı... Büyük bir çaresizlik içinde sağa sola koşturmaları da çözüm getirmedi.

Mehmet:

– Eşref Bey, şimdi ne yapacağız?

– Kafileyi buraya çöktür. Karşı tepeleri tutacak ve direneceğiz... Başka şansımız da yok zaten... Hüseyin, sen de makineli tüfeğe yetişmeye çalış. Geri çekilme için lazım gelen ne ise, biz de onları düşünelim.

Hecin ile tepeye doğru ilerleyen Hüseyin, yoğun bir ateş altında kalınca devesinden düştü ve geri çekilmeye başladı. Kafileyi her taraftan büyük bir çaresizlik sarmıştı. Hüseyin'in zor durumda kaldığını gören Eşref ne yapacağını düşünürken, Çerkez Hasan yanına sokuldu:

– Efendim, izin verirseniz ben yaya olarak makineli tüfeğe yetişebilirim.

– Hadi yavrum, göreyim seni...

Boğazdan fırlayan Çerkez Hasan, yoğun ateş altında pervasızca koşuyordu. Eşref uzun süre Hasan'ı takip etti. Makineli tüfeğe yaklaşınca ümitleri arttı. Yanındaki adamlarla koşarak tepelerde mevzilendiler. İkindi saatlerinde karşı ateş hızlandı. Eşref bütün tepelere gönderdiği adamlarıyla geceye kadar direnme emri veriyordu. Çallı Hüseyin ve Eyüp Berzenç'in tuttuğu tepelerden açılan ateş iyice zayıflıyordu. Makineli tüfeği yerinden alıp geriye sürüklemeye çalışan gruba açılan yoğun ateş, ilk anda üç kişiyi yere düşürdü. Hüsnü Çavuş aldığı yaralarla olduğu yere yığıldı. Yanı başına düşen Medineliyi ve iki arkadaşını görünce, ölümün soğuk yüzünü tanıdı. Gözbebekleri açılmış, alnından akan ter yüzünü sarmıştı. Sürünerek ilerlemeye çalışıyordu, fakat duyduğu acı onu takatsiz ve hareketsiz bırakıyordu. Tatar Latif'in elini omzunda bulunca korkuları biraz azaldı. Latif gücü yettiğince, Hüsnü Çavuş'u ateş alanından kayaların arkasına çekmeye çalışıyordu. Makineli tüfeğin başında olan askerler parçaladıkları tüfeği geri hatlara taşımaya çabalıyorlardı. Büyük bir panik halinde geri çekilme başlamıştı... Urban zafer çığlıkları atıyordu... Çerkez Hasan omuzladığı büyük parçayı tepeden aşağı indirmeye çalışıyordu. Tepeden aşağı indiklerinde Eşref, yaralanan Sinoplu Mustafa'nın yanına gelerek sırtını sıvazladı:

– Geçmiş olsun arkadaş, bu er meydanıdır, ziyanı yok.

– Efendim, millet sağolsun. Burası Hayber Kalesi'dir.

Boğazı çevreleyen tepelerden gelen ateş yeniden hızlandı. Akşam vaktinin yaklaşması ümitleri arttırmıştı. Çevirme hareketiyle yanlardan sokulan birliklerle boğaz boğaza süngü çarpışması başlamıştı. Tepelerde ise yaralıların sayısı her geçen dakika artıyordu. Yedi saattir aralıksız devam eden çarpışmanın etkisiyle, Eyüp Berzenç ve Çallı Hüseyin birliklerinde adım atacak takat kalmamıştı. Kanayan yaralardan akan kanlar... Feryatlar...

Boğazı kesen tepelerden gelen sesler gittikçe kısıldı... Kızgın kumlara akan kanlar arasında, görevini tam olarak yapmanın huzuru içinde ölen insanların cesetleri yatıyordu... Sesler o kadar takatsiz geliyordu ki... En sonunda sessizlik yamaçları kapladı...

Yanında kalanlarla arkadaki tepelere çekilmeye çalışan Eşref'in gözleri tepelerde, şehit olmuş arkadaşlarındaydı. Kaskatı kesilmiş olsa da, gözyaşları yanağından üniformasına akıyordu. Tepelerdeki arkadaşlarına dönerek selam durdu. Çıktıkları tepeden açılan ateşle grup bir anda dağıldı. Eşref yoğun ateş altında kendini küçük bir tepenin kuytu yerine zor attı. Silah sesleri arasında duyulan çığlıklar insanın içine korku tohumları ekiyordu.

– Geliyorlar... Geliyorlar... Dağ taş Arap kesilmiş... Üzerimize geliyorlar... Çekilin...

Arnavut Celal her tarafı kana boyanmış halde, süngüyle üzerine gelenlere saldırıyor, aldığı darbelerle yere yığılsa bile bir daha kalkıyordu. Arkadan yaklaşan bir bedeviyi fark edince korkuyla geri döndü. Karnına saplanan süngü, bağırsaklarını dışarı döktü. Kanlar içinde dizlerinin üzerine çöken Celal'in gözbebekleri küçülmeye başladı. Ateş gibi yanan kumun üzerine düştü. Vücudundan akan kanlar, etrafını kan gölüne çevirmişti. Eşref tüfeği bir sağa bir sola çeviriyor, nişan almadan hızla ateş ediyordu. Bir ara Giritli İsmail Ağa gözüne ilişti. Onu Trakya'daki mücadele günlerinden beri tanıyordu. İsmail Ağa yaralar içinde, etrafını sarmış bedevilere saldırıyordu. Sağ tarafından yediği kurşun, koca bir delik açarak arkasından çıkmıştı. Belini dahi doğrultamadan çaresizce bağırıyordu:

– Beyimmm... Beyimmm... Şu İngiliz'i* sür, kendini kurtar. Kendini kurtar... Ardımızda kalan evlatlarımıza bakarsın...

Eşref'in, düştüğü yerden kalkacak dermanı yoktu, ayaklarını hissetmiyordu. İngiliz atını arayan gözleri, açlıktan ve yorgunluktan kapanmak üzereydi. Karşı kayalıkta gördüğü ata gidecek kadar bile takat bulamadı kendinde. Ağzında biriken acı suyu yutkunarak elinde tuttuğu tüfeğe baktı. Anlamsız bakışları gittikçe kararıyordu. Yanı başında Üsküdarlı İbrahim'in kanlar içinde kalmış yüzünü görünce korkusu bir kat daha arttı.

"Gözlerim... Gözlerim... Göremiyorum... Gelin bakalım..."

Eşref, etrafını sarmış ölüm soğukluğunu boş bakışlarla seyrediyordu. Derinlerden gelen sesi, önce anlam veremeden, sonra da

---

* İngiliz atını

kalbi dışarı çıkacakmış gibi dinledi. Hazinenin yeri bulunmuştu. Kendine geldiğinde, etrafını sarmış Urbanın koşarak hazine yağmasına yetişmeye çalıştığını gördü. Hemen yanında Cihangirli Arap Abidin duruyordu. Abidin de açlık ve yorgunluktan takatsiz kalmıştı, ağzından köpükler boşanıyordu. Dolu silahını ateşleyecek gücü bile yoktu. Eşref Bey'in "ateş" diye naralanması üzerine, kumu tırnaklarıyla eşelemeye çalışan bedeviler üzerine seri bir ateş başladı. Arkadan kurşun yiyen bedeviler oldukları yere yığılıyor, diğer bedeviler tarafından bir kenara fırlatılıyorlardı. Hazinenin başında öyle bir kargaşa vardı ki insanlar birbirlerini vurmaktan dahi çekinmiyorlardı. Üsküdarlı İbrahim çığlıklar arasında, elleri gözlerinde, sağa sola koşturuyor, hırsından boğazlayacak adam arıyordu. Gözleri kanlar içinde, bir kayalığın ucuna kadar geldi. Altına yetişmeye çalışan bir bedevinin kurşununa denk gelince, haykırarak kendini kayalıktan aşağı bıraktı. Çığlıklara dönen Eşref, kafatası paramparça olan arkadaşını görünce halsizlik içinde olduğu yere uzandı. Kemikleri sızlıyordu. Kızgın kum taneleri arasında havada uçuşurcasına yağmalanan altınlarla kimse ilgilenmiyordu artık. Eşref, başını kaldırıp etrafa bakınca kana bulanmış elbisesiyle koşarak gelen bir bedevi gördü. Silahını ateşlemek için hazırladığında gelenin azatlı kölesi Muharip olduğunu anladı:

– Ya Bey! Ya Bey! Bizim siperde kimse kalmadı, hepsini parçaladılar, hepsinin bağırsakları dışarıda. Kanlar içinde yatıyorlar... Ancak ben kurtuldum...

Eşref azatlı kölesini dinlerken Arap Abidin'in yürekleri yakan sesiyle irkildi. Abidin, gözlerini Eşref Bey'e dikmiş:

– Düşmandan himaye ediniz... Düşmandan himaye ediniz... diye bağırıyordu.

Urban altın için kumların derinliklerini kazmak ve birbirini boğazlamakla meşgul olduğundan Şeyh Nasır ile Yaver Mehmet, Eşref'e yaklaşmayı başarmışlardı.

Eşref:

– Mehmet, kalan adamlarla ilerideki taşlıklara iyice gir, oradan gelenlere ateş aç.

Şeyh Nasır, Eşref'in yanındaydı, yaklaşanlara ateş ediyordu. Tepeye makineli tüfeği getirmeyi başaran Ethem yaralanarak düştü. Ethem'e sesini duyurmak için bağıran Eşref makineliyi parçalamasını söylüyordu. Ethem yaralı olmasına rağmen makineli tüfeğin kapaklarını kırmayı başardı ve yorgun bedenini kayalıkların arkasına bıraktı. Yağmayı bitiren bedeviler, etrafta vurulan askerleri arayıp buluyor, kavga gürültü arasında ganimet topluyorlardı. Bir keçi patikasından dağa doğru kaçmaya çalışan Eşref'i, Çerkez Hasan ve Tilki İbrahim takip ediyordu.

Tepeye yaklaştılar. Açılan ateş arasında koştururken, kurşunun çarptığı kayalardan birinden fırlayan bir parça, Eşref'in hayalarına isabet etti. Eşref, beynini uyuşturan bir acıyla yere yığıldı. Göğsündeki daralma gittikçe arttı... Nefes almakta bile zorlanıyordu. Beyni, burnuna kül çekmiş gibi matlaşmıştı. Sırt üstü yattığı yerden göğün boşluğuna bakıyordu. Kararan gözlerindeki ışık gittikçe kayboldu. Eli belindeydi, yüzünü kan sarmıştı. Midesinde bulantı, kulaklarında beynini yerinden çıkaracak gibi zonklamalar vardı. Uzun bir zaman kendini toparlayamadı. Belinin kırılmış olabileceğini düşünerek bir süre kımıldamadı. Vücudu çözülmüştü, ölümü artık kabullenmişti. Bacaklarının arasına sıkışan taşı bulunca yavaş yavaş hareket etmeye karar verdi. Ancak acıdan belini doğrultamıyordu. Kayalıklar arasından aşağı bakınca, derenin içinde ölen arkadaşlarının eşyalarını paylaşan bedevilerin kavga ettiğini gördü. Dere ağzından çıplak bir bedevinin kendisine doğru geldiğini görünce ayaklanmaya çalıştı. Nişan alıp ateş ettiği an tanıdık bir ses duydu. Azatlı kölesi Ebu Dahin Arapça bağırıyordu:

– Ene ya Seyyidi... Ene ya Seyyidi... Ene ya Seyyidi...*

---

* Benim efendim

Ebu Dahin, sol omzundan aldığı kurşun darbesiyle acı içinde Eşref'in yanına geldi. Eşref, kanı durdurmak için üzerinden kopardığı bir bezle adamın omzunu sıkıca bağladı.

– Kusura kalma Ebu Dahin... Seni fark edemedim...

– Nasılsın ya Seyyidi?

– Elhamdülillah... Felaket üstüne felaket... Seni yanlışlıkla vurmakla çok müteessir oldum.

– Ziyanı yok ya Seyyidi... Başın sakin olsun...

Ebu Dahin'le birlikte dereye inip ilerlemeye başladılar. Değişik yönlerden gelen seslerden etraflarının sarılı olduğunu anladılar.

– Teslim olun... Telim olun... Siz buraya zalim olarak geldiniz... Teslim olun. Buraya zalim olarak geldiniz ama salim olarak gideceksiniz.

Ebu Dahin yediği kurşunla "Allah" diye bağırarak düştü. Eşref, acılarını unutup dereye doğru toz toprak bulutu içinde yuvarlanarak indi. Orada Onbaşı İzzet'i görünce korkusu biraz azaldı. Birlikte ilerlemeye başladılar. Ateş o kadar yoğundu ki sağdan soldan kopan parçalar durmadan üzerlerine geliyordu ama nefes alacak zamanları bile yoktu. Büyük bir kayanın arkasına sığındıklarında İzzet durup ateş etmeyi teklif etti. Korku etraflarını öyle sarmıştı ki on beş metreye kadar sokulan bedevileri dahi göremiyorlardı. Eşref, daha ileriteki taşlık alanda Medineli Valis ve azatlı kölesi Hecam'ın koşmakta olduğunu fark etti. Valis boğazını yırtarcasına bağırıyordu:

– Koş amcam, koş...

Valis, ayağına isabet eden kurşunla avazı çıktığı kadar "Aaah" çekip tepetaklak yuvarlandı. Eşref ve İzzet bir boşluktan istifade ederek tekrar koşmaya başladılar. Urban da tepeden önlerini kesmeye çalışıyordu. Nefes nefese durduklarında İzzet;

– Efedim yetiştiler, sağa bak... Ateş edelim... Kaçmakla kurtulamayacağız, dedi.

Sağına bakan Eşref, karartıların kendilerine yaklaşmakta olduğunu gördü. Güneşin ışıkları da tepelerin arkasında rengini ve ısısını kaybetmişti. Hareketlenmeye fırsat kalmadan, Eşref'in kasığının altından giren bir kurşun, arka tarafı parçalayarak çıktı. Eşref, tepeleri inletircesine "Allah!" diye bağırdı ve olduğu yere yığıldı. Düşerken gözlerinin önünde bir an oğlu Feridun belirdi... Sonra karartılar arasında kayboldu...

Kısa zamanda etraflarını saran bedevilere silah doğrultmaya dahi fırsat bulamadılar. Bedevilerin önünde yürüyen adam, Eşref'e yaklaşarak konuştu:

– Şerif namına ahd veriyorum. Ben Veled-i Leymun şürefasından* Şerif Fevzan.

Eşref:

– Ben de sana ahd veriyorum...

Adam elini beline atarak karnını açtı:

– Gadabıma** bakabilirsin. Şerif'ten geliyoruz ve katiyen sana bir şey yapmayacağız. İstirham ediyorum, benim şerefim vardır... Bütün arkadaşların öldü, sana yazık olmasın...

Şerif Fevzan yüzünde yumuşama gördüğü Eşref'e yaklaşarak elinden tuttu ve onu ayağa kaldırdı.

– Selamun aleyküm.

– Ve aleyküm selam.

Onbaşı İzzet anlam veremediği olayın bir oyun olduğunu düşünerek ani bir hareketle silahını Şerif Fevzan'ın kafasına dayadı:

– İzin ver, şunun beynini dağıtayım Eşref Bey...

– Dur İzzet... Sen bunların âdetlerinden anlamazsın. Ben o adama ahd verdim, o da bana...

Şerif Fevzan, kafasına dayanmış silahtan korkmadığını anlatırcasına Onbaşı İzzet'e dönerek;

– Yuh, dedi. Babana lanet olsun. Ahd'den sonra beni öldürecek misin?

---

*    Hz. Hüseyin nesebiyle Peygamber Efendimiz soyundan gelen.
**   Sadece şürefanın taktığı kısa bir kama. Yemenlilerin cembelesine benzer.

İzzet kararlı olduğunu Eşref'e anlatmak istiyordu:

– Aman efendim, aldanmayalım bunlara...

– Dur İzzet. Aman verdikten sonra adam öldürenin şerefi olmaz.

İzzet silahını indirince, Fevzan adamlarına emir vererek uzaklaştı. Onbaşı İzzet, koluna girdiği Eşref'i dereye indirdi.

Şeyh Nasır, dere yatağında yaralı olarak yatıyordu. Karanlık her yanı kaplamış, etraf soğumaya başlamıştı. Eşref, iniltilerini işittiği Şeyh Nasır'ın yanına uzandı:

– Yaralandın mı Nasır?

– Yaralıyım Eşref Bey. Sen daha kaçmadın mı? Ne duruyorsun, uzaklaş buradan... Kaç anama ve çocuklarıma haber ver... Benim kaderim de böyleymiş...

Eşref yarasının acısıyla iniltilerle konuştu:

– Yaralıyım...

– Yaran nerededir?

– Bacağımda.

– Etrafımız ölülerle, yaralılarla dolu Eşref Bey.

Onbaşı İzzet, yere uzattığı Eşref'in sağını solunu temizleyip, sabitlediği ayağının altına taş yerleştirdi. Belindeki kuşağı çıkarıp yaranın üstünden sıkıca bağladı. İzzet'e bakan Eşref, etrafının kan olduğunu görünce vücuduna kurşun gibi çöken ağırlığın sebebini anladı. İzzet ateş yaktı. Sıcaklığın da tesiriyle Eşref kendinden geçti. Susuzluktan dudakları kurumuş, yüzündeki renk solmuştu. Taşların üzerinde yatan bedenini artık hissetmiyordu. Boşlukta uçuyor gibiydi. Etraftan gelen inlemeler, yardım çağrıları gittikçe soluklaşıyordu. Elleri, ayakları... Sanki hiçbiri kendisinin değildi. Ateşin sıcaklığı, Eşref'i tatlı bir rüyaya sürüklüyordu. Sabahtan beri olanlar gözlerinin önünden birer birer geçiyordu. Bir ara büyük bir karanlığın içine düştü. Sonra yağmur sonrası dumanlı ve bulutları kat kat olmuş dağlara at sürerken gördü kendini. Uçuşan çiğ taneleri yüzüne vuruyor, tarif etmediği bir haz duyuyordu.

Tepelerden uçarcasına indiği çiftlikte, annesinin kolları arasına sinmiş oğlu Feridun'u gördü. Eşinin yüzünde Çerkez kızlarının yüzlerine has, mutluluğu ve hüznü aynı anda taşıyan ifade vardı. Tebessüm eden kadının yanından fırlayan çocuk, koşarak atın yanına geldi. Kapıda beliren annesinin yüzünde, evladını ölüm yolculuklarından bekleyen annelerde görülen keder vardı. Istırap haleleri şeklinde kadının yüzünü saran kıvrımlar, bir anda gerilen yay gibi esneyip tebessüme dönüştü. Eşref, uzaklardan gelen "Oğlum" sesleri içinde kalmış, kendi oğluna sarılarak, unuttuğu o tarifsiz kokuyu içine çekmişti. İçinden bir "şeyin" vücudundan çıkmak üzere olduğunu hissediyordu. Kokusunu duyduğu oğlu, sesini duyduğu annesi ve kalbine tarifsiz bir sükûnet üfleyen eşi yavaş yavaş uzaklaşıyordu. Büyük bir kudret, onu dağlardan, ovalardan uçurup geri getiriyordu. Bağırmak için uğraşıyor, içinde bulabildiği ümit kırıntılarıyla tekrar tekrar deniyordu. Onbaşı İzzet'in elini yüzünde hissettiğinde Hayber'de olduğunu hatırladı. İçinden; *burası Hayber Kalesi'dir, Yiğit Ali'nin cenk meydanıdır*, cümleleri akıyordu...

– Eşref Bey! Eşref Bey! İyi misiniz?

– İzzet, sen misin?

– Benim efendim.

– Her tarafım susuzluktan yanıyor İzzet.

– Yakında bir su birikintisi buldum ama kap yok taşımak için.

– Ayağımdaki çizmeyi çek İzzet.

İzzet çizmeyi beyinin canını yakmadan çıkarıp, su getirmeye gitti. Eşref de, bilincini toparlamaya başlamıştı. "*Çizme İngiliz malı, kurşun İngiliz malı...*" Tebessüm etti. İzzet yaralıların hepsine su dağıttı. Eşref Bey, işi bitince Onbaşı İzzet'i yanına çağırdı:

– İzzet! İçimizde yaralı olmayan bir sen varsın. Yarına çıkıp çıkmayacağımızı Allah bilir. Eğer ben yarına çıkamazsan, sen geldiğimiz istikamette geri dön. Takatsizliğinden dolayı yolda bıraktığımız deve yerindeyse onun eti sana yeter. Fahrettin Paşa'ya ulaş... Burada olanları rapor et.

Elini cebine atıp kalem aradı ama bulamadı. Yanında duran kuru daldan bir parça kopararak yerde pıhtılaşmış kanına batırdı. Cebinden çıkardığı kâğıda vasiyetini yazıp cebine koydu.

– İzzet, yarına çıkmazsam bu kâğıdı Fahrettin Paşa'ya yetiştir. İçinde aileme yazdığım vasiyetim vardır.

– Kendinizi koymayın efendim, ben yanınızdan ayrılmam.

Gözlerini kapayan Eşref sanki nefes almadan uyuyordu. Aralıklarla İzzet'in "Efendim yaşıyor musunuz?" sesini duysa da, cevap verecek takati yoktu.

\*\*\*

Sabahın ilk ışıklarıyla bedevilerin namlularını yüzlerine doğrultulmuş buldular.

– Allah'ın üzerine, Şerif namına sana ahd veriyoruz. Emir Abdullah tarafından sana selam getiriyoruz. Sen bu memlekete zalim geldin salim gideceksin?

– Kimsiniz?

– Ben Şerif Fevzan'ın kardeşiyim. Bize güvenin, hayatınız emindir. Kimse size ilişmeyecek...

– Emir Abdullah'ın yanına gidinceye kadar bana ve arkadaşlarıma hakaret etmeyeceğinize şerefiniz üzerine teminat verir misiniz?

– Emir'in yanına kadar size kimse ilişmeyecek.

Kollarına giren iki köle Eşref'i ayağa kaldırdı. İlerlerken bedevilerden bazıları Şeyh Nasır'a "Sen hainsin..." diye çıkışıyorlardı. O da sinirli bir şekilde "Susun" diye mukabelede bulunuyordu. İstirahat için durulduğunda getirilen kırbadaki suyla ellerini yıkadılar, biraz su içtiler. Akan sudan avuçlarının içine küçük kurbağa yavrularının düşmesini kimse umursamıyordu...

# III

Eşref'in sağ bacağından akan kan pıhtılaşmış, üzerine sarılı bezle birlikte taşlaşmıştı. Bindiği hecinin üzerinde zorlanarak oturuyordu. Emir'in çadırına yaklaştıklarında kalabalık, gelen kafileye doğru ilerlemeye başladı. Merak yüklü, ürkek bakışlarla kendisini takip eden kalabalık arasında tanıdık yüzlerin olması içini biraz da olsa rahatlattı. Kalabalıktan birileri, çadırın kapısına gelen Eşref'e hitaben konuştu:

– Hoş geldin ya Uçan Şeyh... Hoş geldin ey Kuşların Paşası... Ya Paşa, senin cemaatine bin Fatiha müstahaktır... Yahu siz azıcıktınız bizim ortamıza hücum ettiniz... Nasılsın ya Eşref?

Eşref hecinin üzerinden, kalabalığa uygun lisanla karşılık vermeye çalışıyordu. Çadıra girdiğinde selam verdi. Emir'i tanımadığı için, yanındaki bedeviye göz işaretiyle sordu. Bedevinin cevap vermesine fırsat tanımadan Emir Abdullah, Eşref'i karşıladı:

– Safa geldiniz... Buyurun...

– Gönderdiğiniz adamlara ve gösterdiğiniz merdane ilgiye çok teşekkür ederim.

– İstirahat buyurunuz...

Bacağını uzatıp altına minder koyarak Eşref'i oturttular.

– Yaralı arkadaşlarım var. Sizden istirham ederim aranıp bulunmalarına yardımcı olunuz.

– Rahat olunuz. Hepsi bulunup buraya getirildi... Ya Eşref Bey! Buralarda ne geziyorsunuz, burası Arap diyarıdır... Çöllere kadar mı giriyorsunuz?

– Muharebede mahsur kalan askerlerimizin yanına gidiyordum... Onlara selam götürüyordum.

Son cümleyi söylerken dudaklarında ıstırapla karışık bir tebessüm belirdi. Emir, çağırttığı Doktor İsa Efendi'den, Eşref'in yarasıyla ilgilenmesini istedi.

– Demek Yemen'e gidiyorsunuz! Bir avuç adamla bu çölü nasıl kat edecektiniz?

– Ben bu çöllerde çok zaman geçirdim...

– Malumumuz... Zamanında bedevi içinde çok bulunmuşsunuz... Şark Urbanı'ndan kimi tanırsınız?

– Hepsini tanırım...

Saydığı isimler, kalabalık arasından Eşref'in hatırını sormaya başladılar. İçeri teker teker alınan arkadaşlarını görünce morali biraz düzeldi. Bütün arkadaşları yaralıydı. Aralarında Mamaka Mustafa da vardı. Onu görünce gözlerinin yaşarmasına engel olamadı. O günü istirahatla geçirdikten sonra, orduyla harekete mecbur kılındılar. Emir Abdullah, hayal bile edemeyecekleri ilgi ve yardımda bulunmuştu.

*\*\**

Deve sırtında süren yolculukta şişmiş bacağının verdiği acı, Eşref'i zorluyordu. Acıyla kıvrandığı anlarda Doktor İsa morfin vurarak Eşref'in ıstırabını azaltıyordu. Tren hattından geçerken, durumu Fahri Paşa'ya rapor eden kısa bir not yazmasına ve ailesine verilmek üzere bir mektup bırakmasına müsaade ettiler.

Yolculuğun üçüncü günü ayağını hissedemez oldu. Hecinlerden birinin iki yanına sarılmış yükün arasına uzanarak yolculuk yapmaya başladı. Acıdan kendini kaybetmişti. İniltileri çölün ıssız boşluğunda kayboluyordu. Yolculuğun beşinci gününde

Vadi-i Ays'ta konakladılar. Eşref, artık dayanamayacağını söyleyerek bacağının kesilmesini istedi. Ne Emir ne de doktor bu isteğe razı oldu. İki morfin vurulması ricasını da, kalbinin kaldıramayacağını gerekçe göstererek reddettiler.

Emir, avurtları çökmüş, tırnakları yeşile dönmüş tuhaf bir bedevi getirdi. Bedevinin elinde çölde kullanılan ilaçların sarılı olduğu bir bez vardı. Eşref çaresizlikle tedaviyi kabul etti. Bedevi tedaviye başlamadan, beş dakika içinde olumlu netice alınabileceğini söylediğinde, Eşref ayağından vazgeçmiş olmanın da rahatlığıyla ses çıkarmadı ama bir netice alınacağı hususunda ümitli değildi.

Bir karış derinliğinde bir kuyu kazan bedevi, yaktığı ateşe onlarca taş attı. Ateşte pişen taşları kuyuya atıp yarayı taşların üzerine getirdi. Büyük bir battaniyeyi yaralı bacağın üzerine serdikten sonra, elindeki maşrapayla taşların üzerine yavaş yavaş su serpmeye başladı. Taşlarla buluşan sudan çıkan buhar yarayı sardıkça, cerahat boşalmaya, kan vücutta yeniden dolaşmaya başladı. Beş dakika sonra buharın içinde pişen yara, büyük bir acıyla birlikte rahatlamayı da beraberinde getirdi. İçi geçen Eşref, olduğu yere yığıldı. Uzandığı yerde, hiç tepki vermeden on dört saat uyudu. Saat başı devam eden tedavide arkadaşları gönüllü olarak Eşref'e yardımcı oluyorlardı.

İkinci aşamada, bir metrelik kuyu kazıldı. Eşref, yarı beline kadar kuyuya gömüldü ve tedaviye böyle devam edildi. Bir hafta devam eden tedavi sonunda, artık yürüyebilir hale gelmişti. Çadırında rahat günler geçirmeye başlayan Eşref'in misafirlerinden biri, kulağına eğilerek, tedarik edeceği bir kısrakla oradan kaçmayı teklif etti. Yıllardır yanında gezen bu adamın minnet duygularını iyi anlayan Eşref, kaçma şansının olmadığını ifade ederek hiç düşünmeden teklifi reddetti.

***

Bir gün bir bedevi, Eşref'e azatlı kölelerinin Urban tarafından esir edilerek saklandığını söyledi. Eşref heyecanla Emir'i aradı ve ondan yardım istedi. Emir, kısa bir zamanda dört azatlı köleyi Eşref'e teslim etti. Arkadaşlarını kurtarmanın rahatlığıyla, Eşref'in morali yerine geldi. Vadi-i Ays'ta yedi gün kaldılar. Bir gece çadırına Beni Ömer, Beni Harb, Atabay ve Nevemsah kabilesinden şeyhler ziyarete geldiler.

Şeyhlerden biri:

– Ya Eşref, yolculuğumuz boyunca seni çok üzüntülü gördük... Erkeksin... Niçin bu kadar üzüntülüsün, diye sordu.

– Senelerce aranızda gezindim... Harp ve darp benim sanatımdır... On iki on üç yıldır, yani sizden ayrıldığımdan beri, sizin içinizdeyken gördüğüm kanlı sahifelerin envai çeşidini gördüm... Bunlar beni müteessir etmez... Kıymetli arkadaşlarımı kaybetmekten müteessirim...

Beni Ömer Şeyhi:

– Beis yok Eşref... Ercesine dövüşerek, hasımları gördükleri bizlerin bile takdirine mazhar olarak gittiler...

Şerif Jadri:

– Allah hakkı için şahittir.

Nevamsah Şeyhi:

– Eşref Bey, biz büyük bir kuvvetle senin adamlarından birine üç dört darbe vurduğumuz halde, o bize karşı durmaktan çekinmedi. Bir eliyle dışarı fırlamış bağırsaklarını tutup, diğer eliyle boynuna astığı silahla bize mukabelede bulunmaya çalışıyordu. Biz sarı saçlı, sarı sakallı bu adamı Alman zannedip hayretler içinde bakarken, adam yerde son nefesinde kelime-i şahadet getirmesin mi? Meğer Nasranî değil Müslüman imiş...

Eşref'in gözyaşları yanaklarından aşağı süzülmeye başladı.

– Ne oldu ya Eşref?

– O benim yakın arkadaşım Çerkez Eyüp Berzenç'ti.

Bir başka şeyh: ·

– Biz iki yüz kişi bir adamı dere yamacında sıkıştırdık. Adam, üzerimize el bombası bırakmak için yerinden fırladı. Bomba patlarken siperlendik ama o geri dönmeden başından ve göğsünden vuruldu. Yanına gittik, elindeki küçük tabancayla ateş etmeye çalışıyordu... Hançerledik... Matarasını aldık... Üzerinde Ahi Celal yazıyordu.

Eşref şeyhe döndü:

– Rica ederim, matara sendeyse bana ver.

Matarayı bedevilerden birine getirten şeyh, Eşref'e uzattı. Eşref o anda Hayber'in Cembele mevkiine gitmiş gibi oldu. Duyguları yumak gibi dolaşıktı.

Şeyhlerden biri:

– Allah her iki taraftan da ölenlere rahmet eylesin... Siz kendi hesabınıza, biz de kendi hesabımıza göre kendimizi haklı görüyoruz. Elbette bunu Allah ayıracak. Biz iki Müslüman birbirini öldürünce müteessir oluyoruz.

Canı sıkılan Eşref, düşüncelerini ifade etmenin vaktinin geldiğini düşündü. Karşısındakilere hak vermiyor değildi ama kendisini cevap vermekle mükellef hissetti:

– Fakat Müslüman öldürmekte siz daha talimlisiniz... Yıllarca içinizde yaşadım... Bütün hayatınız bir deve için Müslüman kardeşinizin kanını akıtmakla geçmez mi? Niçin bu düşmanmış, bu Harp'mış, öteki Hutaym'mış, beriki Matır'mış diyerek birbirinizi öldürüyorsunuz. Elhamdülillah Müslüman oldunuz ama dinin erkânına riayetkâr olmadınız. Sizden sonra Müslüman olanlar bile sizden ziyade riayetkâr oldular, terakki ettiler...

Bir anlık sinirle sarf ettiği sözlere kendisi bile inanamadı. İlk kez bedevilerin yüzüne karşı bu kadar ağır konuşuyordu. Şeyhler müteessir olmakla beraber, içten içe Eşref'e hak veriyorlardı:

– Ya Uçan Şeyh! Evvelce sen de bizim içimizdeydin. Sen de bunları yapıyordun.

– Evet... Ben de hata ediyordum... Ben sizleri terbiye etmeye uğraşmıyorum, fakat dün yaptığınız hataların bugün tekrar edilmemesi için söylüyorum...

Sohbet gece yarısına kadar uzayıp gitti. Eşref'i teselli etmeye gelen şeyhler, onu bulduklarından daha meyus bir vaziyette arkalarında bırakıp gittiler.

***

Ertesi gün Emir'in yanından ayrılan Eşref, arkadaşlarıyla önce Yanbu'ya sonra da Rabığ'a gitti. Rabığ'da, Şerif'in askerî karargâhında Eşref'i, Aziz Ali El Mısri karşıladı. Trablus'ta birlikte savaştıkları arkadaşı Şerif'in yanındaydı.

Cidde'den sonra Mekke'ye geçtiler. Mekke'de de onları karşılayan kişi, bir zamanlar Süleymaniye'de Kürt aşiretlerini ayaklandırmaya çalışırken, Bağdat'ta emrinde savaşan Yüzbaşı Rauf idi. Yüzbaşı Rauf, aynı zamanda Sınıf-ı Mahsusa'dan da arkadaşıydı. Eşref'i görünce Aziz Ali gibi yüzü önünde, "Safa geldiniz beyefendi" dedi.

– Hoş bulduk...

– Celalet'ül Malik'in yaveriyim, size eşlik etmeye memurum... Lütfen şu katıra bininiz...

Mekke'ye giren kafile sessizce ilerliyordu. Eşref'in etrafını eski günlerin hatıraları sarıyordu. İçindeki huzursuzluk yüz ifadesine de yansımıştı. Sınıf arkadaşıyla hiç konuşmuyor, göz göze dahi gelmemeye özen gösteriyordu. Medine'yi çevreleyen dağlara baktığında, gözünün önünden sürre alaylarını soyduğu, kisveyi çalıp dağlara götürdüğü günler geçiyordu. Pişmanlığı kat kat artmıştı. Yüzbaşı Rauf, Mekke'ye girmeden, kafilenin yolunu eski kasaphaneler olarak bilinen mahalleye çevirdi. Durumu ilk fark eden Eşref oldu. Mahallenin girişinde kafileyi durduran Rauf, Eşref'in yanına geldi:

– Eşref Bey, lütfen üzerinizdeki abayı veriniz.

– Abayı niçin istiyorsunuz?

– Efendim, Seyyidina'nın emridir...

Kafile konuşmaları dikkatle dinliyor ama Şerif'in niyetini tam olarak anlayamıyordu. Kölelerden biri, Eşref'in üzerindeki abayı çekerek aldı. Kanlar içindeki üniformasıyla kalan Eşref;

– Kanlı elbiselerle beni teşhir edip küçük düşürmeye çalışmak size bir şey kazandırmaz, diye çıkıştı.

Rauf taş kesilmişti, ağzından tek bir kelime dahi çıkmıyordu. Sokaklarda birikmiş kalabalık ve evlerin balkon ve pencerelerinden bakan kadınlar arasında kafile ağır ağır ilerliyordu. Eşref utancından iki büklümdü. Çocuklar bir köşeye toplanmış bağırıyordu:

– Ya Uçan Şeyh... Kanatlarına ne oldu senin... Kuşların Şeyhi; kanatlarını kim kırdı senin...

Gülen, kahkaha atan kalabalık ve aşağılık bir şeye bakar gibi bakan kadınların arasında uzun uzun dolaştırılarak bir kışlaya getirildiler. Çalan mızıkayla alay edilerek karşılandılar. "Padişahım çok yaşa..." nidaları yerine "Yaşa ey Melik..." nidaları yükseliyordu.

Beş gün sonra Şerif'in huzuruna çıktılar. Şerif olanları unutmalarını istermiş gibi onları sıcak karşıladı. Sık sık evlatları olduğunu ifade etti.

\*\*\*

Eşref Mekke'den Mısır'a doğru yola çıkmak için hazırlıklarını bitirmişti. Mahmut Geysani Efendi bir İngiliz müsteşrikinin kendisini ziyaret etmek istediğini söyledi. Eşref'in, bir esir olarak, ziyaretçiyi kabul etmeme imkânı yoktu. Heyecanla beklediği misafir içeri girdiğinde, hayreti bir kat daha arttı. Gelen kişi yıllarca peşinden koştuğu Lawrence'dı. Üzerinde Çereş'te giydiği Hicaz şeyhlerine ait kıyafet vardı.

Eşref, misafirine oturması için yer gösterdi.

– Sizinle şu anda hangi sıfatla görüşüyorum Mr. Lawrence?

– Memleketimin bana verdiği vazifeleri yerine getiren biriyim... Siz ise şu anda *bizim* misafirimizsiniz.

– Siz genç bir insansınız... *Bizim* tabirini kullanmakta biraz acele etmiyor musunuz?

– Ben buraları ve buranın insanlarının nasıl idare edildiğini öğrenmiş bulunuyorum... Yanılacağımı zannetmem.

Eşref, karşısında son derece soğukkanlı bir vaziyette duran adama verecek cevabının olmaması sebebiyle sustu. Adamın yüzündeki o soğuk ifadeyi incelemeye koyuldu. O sırada Lawrence sakin bir ses tonuyla konuşmaya başlayınca, gözlerini ondan kaçırdı.

– Harp bitmek üzere... Bütün Arabistan'ı kaybettiniz. Savaşı da kaybedeceksiniz.

Tebessüm eden Lawrence'ın bembeyaz dişleri görünüyordu. Konuşmasına devam etti:

– Siz Türkler hiç kimseye benzemiyorsunuz... Yakalandığınız haberi geldiğinde Emir Abdullah'ın karargâhında büyük bir sevinç yaşandı. Bu kadar büyük bir sevince sebep olan kişiyle tanışmak istedim...

– Beni daha önce hiç gördünüz mü? Benimle konuştunuz mu?

Lawrence, çok anlamsız bulduğu bu suale hiç düşünmeden cevap verdi.

– Hayır.

– Yanılıyorsunuz Mr. Lawrence.

– Hayır... Ama sizi gıyabınızda çok iyi tanıyorum.

– Şimdi daha çok yanılıyorsunuz Mr. Lawrence... Beni daha önce gördünüz, benimle konuştunuz, hatta iddia ederim, benden şüphelendiniz...

Soğukkanlılığını kolay kolay kaybetmeyen Lawrence'ın yüzündeki ifade, kontrolü yitirmiş bir insanın yüz ifadesine döndü. Konuşmanın devamını merak ettiği belli oluyordu.

– Çok uzun zaman evvel de değil. Çereş'teki harabelerde yapılan son Müşteşrikler Kongresi'nde.

Lawrence'ın yılan soğukluğunu hissettiren bakışları, uzun süre boşlukta asılı kaldı. Karşısında duran adam zihninde hiçbir çağrışım yapmıyordu.

– Maskatlı şeyhi hatırladınız mı? Ravsag kabilesi şeyhini?

Adamın yüzündeki buz gibi ifade çözülmeye başlamıştı. İçinden *El Türkî* diye geçirdi. *El Türkî hakkında görüşlerini sorduğum şeyh...* Sonra konuyu farklı bir yöne çekmek istedi:

– Harp sizin aleyhinize bitmek üzere. Siz Enver Paşa'nın yakınısınız.

– Biz harbin bittiği kanaatini taşımıyoruz Mr. Lawrence.

– Eşref Bey, şu an içinde bulunduğunuz durumu nasıl açıklıyorsunuz?

– Bu bir harptir. Harpte herkes yapması gerekeni yapar. Biz de çölde yıllarca müsteşrik kılığında dolaşan ajanları takip ettik. Maddî kudret harbin gidişini olumsuz etkiledi.

– Türk ajanları çok çalıştı ama...

– Yanılıyorsunuz Mr. Lawrence... Biz sizin neler yaptığınızı çok iyi biliyorduk. Yemen'de, Mısır'da, Trablus'ta yürüttüğünüz çalışmaları çok iyi biliyorduk... Yokluk içinde çalışan arkadaşlarımız çok ciddiye alınacak işler yaptılar... Develerin sırtına yüklediği maden sodası şişeleriyle gürültülü yolculuklar yapan hanımı da sizin gibi adım adım izledik. Yanında gezdirdiği Delil'le Emir Faysal'ın Suriye Krallığı'na isyan eden kırk kadar şeyhi bir vahada toplayıp onlara binlerce altın dağıtarak Faysal'a biat ettirdi... Bunlar sizin ortak planınızdı ve başarılı da oldu. İbn-i Suud böylelikle saf dışı edildi... Adamlarımız her yerdeydi. Yaptığınız her işi adım adım takip ettik ama bunları önleyecek durumda değildik. Bazen böyle olur... Güç, kitleleri altınla ve yerine getirilmeyecek vaatlerle peşinden sürükleyenlerin eline geçer. Söylediğim gibi, biz sizin hakkınızda çok şey biliyorduk. Atina'ya giderken dahi yan kamaranızda ajanlarımız vardı... Yine de Bayan Gertrude Bell'in yaptıkları kendi milleti namına takdire layıktır. Oxford gibi güzide bir okuldan mezun olmuş bir hanımefendinin bedeviler arasında uzun seyahatler yapması takdir edilecek bir iştir. Ben de sizin gibi yıllarımı Arapların arasında geçirdim. Bu topraklarda devletine bağlı insanların sayısı sizin satın aldıklarınızdan fazladır Mr. Lawrence. *Bizim* derken yanılıyorsunuz... Siz burada, onlara ait olan şeyleri almak için avans dağıtıyorsunuz. Şu anda onlara bu hakikati anlatma şansımız yok ama *bizim* demekle yanılıyorsunuz... Sömürgeci zihniyetinizle buralar size kalmayacaktır. Bir gün umuyorum her şey ortaya çıkacak... Siz de petrol için geldiğiniz bu toprakları terk etmek zorunda kalacaksınız...

– Eşref Bey, size bir isim soracağım... Müze-yi Hümayun'dan...

Eşref, Nejat Bey'in ismini telaffuz etmeden Lawrence'ın sözünü kesti:

– Mr. Lawrence, siz de bilirsiniz ki bu dünyada kimse birbirini tanımaz. Ben size Hazcı Ali'yi, Şeyh Abdullah Mansur'u tanıyor musunuz diye sorsaydım tanıdığınızı mı söyleyecektiniz. Oysa onların yanına defalarca gidip geldiğinizi biliyorum. Yemen'deki isyanın sahibi bu adamlar. Siz şimdi onları tanıdığınızı mı söyleyeceksiniz?

Lawrence, Eşref'in sözlerine hak verdiğini anlatmak için başını sallıyor, tebessüm ediyordu.

– Bakınız Mr. Lawrence... Bütün tecrübelere rağmen insanlar, cemiyetler, milletler, devletler yanılabilirler... Yaşayan görecektir... Allah vardır ve yaşayan bunu görecektir... Umduklarınızın hiçbiri olmayacaktır...

Konuşmanın başında kendine fazlasıyla güvenen adam, karşısında saygı duyması gereken bir düşmanın olduğunu fark etmişti. Arabistanlı Lawrence olarak değil de, bir İngiliz centilmeni gibi başını dikerek konuşmaya başladı:

– Siz elinizden geleni yapıyorsunuz... Ben öteden beri ferdî hadiselerin dünyanın akışını değiştirmeyeceğine inanırım...

– Biz şerefimizle yaşadık, hüküm sürdük... Şerefimizle hayat ve tarih sahnesinden çekileceğiz...

İki düşman artık birbirine daha çok saygı duyuyordu...

\*\*\*

Mekke'den Kahire'ye sevk edilen esirler orada kırk üç gün bekletildi. Eşref, Abbasiya vapuruna bindiğinde yanında arkadaşı Ata Bey vardı.

Gemi Malta limanına yaklaşırken, Eşref, büyük bir bilinmezliğe giden insanların taşıdığı koyulukta bir sıkıntı hissediyordu içinde. "Nereye gidiyoruz?" diye soran Ata Bey'e kederli bir ses tonuyla "Kaderimize" cevabını vermişti. Limana yanaşan gemiden sahile bakarken, etrafını saran yalnızlığın içinde omuzları düşmüş bir vaziyette duruyordu. Aklına Şeyh Edebalı'ya ait olduğu söylenen bir söz geldi. İçinde çocuklara has bir coşku, yüzündeyse ince bir tebessüm vardı.

"İnsan hangi yöne yürürse yürüsün sadece eceline yürür."

# SONSÖZ

Eşref Kuşçubaşı Malta'da esaret günlerini yaşamaya başladığı sırada, Arap Musa binlerce altını Yemen'e götürmeyi başardı. Altınları tek tek sayarak Ahmet İzzet Paşa'ya teslim etti. Tek bir altına bile el sürülmemişti. Musa, savaş kaybedilince yaşanan çileli esaret günlerinden sonra İstanbul'a döndü. Gümrük hamalı olarak çalışmaya başladı. Ahmet İzzet Paşa, İstanbul'dayken kendisine maaş bağlatmak istediyse de Musa kabul etmedi. Gümrük hamallarının çavuşluğunu da, daha yaşlı birine verilsin diye reddetti. İngiliz İşgal Komutanı Harington, bir gün Musa'yı yük taşırken gördü. Arabasını durdurup hatırını sordu. Hayatında hiç onun kadar iri bir insan görmemişti. Kendisine yardımcı olabileceğini söyledi. Ancak Musa'dan "Benim bir tek efendim var ve ben onu beklemekteyim" cevabını aldı.

Ağır yükler altında geçen hayatı vereme yakalanmasıyla daha da ağırlaştı. Valizini toplayıp Eşref'in kendisine aldığı küçük evi terk etti. O günlerde gönüllülerin Anadolu'ya geçmesine yardımcı olan Özbekler Tekkesi'ne gitti. Yorgunluktan vücudu çökmüştü. Son günlerini tekkedeki küçük bir odada geçirdi. Ölümünden sonra, çantasından sadece birkaç parça elbise, az miktarda para ve Eşref Bey'in bir resmi çıktı. Binlerce altını taşıyan adam, yokluk içinde ama ülkesine hizmet etmenin iç huzuruyla ölmüştü...

Eczacı Nejat Bey'den savaşın sonuna kadar haber alınamadı. Nejat Bey, gençliğini ve ideallerini çölün derinliklerinde harcamıştı. Ardında temiz bir isim bırakarak...

Eşref Kuşçubaşı, Malta'da üç yıl tutuldu. 17 Aralık 1919'da bir İngiliz kargo gemisiyle yurda döndü. Enver Paşa yurdu terk etmiş olduğundan, Eşref, yeni hükümetin arananlar listesindeydi. Salacak açıklarında gemi iplerinden kayarak denize atlayıp yüzerek sahile çıktı.

Enver Paşa, yurdu terk ederken bir bakıma Teşkilat-ı Mahsusa'yı tasfiye ederek örgütü Hüsamettin Ertürk'e emanet etmişti. Eşref, İstanbul'da fazla kalmadı. Salihli'deki çiftliğine döndü. Yemen'e gitmeden önce silah deposuna çevirdiği çiftliğini Çerkez Ethem'in emrine verdi. Kendisi de Ethem'in yanında yer aldı. Kardeşi Selim Sami, o sırada Türkistan'daydı. Eşref, Türkistan'dan toplayacakları büyük bir orduyla Anadolu'ya girerek işgale karşı mücadele edileceği fikrini, Enver Paşa'nın ölüm haberini aldığı güne kadar muhafaza etti.

Düzce ve Aznavur isyanlarını bastırırken Ethem'in yanındaydı fakat eski günlerdeki şöhretine sahip değildi. Kuvayi Milliye hareketinin içinde yer almasına rağmen, ismi hiçbir zaman ön plana çıkmadı.

Sadık adamlarından Mamaka Mustafa, Geyve cephesinde yaralanıp aşırı kan kaybından çaresiz bir hastalığa yakalandı. Tedavi için gittiği Mısır'da vefat etti.

Anadolu'daki düzenli ordu ve Yunan Kuvvetleri arasında sıkışan Ethem, serbest geçiş için Yunanlılarla anlaşmaya gittiğinde, yanında sadece Eşref vardı. Eşref, ilk başta Anadolu'daki hareketle uyuşmadı. Ethem'in Yunan tarafına geçmesinden sonra, bir süre ortalardan kayboldu. Kardeşi Hacı Sami öldürüldü. Ölümü hakkında birçok rivayet üretildi.

Cumhuriyet için sakıncalılar olarak da bilinen "yüz ellilikler" listesinde Eşref'in de adı vardı. Mareşal Fevzi Çakmak'ın araya girmesiyle affedildi. Bir süre yurt dışında yaşadıktan sonra Salihli'deki çiftliğine döndü. Uzun süre sessiz kaldı.

Ömrünün son günlerinde Amerikalı Hariciyeci Philip H. Stoddart ile altı uzun görüşme yaptı. Teşkilat listelerini ve bazı önemli evrakları ona verdi. Binlerce sayfayı bulan hatıratını ve bazı belgeleri de tarihçi Cemal Kutay'a emanet etti. Hatıralarının çok küçük bir bölümü yayınlanabildi. Cemal Kutay'ın, Moda'daki evinde çıkan yangında Eşref Bey'in arşivinin büyük bir kısmının da yandığını söylemesi, evrakın önemli bir kısmının nerede olduğu hususunda şüpheleri canlı tutmaktadır. Eşref Kuşçubaşı çok özneli bir hayat yaşadı. Büyük bir haydut, bir eşkıya olduğunu hararetle savunanlar olduğu gibi, hiçbir beklentisi olmadan yıllarca ülkesine hizmet ettiğine inananlar da çoktu. Enver Paşa'nın en yakınındaki kişilerden biri olması, Eşref Bey hakkında yapılan yorumlarda etkili oldu. Baş döndürücü hayat hikâyesi ve hatırası hâlâ canlılığını korumaktadır...